地域金融機関の
有価証券運用

オールニッポン・
アセットマネジメント株式会社［著］

第2版

一般社団法人 金融財政事情研究会

はじめに

　有価証券運用は、地域金融機関にとっていまや貸出と並ぶ重要な業務である。国内の長期にわたる低金利で、だれもが海外資産に運用の場を求めなければならない状況が日常化している。運用担当者やリスク管理担当者はもちろんのこと、経営企画担当者も海外市場や海外資産の知識が必要とされる時代になった。銀行経営者も、運用に関して期待リターンや資産価格の変動リスクについて一定の見識をもたないと、銀行の持続可能な業務として有価証券運用業務を位置づけることは困難となる。

　「多資産運用戦略」（マルチアセット戦略ないしバランス型運用とも呼ばれる）は読んで字のごとく国内外の債券や株式を一体として運用する手法である。リーマンショック以降運用の世界で幅広く知られる運用手法になってきたものの、その実務を解説した教本の類は日本でほとんど見かけない。地域銀行とすれば、多資産運用戦略を行う運用会社に運用委託して、その結果をモニタリングしていればよいということになるかもしれない。しかし地域金融機関の有価証券ポートフォリオをみると、円債に加えて米国債や欧州債などの外国債券、内外株の先物やETF、あるいはREITというようにすでに多資産で構成されるようになっている。したがってこれらの多資産をどのように管理運営していけばよいのか、もう少し仔細にいうならば、そもそもどのような資産選択をし、どれほどの収益期待をもち、どこまでリスクを許容してポートフォリオ全体を運用したらよいのかが業務の鍵となる。運用を旅客機の運航にたとえるなら、目的地（パーパス）とそこに至る航路を決める必要がある。当然気象

状況によりパイロットは航路や高度の変更を余儀なくされることもあるが、同様に運用も市場環境の変化を見据えてポートフォリオの中身を増やしたり減らしたり、あるいは資産を入れ替える必要が出てくる。

　ということは、地域銀行にとって多資産運用に伴うポートフォリオ構築の枠組みとともに、リスクをリアルタイムでモニタリングする枠組みも必要になってくる。しっかりしたリスク管理体制のないなかでグローバル運用を行っていくことは危険だ。運用担当者はもちろんリスク管理担当者も、とっているリスクが銀行にとって許容できるものなのか、収益性はどうであるのかをモニタリングできる実務的な枠組みをもたなければならない。

　そして銀行経営者は保有する有価証券ポートフォリオが収益性とリスクの観点から妥当であるかどうかを常に検証する必要がある。なぜなら有価証券業務の最終判断を下すのは銀行経営者だからだ。

　本書は地域金融機関の運用の実務、あるいはリスク管理の実務に携わる人から、経営企画や運用担当役員、あるいは銀行経営者に至るまで幅広く読んでいただけるように意識して書かれた本である。各章で内容がおおむね完結しているので、とり急ぎ多資産運用の実務だけ読みたい、あるいはリスク管理だけ読みたい、という方にも最適な構成となっている。また経営層の方には、第1章、第4章、第6章、第7章の末尾に掲載している「経営からみる地域銀行の有価証券運用の高度化」や、有価証券運用のガバナンスという点からANAMダッシュボード®の章を優先する、というような読み方もしていただけるものと考えている。

　今般、第2版の発行にあたり初版以降のマーケットの環境変化に伴い内容をアップデートしたほか、リスク管理手法の発展に伴い

「リスクガバナンスとリスクアペタイトフレームワーク」を「リスク管理ツール／ANAMダッシュボード®」に書き直すとともに、バーゼル規制やデジタル／暗号資産等に関する新たな解説を追加した。

　弊社は地域金融機関の運用の多様化、高度化とそれに呼応したリスク管理の精緻化を力強くサポートし、地域金融機関とともに歩み成長していくことを目指している。その一環として本書が地域金融機関のさらなる発展の一助となれば幸いである。

　末筆ながら、金融財政事情研究会出版部長の花岡博氏には、本書を出版するにあたり原稿整理・校正のほか多くのアドバイスを賜った。執筆者を代表して厚く御礼申し上げる。

　2022年3月

オールニッポン・アセットマネジメント株式会社

代表取締役社長　**永野　竜樹**

第2版の構成

　本書は、タイトルのとおり「地域金融機関」の経営・運営をとりまく諸環境・諸状況をふまえて、その有価証券運用のあるべき姿を具体的に描く。また、その内容は、証券理論・金融工学の基本をふまえたものとなっている。俯瞰すると、次のとおりである。

環境	⇒	具体的な取組み
JGB依存からの脱却が必要ななか、世界中で金利が蒸発	過去の英知	安定収益の仕組みを提言

第1章　資産運用の課題

長期にわたる人財育成
多資産運用のマネジメント

　　　　第2章　資産運用の変遷

　　　　資産間の特徴を生かし運用

第3章　多資産運用の実務

リスク効率をふまえたリターン分析
国際分散投資の重要性

分散投資のために必要なリスク管理 持続的な経営のためのリスク管理	経営、他部署との共通の情勢認識 市場の予兆をとらえる

第4章　多資産運用におけるリスク管理

リスクのとらえ方
複数資産のバランスをとる

第5章　複数の多資産運用戦略

他の運用者も含めた管理

第6章　リスク予兆管理

網羅的なリスク把握　　運用への活用
コロナショック振返り

**第7章　リスク管理ツール／
　　　　　ANAMダッシュボード®**

リスクについての一覧性　　収益とリスク

攻めと守り　　新たな挑戦

**第8章　バーゼル規制／
　　　　　バーゼルⅢ最終化・日本の対応**

自己資本比率規制等の背景とその実務

第9章　デジタル／暗号資産

新たな世界への挑戦

第10章　平均－分散アプローチのおさらい

モダンポートフォリオ理論

（注）　ANAMダッシュボード®はオールニッポン・アセットマネジメント株式
　　会社の登録商標である。

「**第1章　地域金融機関における資産運用の課題**」では、これまでと同じ経営目線では対処できない、今後取り組むべき課題を明らかにするとともに、具体的に有価証券運用における実務上の課題を明らかにする。「**第2章　資産運用の変遷**」において、有価証券運用の本質的な姿である複数の投資資産（多資産）における運用を解説し、「**第3章　多資産運用の実務**」において具体的な運用実務を明らかにする。

有価証券運用において収益追求と対となるリスク管理について、「**第4章　多資産運用におけるリスク管理**」において、あるべき姿を提言する。また、「**第5章　複数の多資産運用戦略への投資とリスク管理**」において、一般に広く運用業界を見渡し、地域金融機関の有価証券運用におけるリスク管理の視点・あり方や展望を確認する。さらに、近年リスク管理においては、リスクの予兆をとらえることが求められており、「**第6章　リスク予兆管理**」では、これについて提言する。

「**第7章　リスク管理ツール／ANAMダッシュボード®**」では、フロント・ミドル・経営という三位一体のリスクガバナンスのためのリスク管理ツールとして、ANAMダッシュボード®を提案する。

「**第8章　バーゼル規制／バーゼルⅢ最終化・日本の対応**」で、有価証券運用において経営資源の配賦と密接な関係にあるバーゼル規制につき、導入と発展の歴史と考え方や枠組みの全体像を提示するとともに、2023年1月から実施されるバーゼルⅢ最終化の主要な論点について国内規則の内容を簡単に確認する。また、「**第9章　デジタル／暗号資産**」で、近年の暗号資産の取引活発化、中央銀行デジタル通貨（CBDC）の議論や研究開発進展に鑑み、暗号資産やCBDC、代表的な暗号資産であるビットコインのブロックチェーンの仕組みを解説する。

最後に、「**第10章　平均－分散アプローチのおさらい**」において、ANAMダッシュボード®で応用するモダンポートフォリオ理論の平均－分散アプローチについて解説する。

本書発行以降、弊社（オールニッポン・アセットマネジメント株式会社）のウェブサイトにおいて、適宜、有価証券運用の高度化に関する最新の情報を提供していくことを予定しているので、ぜひご参考にしていただきたい。

弊社ウェブサイト：https://www.anam.co.jp/

執筆者略歴

山下　実若（やました　みわか）

オールニッポン・アセットマネジメント株式会社

執行役員　金融商品部長

　1991年東京海上火災保険入社、財務企画部、投資部にてALM、企画・運用実務に携わり、その後東京海上フィナンシャルソリューションズ証券ではスワップビジネス・シンジケーションローンビジネスに従事。

　2006年よりバークレイズグローバルインベスターに入社し、国内・海外の金融機関等の資産運用に係るソリューションビジネスおよび複数のマルチアセット戦略の開発に米国・欧州本社とともに携わり、ブラックロックとの会社統合後も引き続き従事。

　2015年東海東京フィナンシャルホールディングス顧問。

　2016年2月より現職。運用歴29年。

　1989年東京大学理学部卒および同大学院修士、1995年ミシガン工科大学ビジネススクールMBA。2016年青山学院大学大学院博士（経営管理、数理ファイナンス）。米国CFA協会公認アナリスト、IAA国際アクチュアリー会AFIR／ERMセクション・コミッティメンバー。

【執筆担当】

第1章　地域金融機関における資産運用の課題

第5章　複数の多資産運用戦略への投資とリスク管理

第6章　リスク予兆管理

山内　正俊（やまうち　まさとし）

オールニッポン・アセットマネジメント株式会社

執行役員　運用部長

　1994年東京銀行入行、1996年東京三菱銀行（現三菱UFJ銀行）として合併後に銀行資金繰りから円貨・外貨債券ポートフォリオ運営まで

ALM業務に従事。ニューヨーク・香港勤務を含めて、プロップおよびフロー・トレーディングの経験もあり、金利・通貨スワップやエキゾチックデリバティブ分野にも精通。2014年より外貨資金証券部次長、投資運用部次長として先進国を中心とした株式・金利・クレジットからなる分散ポートフォリオ運営を総括。

2016年2月より現職。運用歴26年。

1994年大阪大学基礎工学部卒。

【執筆担当】

第2章　資産運用の変遷

第3章　多資産運用の実務

坂根　学（さかね　まなぶ）

オールニッポン・アセットマネジメント株式会社

運用部兼金融商品部　次長

1999年東京三菱銀行（現三菱UFJ銀行）入行、以来20年以上一貫して市場業務に携わる。金利デリバティブのトレーディング、セールス、および市場業務企画に従事。2008年より同行ニューヨークオフィスにて5年間、2015年よりロンドンオフィスにて3年間の海外勤務を経験し、グローバルな金融市場に精通。市場部門のグローバル一体運営プロジェクトにも参画、人事・組織運営を担当。

2019年より現職。

1999年早稲田大学理工学部卒および同大学院修士、2007年カーネギーメロン大学テッパービジネススクール修士（数理ファイナンス専攻）。

【執筆担当】

第5章　複数の多資産運用戦略への投資とリスク管理

武田　伸一（たけだ　しんいち）

オールニッポン・アセットマネジメント株式会社

執行役員　情報・リスク戦略部長

1989年よりアメリカン・エクスプレスにて、クレジットモデル分析

に従事。

1990年野村證券にてデリバティブ管理システム／クオンツ運用システムの開発に従事。1996年には日本初の大型ヘッジファンドである野村EPICファンドを香港で立ち上げる。

1998年RGアセットマネジメント設立、共同経営者の傍ら開発・運用責任者として金利スワップ運用モデル（米国特許）によるOPTIMファンド、Symphonicファンドを運営。ファンド総数70本、総額4,000億円を運用。また2005年から2007年までバーゼルⅡ導入で金融庁のコンサルタントを務め、マーケットリスクに対する内部モデルの調査実証研究書等を発表。

2016年2月より現職。運用歴27年。

1986年北海道大学文学部卒、1988年北海道大学大学院文学研究科修了。

【執筆担当】

第4章　多資産運用におけるリスク管理

第10章　平均－分散アプローチのおさらい

永野　竜樹（ながの　たつき）

オールニッポン・アセットマネジメント株式会社
代表取締役社長

1983年中央信託銀行入社。総合企画部財務企画室長。ALM、リスク管理、資本政策等を担当。北海道拓殖銀行本州営業譲渡、三井信託銀行との合併交渉を担当したほか、自己勘定のポートフォリオマネジャーとして1兆円の外国証券や金融機関の優先株・劣後債投資に携わる。

2001年よりRGアセットマネジメントの経営に参画。日本の代表として地域金融機関向けに累積で4,000億円のファンドを販売。また厚生労働省年金シニアプラン客員研究員として、「企業年金に求められる資産運用体制のあり方」などを発表。

2016年2月より現職。運用歴24年。

1983年慶應義塾大学商学部卒、米国コロンビア大学MBA。

【執筆担当】

第7章　リスク管理ツール／ANAMダッシュボード®

吉永　彰成（よしなが　あきなり）

オールニッポン・アセットマネジメント株式会社

情報・リスク戦略部　部長代理

2018年9月より現職。ANAMオンラインスクール講師。

2005年東京理科大学理学部第一部物理学科卒、2007年東京大学大学院理学系研究科物理学専攻修了。

【執筆担当】

第8章　バーゼル規制／バーゼルⅢ最終化・日本の対応

第9章　デジタル／暗号資産

第10章　平均−分散アプローチのおさらい

オールニッポン・アセットマネジメント株式会社（ANAM）

オールニッポン・アセットマネジメント（ANAM）は全国の地域銀行等が株主となり、地域銀行の運用業務をサポートするために設立された独立系の運用会社である。当初7行でスタートした出資銀行は、現在16行まで参加行が増えている。2016年4月に営業を開始し、銀行の有価証券ポートフォリオの指標となるような運用商品をはじめ、多様なリスクプロファイルをもつ運用商品を提供している。また保有有価証券ポートフォリオの分析、中身の改善、具体的な運用アドバイス等も実施している。クオンツによる商品開発にも力を入れており、自社のみならず外部との共同開発・商品化も行っている。また運用業務とリスク管理業務に携わる人財の育成にも力を入れており、運用とリスク管理全般にわたる理論と実践、あるいはプログラミングなどのノウハウも提供している。具体的には銀行のニーズに合致した研修プログラムを用意して、トレーニー等を受け入れている。また年2回、オンラインスクールを開催し、運用におけるアップデートな情報を提供している。

目　　次

第1章　地域金融機関における資産運用の課題

1　経営環境 ……………………………………………………………… 2

2　課題概観 ……………………………………………………………… 6

3　ポートフォリオ運営の課題 ……………………………………… 8

4　課題解決に向けた経営のテーマ ……………………………… 9

　(1)　価　　　値 ………………………………………………………… 9

　(2)　組織文化（人財育成） ………………………………………… 9

　(3)　リターンとリスクの把握および管理 …………………… 10

　(4)　気　づ　き ……………………………………………………… 10

　(5)　リスクテイク ………………………………………………… 11

　(6)　監督当局との関係 …………………………………………… 11

5　課題解決に向けた具体的な施策 ……………………………… 12

　(1)　考　え　方 ……………………………………………………… 12

　(2)　プロセスの例 ………………………………………………… 12

　(3)　シミュレーション …………………………………………… 13

　(4)　ポートフォリオの期待リターン向上等 ……………… 14

6　外部運用ファンドの利用 ………………………………………… 16

　●経営からみる地域銀行の有価証券運用の高度化①

　　〜ポートフォリオ・アプローチという考え方 ……………………………… 17

第2章　資産運用の変遷

1　概　　要 ··· 22

2　長期運用モデル（平均分散法） ····························· 23

3　新しいアプローチ（投資スパン短期化へ） ················· 25

4　リスクに着目した運用手法の導入 ························· 27

5　緊急時のポジション削減プロセスを付加 ················· 30

6　リスク・パリティファンドのケーススタディ ············· 31

第3章　多資産運用の実務

1　各資産の将来価格のモデリング ··························· 36

2　多資産への拡張と効率的フロンティア ····················· 42

3　ポジション管理とリスク・パリティ ····················· 51

　(1)　ポジション管理の考え方 ····························· 51

　(2)　ボラティリティの推計 ······························· 53

4　相関リスクの管理 ··· 58

5　多資産運用ファンドの運用プロセス（SAA＋TAA型について） ··· 64

6　運用プロセスに取り入れている各種手法の概要 ············· 67

　(1)　各資産の期待リターン推定：Reverse Optimization ····· 67

　(2)　レジーム表現：Black Littermanモデル ··············· 69

　(3)　資産ごとのリスクやリスク・ファクターごとの偏りをモニタリングする手法 ································· 73

　(4)　収益変動およびテールリスクを抑制する仕組み（ドローダウン分析） ····································· 76

目　　次　xi

(5)　リスクインディケーターを用いた予兆管理 ················ 76

7　銀行ポートフォリオ運営への活用 ······························ 78

　(1)　ポートフォリオ構築プロセス高度化 ······················ 78

　(2)　リスク分析力の向上 ······································ 79

8　最終ポートフォリオ運営（TAA） ···························· 82

第4章　多資産運用におけるリスク管理

1　多資産運用におけるリスク管理の機能 ······················ 88

　(1)　運用の外部委託か自社運用か ······························ 88

　(2)　リスク管理部門の果たすべき牽制機能 ···················· 90

　(3)　ポートフォリオ・アプローチ ···························· 91

　(4)　ポートフォリオ・アプローチの導入 ······················ 92

　(5)　リスクアペタイトフレームワークにおけるリスク管理 ····· 95

　(6)　選　　択 ·· 96

2　ポートフォリオ・アプローチにおけるリスク管理 ············· 98

　(1)　リスク管理の一般論 ······································ 98

　(2)　投資プロセス ·· 99

　(3)　シナリオ ··· 101

　(4)　リバランス ··· 102

　(5)　パフォーマンスの検証 ··································· 104

3　パフォーマンス検証の諸要素 ······························· 105

　(1)　シナリオの適切さの検証 ································· 105

　(2)　リバランスの適切さの検証 ······························· 107

　(3)　投資モデルの適切さの検証 ······························· 111

　(4)　最適戦略の適切さの検証 ································· 113

(5) 経営指標の観点からの検証 ……………………………… 113

(6) 運用者の検証 ……………………………………………… 115

● 経営からみる地域銀行の有価証券運用の高度化②
〜ベンチマークという考え方 ……………………………… 115

第5章　複数の多資産運用戦略への投資とリスク管理

1　さまざまな多資産運用戦略 ………………………………… 120

　多資産運用の位置づけと類型化 …………………………… 120

2　多資産運用戦略における運用とリスク管理の落とし穴 …… 124

(1) 「リスク」への傾倒、「リターン」への傾倒 ……………… 124

(2) リスク管理のための手法 ………………………………… 125

3　複数の多資産運用戦略のリスク管理 ……………………… 127

(1) 複数の投資先をもつことについてデータが語る留意す
べき点 ……………………………………………………… 127

(2) ポジションの相殺リスク、インデックス化のリスク …… 129

4　多資産運用戦略のパフォーマンスの検証 ………………… 130

(1) 分析手法 …………………………………………………… 130

(2) 分析結果 …………………………………………………… 132

5　多資産運用戦略の注意点 …………………………………… 136

第6章　リスク予兆管理

1　リスク予兆管理データの種類 ……………………………… 140

2　リスク予兆管理データ例 …………………………………… 142

(1) 市場データ ………………………………………………… 142

目　　次　xiii

(2)　マクロ／ミクロデータを利用した指標 ················· 143

　(3)　セルサイド／バイサイドの指標 ······················ 144

　(4)　フィナンシャル・コンディションに係る指標 ········· 145

　(5)　システミック・リスクに係る指標 ··················· 146

3　リスク予兆指標の検証 ································· 147

　(1)　株式市場価格の方向と各リスク指標 ················· 147

　(2)　相関分析 ··· 154

　(3)　センチメント（リスク・オン／オフ）や（金融）システ

　　　ミック・リスク ··································· 156

4　ジャッジメンタルな判断の計量分析への取込み

　　─AIからの挑戦─ ···································· 157

　●リスク予兆管理におけるAIの利用例（当社モデル例） ····· 158

5　リスク予兆管理シミュレーション例 ················· 160

　(1)　金融環境指標を利用した米国株リスク予兆管理 ········· 160

　(2)　中期z-scoreを利用した米国債リスク予兆管理 ········· 160

　(3)　課　　題 ··· 163

　●下値リスク度合いを示す指数に関する理論 ·············· 163

6　コロナショックの振返り ····························· 167

　(1)　ARIおよびRTIの状況 ······························· 167

　(2)　株式指数等の200日移動平均からの乖離の状況 ········· 167

　(3)　リスク指標 ······································· 168

　(4)　指標の有効性の検証 ······························· 169

　(5)　指標を利用した戦略シミュレーション ··············· 180

　●経営からみる地域銀行の有価証券運用の高度化③

　　～フロント／ミドル／バックの人財育成が重要 ··············· 184

第7章 リスク管理ツール／ANAMダッシュボード®

1 地域銀行の有価証券運用・リスク管理体制の高度化への

　提言 ……………………………………………………………… 188

2 ANAMダッシュボード® ………………………………………… 190

　⑴ リスク・ファクターによる有価証券運用ポートフォリ

　　オの把握 ………………………………………………………… 190

　⑵ ANAMダッシュボード®概観 ………………………………… 199

　⑶ 投資額／想定元本 ……………………………………………… 204

　⑷ リターン ………………………………………………………… 207

　⑸ リスク（vol) …………………………………………………… 209

　⑹ 最適ポートフォリオ …………………………………………… 212

　⑺ デルタ（Δ）／ファクターの感応度 ………………………… 215

　⑻ リスクバジェット ……………………………………………… 217

　⑼ 期待ショートフォール ………………………………………… 220

　⑽ マックス・ドローダウン ……………………………………… 223

　⑾ 経営・ミドル・フロント間の情報共有 ……………………… 229

　⑿ 有価証券運用業務へのRAFの適用 …………………………… 232

　⒀ トレーディングのリスク管理 ………………………………… 236

　●期待ショートフォールに関する補論 …………………………… 240

　●経営からみる地域銀行の有価証券運用の高度化④

　　〜ミドル機能のシステム投資と科学的アプローチの重要性 ……… 242

第8章 バーゼル規制／バーゼルⅢ最終化・日本の対応

1 バーゼル規制によるリスク管理 …………………………………… 246

目　次　xv

2　バーゼル規制の歴史 ……………………………………………… 249

　(1)　バーゼル銀行監督委員会（BCBS）の設立 …………… 249

　(2)　バーゼルⅠ ……………………………………………… 250

　(3)　バーゼルⅠの改訂版 …………………………………… 254

　(4)　バーゼルⅡ ……………………………………………… 255

　(5)　バーゼル2.5 …………………………………………… 257

　(6)　バーゼルⅢ ……………………………………………… 259

　(7)　バーゼルⅢ最終化 ……………………………………… 260

3　バーゼルⅢ最終化の枠組み ………………………………… 263

　(1)　国際合意 ………………………………………………… 263

　(2)　全 体 像 ………………………………………………… 264

　(3)　国内規則 ………………………………………………… 265

4　自己資本比率規制 …………………………………………… 269

　(1)　自己資本比率とリスクアセット ……………………… 269

　(2)　国際統一基準と国内基準 ……………………………… 272

　(3)　国際統一基準における自己資本比率規制 …………… 272

　(4)　国内基準における自己資本比率規制 ………………… 274

　(5)　マーケット・リスク相当額不算入の特例 …………… 274

5　信用リスク …………………………………………………… 276

　(1)　標準的手法 ……………………………………………… 276

　(2)　内部格付手法 …………………………………………… 277

　(3)　カウンターパーティー信用リスク …………………… 278

　(4)　CVAリスク …………………………………………… 278

6　マーケット・リスク ………………………………………… 280

　(1)　トレーディング勘定の抜本的見直し ………………… 280

　(2)　マーケット・リスク相当額不算入の特例 …………… 281

7 オペレーショナル・リスク ………………………………………… 283

8 レバレッジ比率規制と流動性比率規制 ………………………… 285

(1) レバレッジ比率規制 ………………………………………… 285

(2) 流動性比率規制 …………………………………………… 286

9 バーゼルⅢ最終化のまとめ ……………………………………… 288

第9章 デジタル／暗号資産

1 ブロックチェーンによる金融のデジタル化 ………………………… 294

2 暗号資産と中央銀行デジタル通貨 ……………………………… 298

(1) 暗号資産 …………………………………………………… 298

(2) ステーブルコイン ………………………………………… 300

(3) グローバル・ステーブルコイン ………………………… 301

(4) 中央銀行デジタル通貨（CBDC） ………………………… 302

3 ビットコインとブロックチェーン ……………………………… 305

(1) ビットコインの歴史 ……………………………………… 305

(2) ビットコインの全体像 …………………………………… 305

(3) ビットコインのトランザクション ……………………… 310

(4) ビットコインのブロックチェーン ……………………… 313

(5) ビットコインのブロックチェーンのフォーク ………… 322

4 ビットコインの金融商品 ………………………………………… 327

(1) ビットコイン現物 ………………………………………… 327

(2) ビットコイン先物 ………………………………………… 328

(3) ビットコイン先物ETF …………………………………… 329

5 暗号資産マイニングの実践と総括 ……………………………… 330

(1) 一般的なマイニングの方法 ……………………………… 330

目　次　xvii

(2) ANAMがマイニングで使用したハードウエアとOS ········ 331

(3) ビットコインのソロ・マイニングの実行 ····························· 332

(4) イーサのソロ・マイニングの実行 ··································· 333

(5) NiceHashによるプール・マイニングの実行 ··················· 335

(6) 総括と補足 ·· 336

第10章 平均－分散アプローチのおさらい

1 黎明期の平均－分散アプローチ ······································· 340

2 期待効用最大化原理 ·· 343

3 トービンの分離定理 ·· 345

4 CAPM ··· 347

5 ポートフォリオ・アプローチ ··· 349

6 均衡リターンから期待リターンの推計 ······························ 350

7 ブラック・リッターマンモデル ······································· 354

●ブラック・リッターマンモデルによる期待リターンの導出に
関する補論 ··· 357

事項索引 ··· 359

第 **1** 章

地域金融機関における
資産運用の課題

　右肩上がりの株式市場を背景とした株式保有による含み益
と、金利低下局面における国債保有による含み益とをバッ
ファーに、リスクの高い資産への投資や、短期的な収益を目指
す運用を行うことができた時代は去り、いまやその余力はなく
なり、単純なリスクテイクはむずかしくなっている。

　このため、収益機会が長期にわたり確保されるようなさまざ
まなリスク資産へ投資することを柱とした、中長期的なポート
フォリオ投資による資産運用を確立することが喫緊の課題と考
えられる。

　また、そのようななかで、ポートフォリオ・アプローチによ
る国際分散投資の進展が求められ、近年、地域金融機関のファ
ンドを通じたグローバルな分散投資が進む一方で、他社が運用
するかたちの「ファンドへの投資」の理解やリスク管理等が重
要となってきている。加えて、近年では地域金融機関としての
有価証券運用のガバナンスのあり方も重要な経営課題となって
きている。

1
経営環境

　日本の潜在経済成長率は1980年代に低下後、底ばい傾向になり、1990年代の金融危機で一時マイナスに陥っていたが、その後回復していた。しかしながら、直近ではじり貧状態で、世界的な新型コロナウイルス感染症の感染拡大でさらに下方に向かっている。日本銀行によると2020年度下期の前年度比の潜在成長率は年率0.10％である（図表1－1参照）。少子高齢化や財政をはじめとして、多くの社会／経済／政治的な課題があるなか、今後の経済成長見通しも大きな上昇は見込めないというのがコンセンサスであろう。

　本書の初版では2018年4月、金融庁の有識者会議「金融仲介の改善に向けた検討会議」のレポートに触れ、各県の地域金融機関の収

図表1－1　日本の潜在経済成長率（前年度比）

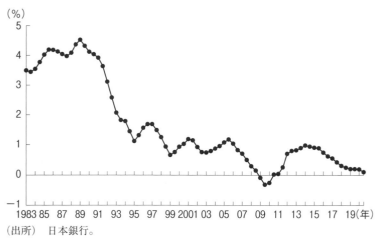

(出所)　日本銀行。

益機会に鑑み、1県に1つの地域金融機関さえ生き残れないケースがあるとして47都道府県の色分けが公表されたことを記したが、その後、地域金融機関の経営統合等が進み、また、こうした動きを後押しする特例法なども整備された。加えて各地域金融機関のコスト削減等の経営改善も進行中で、日本銀行による特別当座預金制度による後押しも整備されている。引き続き、地元の経済状況は日本全体の状況と同じく、またはそれ以上に苦しいなか、地域金融機関はその存続を危ぶまれているが、地域金融機関の対応も動き始めているところである。

　一方、具体的に地域金融機関の中期的な収益推移については、貸出は伸びているものの貸出金利は低下傾向が続き、貸出金利息は減少が続いており、リスクテイクしない地域金融機関が貸出ニーズを取りこぼしている（日本型金融排除）とも指摘されていたが、リレーションシップバンキングや事業性評価の活用が叫ばれ、かつ、足元は新型コロナウイルス感染症の感染拡大とその対策のために地域経済および企業を支えている地域金融機関の活動もあり、コスト削減努力と相まって収益構造に光がみえている面もある。こうしたなか、地域金融機関は有価証券による運用に引き続き力を入れており、有価証券利配収入が安定的かつ継続的に貸出金利息の減少を埋めるような働きとなることが期待されている（図表1−2参照）。

　一般に金融機関にとって、有価証券による資産運用は長い歴史をもつ本来業務である。振り返れば、1936年の内閣方針「地方銀行1県1行主義」は1920年代の金融危機への対処と、軍備拡張の財源としての赤字国債の引受け円滑化を意図したものであり、それ以来、地方銀行は大集約されて、公債引受けの役割を強化されてきた。また、第二次世界大戦前においては企業の資金調達は株式発行が中心

図表1−2　地方銀行の収益内訳推移

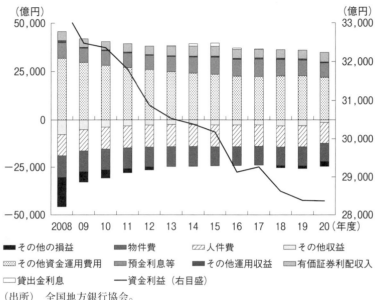

■その他の損益　　■物件費　　▨人件費　　□その他収益
▨その他資金運用費用　■預金利息等　■その他運用収益　▨有価証券利配収入
□貸出金利息　　―資金利益（右目盛）

（出所）　全国地方銀行協会。

であったため、地方銀行は株式も多く保有することとなった。歴史は繰り返し、1990年代後半、バブル崩壊によって金融危機が起こり、景気対策の財源として赤字国債が大量に発行され始め、一般に金融機関は預金が貸出を大きく超過しているなか、日本国債等の保有を積極化した（出所：澤田充「金融危機の実証分析」（2008年））。

　かつては日本の金利水準が高く、単純に日本国債を保有するだけで十分な収益を生み出すことができた。また、直近まで長く金利低下局面が続いたため、価格が上昇した日本国債を売却することで利益をあげることができた。しかしながら、2016年、日本銀行が「長短金利操作付き量的・質的金融緩和」を実施して以降、日本国債の

金利がほぼゼロあるいはマイナスとなり、金利低下も行き着くところまで来てしまい、これからは国債を保有してもこれまでのような収益は期待できず、語弊をはばからずにいえば国債は運用資産ではなくなっている。この金融政策では日本銀行が金融機関から日本国債を購入し続ける結果、一般に金融機関がもつ日本国債は減り、現金となることとなる。金融機関としては、さて、この現金を何に投資して収益をあげるかを悩まなければならなくなった。

2

課題概観

　これまで、右肩上がりの株式市場を背景とした株式保有による含み益と、金利低下局面における国債保有による含み益とをバッファーに、リスクの高い資産（リスク資産、内外の株式などを指す）への投資や、短期的な収益を目指す運用（短期的な相場の方向性等を当てることで収益を得る手法など）、いわゆるディーリング運用などを行うことができた。そこで損失が発生してもカバーする余力があったからである。しかし、いまやその余力はなくなり、単純なリスクテイクはむずかしくなっている。

　相場の方向性等を当てることで目先のディーリング収益を得ることも重要であろうが、収益機会が長期にわたり確保されるようなさまざまなリスク資産へ投資することを柱とした、中長期的なポートフォリオ投資による資産運用を確立することが喫緊の課題と考えられる。収益機会の積上げ（ディーリング）では安定収益をあげていくことがむずかしく、持続可能な（短期相場に振られない）資産運用の「枠組み」としては不適切であろう。

　また、そのようななかで、ポートフォリオ・アプローチによる国際分散投資の進展が求められ、取り組まれているところであるが、近年、地域金融機関のファンドを通じたグローバルな分散投資が進むなかで、他社が運用するかたちの「ファンドへの投資」の理解やリスク管理等が重要となってきている。

　加えて、かつては消去法によって国債等を投資対象とする有価証券運用がなされていたが、近年では能動的な運用が求められ、ひい

6

ては地域金融機関としての有価証券運用のガバナンスのあり方も重要な経営課題となってきている。

　本書では以上の問題意識のもと、地域金融機関の有価証券運用に係る経営課題を具体的に明らかにし、具体的な対応策を提言していく。

3
ポートフォリオ運営の課題

　かつては「適切なリスク量のもとで適切な収益をあげる」という投資家としての基本姿勢が確立されていなくても、有価証券評価益を吐き出しながら、経営の要請に応じるかたちで実態的な期間収益以上の財務収益を捻出できている以上、それが地域金融機関において経営上大きな問題にならなかった時代もあった。しかしながら、財務収益の捻出という呪縛を解き、市場部門の投資環境認識に基づいて、経営がコミットしたうえでリスクを管理しながら投資をすることが徐々に普通になってきている。八幡正之「有価証券運用が地域銀行のパフォーマンスに与える影響」（2016年）によると、有価証券投資収益比率や有価証券業務収益比率はROAや自己資本比率と統計的に有意な正の効果（適切な有価証券投資は全体の収益性向上に寄与）がある。今後は安定的に収益をあげていくための、組織として人財をしっかり確保し続けられる仕組み・体制づくりが重要となってくる。

　また、ファンド投資の増大については課題の二重構造を誘発している。日本銀行「金融システムレポート別冊」（2016年3月）において、地域金融機関の有価証券投資とリスク管理の課題として指摘されているように、地域金融機関がより高い利回りを求めて外債や投資信託への投資を増やすなか、さまざまなリスク・ファクターでリスクが管理されているが、感応度などの把握が十分でない可能性があり、また、適切なシナリオ分析に基づくストレス時に備えた実践的な対応方針が策定されていない状況が懸念される。

4

課題解決に向けた経営のテーマ

　ガバナンスの観点から、日本では目標は存在するものの（その達成のためのプロセスも存在するものの）、その具現化において、「あいまい」な部分があることを指摘しうる。以下、有価証券運用において、経営サイドが認識してほしいテーマを整理しつつ、その実施にあたっての課題を指摘したい。

(1) 価　　値

　有価証券運用の収益をどう位置づけるかは、経営が有価証券運用に対してどういう価値判断をもつのかにつながる重要な観点である。かつては日本国債等の債券投資は、貸出収益との間でプロシクリカルな様相を示し、金利が下がり（上がり）、貸出収益が縮小（拡大）するなかで、債券価格は上昇（下落）していたが、金利全般が上がっても貸出金利が容易には上がらない現実やグローバルに低金利・マイナス金利が浸透したなかでは収益の補完性の意義は薄れてしまっている。

(2) 組織文化（人財育成）

　組織の整備や組織を支える文化の醸成は人財育成の根幹であり、これがあいまいであると収益の不足分を短期トレーディングにて埋め合わせようとする、その場しのぎの行動に出やすい。市場環境にあわせた機動的なポートフォリオの変更やトレーディング的な発想は、市場に対峙して収益をあげていくうえで必要不可欠な要素であ

第1章　地域金融機関における資産運用の課題　9

るが、短期トレーディングを収益源泉の柱にする場合も含め、グローバルな資産運用を担いうる運用人財の確保を含めた腰の据わった組織の整備が必要である。

(3) リターンとリスクの把握および管理

資産ごとおよびポートフォリオでのリターン見通し（インカム収益、総合損益、NIIへの寄与等）、リスクの把握（価格変動の目安としてのボラティリティ、発現損失の目安としてのVaR、経営資源の消費に対応するバーゼルリスク等）が肝要である。とりわけ、リターンについては特にその見通しの決定、変更などにおけるフロント・ミドル・経営の三位一体運営が必要である。

さらに、リスクについては、経営上の損失許容額（ロスカット水準）の策定と、目標リターンの実現のために無理のない運営が求められる。

(4) 気づき

2021年6月、当時の金融庁長官が金融懇談会で1999年の「経済白書」のなかの「様々な新しい知恵を試み、育つものを育てることが重要になっている」との記述を紹介している。白書は、「事業者が様々なリスクに立ち向かうことを支える金融システムのあり方に鑑みるといまの銀行はどうか」という視点からの記述であったが、資産運用においても経営者は市場部門が対面する新しいリスク、これから新しく取り込んでいかなければならないリスクの扱い方を、市場部門とともに開拓していく必要がある。それには、規程に従って行われるそれぞれの業務において、関係各部署の「気づき」を取りこぼさない組織、文化が必要である。

⑸　リスクテイク

　金融機関経営全体のなかでの市場部門の位置づけ・ミッションが整理され、リスク管理部門と協働してリスクに見合う収益目標、損失限度額などの細かな管理指標が設定され、経営サイドが期待するリスク特性のポートフォリオをつくることができるようになったと仮定する。しかし、市場、経済は生き物であり、市場環境および経営環境にあわせて経営陣が求める市場部門の役割も時間とともに刻々と変化していく。それは攻めの収益追加要請のときもあれば、逆に自己資本防衛、評価損マネジメントといった守りのときもあるだろう。

　このため、刻々と変わる市場および経営環境にあわせて、軍隊における参謀本部のような組織を機能させ、的確な経営戦略が発動されることで、市場部門が迅速かつ効率的なバランスシート運営を実現できる仕組みをつくる必要がある。すなわち、フロント・ミドル・経営が定期的に情報を共有し、経営戦略を決定し、経営陣がしっかりその戦略にコミットする仕組みが必要（投資会社ではないが、どういう関与がよいか）ということである。

⑹　監督当局との関係

　金融庁は地域金融機関との対話を進めており、その対話と検証の重要分野の1つに資産運用がある。監督当局との間で、金融機関が置かれた状況の情報提供や運用理念の共有を進め、市場部門への支援のあり方などが、今後よりオープンに議論されることが期待される。

第1章　地域金融機関における資産運用の課題　11

5

課題解決に向けた具体的な施策

(1) 考 え 方

　資産運用に係るプロセスについて、以下、フロント・ミドル・経営が共通して取り組むべき内容・施策を例示する。

a．市場環境の共有……マクロ経済環境および金融市場の見通しを共有する。

b．有価証券運用の現状把握……資産ごと、あるいは資産間の相関などもふまえたポートフォリオ全体で、現状、どのくらいの収益（インカム収益、総合損益、NIIへの寄与等）が見込め、リスク（価格変動の目安としてのボラティリティ、発現損失の目安としてのVaR、経営資源の消費に対応するバーゼルリスク等）はどうなっているのかを把握する。

c．キャッシュ、キャッシュフローおよび資産の流動性

(2) プロセスの例

　往々にして、計画の策定または見直しにおいて、目標とするポートフォリオの姿には届かない決定となることも多いと聞くが、こうした事態の背景には、足元の相場に振らされていたり、経営陣の短期的な収益ニーズに短期的な視点での運用行動で応えたり、という状況があるようである。現状のような厳しい収益環境ではこうした場当たり的な運営を続ける余裕がなくなってきている。意思決定プロセスをきちんと回す仕組みを根づかせ、経営陣がしっかりコミッ

トしていくことが市場部門の効率的なバランスシート運営につながる。

意思決定プロセスの例としては、下記の①〜⑤となろう。

① 相場シナリオの確認

② 現在のバランスシート概況とバランスシート運営計画の確認

③ 経営指標への影響度合いの確認（期間損益、NII（資金収益力）、VaR、Max Drawdownでみる自己資本比率への影響度合い等）

④ バランスシート運営計画の全体確認

⑤ リスク限度枠遵守のチェック体制を整備

これらのプロセスのなかで、土台となる（中長期的）ポートフォリオを考え、それを足元の相場シナリオをにらみつつアレンジしていくこととなる。

(3) シミュレーション

まず、土台となるポートフォリオを作成する。

〈仮定〉

① ポートフォリオの含み損益はゼロ。

② 自己資本比率維持のために、有価証券投資額に占める株式保有上限を10％に設定。

③ 流動性確保の観点から、運用資産を日本株、日本国債、米国債に限定。

④ IRRBB制約、資金繰り上の日銀担保玉の確保、最低財務収益目標、損失限度額の遵守などの制約条件コストを▲0.5％と設定。

〈土台となるポートフォリオ作成のためのモデル（平均分散法）〉

資産リターンの標準偏差をリスクと考え、リスクを低く保ちながら、平均的に得られるリターンを最大化するポートフォリオを構築

するために一般的に使われる手法が平均分散法である（詳細は第2章および第10章参照）。なお、今回の試算では、期待リターンとして均衡リターン（ヒストリカルデータに基づくリスクや資産間の相関関係を使用して求めた、均衡水準とみなされる各資産の期待リターン）を使用し、リスクを10年のヒストリカルデータにより算出した。

〈結果〉

日本はマイナス金利政策、米国も金融緩和策を続けており、前記①、②、③の仮定から導き出されるポートフォリオの期待リターンは0.6％程度（リスク2％）。④の制約条件遵守によるコストを差し引くと、期待リターンは0.1％程度に落ち込むことになる。

これではとても経営の期待に応えられないことから、最近の多くの地域金融機関でみられる対応は、過去にためた有価証券の評価益を使い、目先の財務収益を確保するというものである。しかしながら、現状のような環境が長引き、既存の評価益を使い果たした時点で運用におけるクッションがなくなり、ますますリスクをとりにくくなる状況になることが容易に想像できる。

(4) ポートフォリオの期待リターン向上等

① 投資ユニバースの拡大

一般的に銀行でも扱いやすい市場規模の大きい投資ユニバースとして、以下のものがあげられる。

■米国株・欧州株……当該通貨建て債券との逆相関の関係性が円株／円債よりも強い。

■欧州国債……現状のイールドカーブは日本国債よりスティープニングしており、先行きのイールドカーブが不変とみれば、現状の利回り＋ロールダウン効果も期待でき

る。

■MBS……特にGNMAは米国の政府保証がついており、米国債同様の高い信用力で、リスクウェイトはゼロ。

■クレジット……米国IG（投資格付BBB以上）の高格付社債。

■REIT……不動産投資のなかでは流動性あり。

■為替……多資産運用商品のなかには潜在的に為替リスクを内包しているものがあり、ポートフォリオマネジメントの観点からの為替リスクの利用は検討に値する。

② 運用効率を上げる仕組みの導入

現状、円をもっている人が将来の為替リスクをヘッジするためにドルを調達するには、需給の関係から高いプレミアムを払わなければいけない状況が常態化しており、投資上の大きな制約になっている。先物、スワップ、ファンド投資の利用を高めることで運用効率の改善が図れる。

③ 経済・投資環境に則した機動的なアロケーション変更による追加収益の追求

経済および市場・リスク分析力や資産間の相関を考慮した、より効率的なポジション構築スキルの向上を通じて、より市場環境に則した運用を実践することで超過収益を目指すものである。

④ 外部ファンドの利用

自社のポートフォリオ運営や運用プロセスとの親和性を考慮し、自前での運用との関係を整理したうえで、収益増強ツールとして外部ファンドを購入する。

いずれを選択したとしても地域金融機関のポートフォリオ運用は、いままで以上にさまざまなリスクプロファイルの運用商品を効率よく組み合わせて管理していく必要がある。

6
外部運用ファンドの利用

　さまざまなリスクプロファイルの運用商品をうまく組み合わせて
リスクをコントロールし、収益力を高めていくうえで、外部運用
ファンドを利用するメリットを整理してみよう。まず、ファンドか
らの「Knowledge Transfer」を通じた自己ポートフォリオの運用
スキル向上が考えられる。一般的に銀行は債券運用におけるリスク
管理には長けているが、株やクレジット等、さまざまなリスクプロ
ファイルの運用商品をトータルで管理していくことに慣れていな
い。アセットアロケーション技術で一日の長のあるファンドを通じ
てポートフォリオの構築プロセスや管理手法を学び、最終的には各
銀行に合う独自のかたちをつくっていく必要があろう。また、各資
産間の裁定取引等の個別の戦略立案力（ボトムアップ力）を向上さ
せ、それぞれの戦略をタイムスパンごとに（短期、中期、長期戦
略）、バランスよく組み合わせるスキルの取込みも課題である。さ
らに、リスクコントロール強化のために、リスクの所在の可視化や
相場環境の変化の予兆管理の研究もしていく必要がある。

　自社と外部運用会社の間にはファンド・オブ・ファンズとコンサ
ルタント（ゲートキーパー）が入る可能性がある。ファンド・オ
ブ・ファンズとは、資産オーナーのために投資判断を行うサービス
を提供し、運用会社の選定、モニタリング、規模の経済を生かした
専門的な投資判断を提供するものである。また、コンサルタントに
は、そうした投資判断等を自身で行う場合にアドバイスを求め、投
資プロセスの強化に利用することとなる。

運用組織と外部マネジャーの間のやりとりが、ファンド・オブ・ファンズ経由、ないしコンサルタント経由になり、両者の間の距離が離れれば離れるほど利益相反問題が生じる。ファンド・オブ・ファンズを利用する場合には専門的な知識と倫理的な基準を満たしている組織を利用すべきで、採用後も定期的なモニタリングを行い、監督を怠らないように留意すべきである。

[山下　実若]

経営からみる地域銀行の有価証券運用の高度化①
～ポートフォリオ・アプローチという考え方

(1)　地域銀行における有価証券運用の高度化の再考

　地域銀行における有価証券運用の高度化が叫ばれて久しい。有価証券運用が余資運用といわれた時代を経て、いまや地域銀行の本業であるという議論もよく耳にする。国内貸出市場の狭隘化や長期化する低金利環境にあって、バランスシートを使ってどのように収益を確保していくのかは経営の大きな課題であり、地域銀行にとって運用業務が重要であることは間違いない。

　一般に有価証券は融資と違って流動性が高い。つまり価格の透明性は融資より高い。言い換えるなら、有価証券運用は融資より情報の非対称性が少ない。そのため効率性の高い業務で少人数でも成り立つ。しかし運用で安定した収益を恒常的に稼ごうとすると、そうやさしいことではない。ここでは地域銀行にとっての有価証券運用の高度化とは何であるのか、銀行経営の視点から再考してみたい。

(2)　運用業務に対する経営スタンス

　相場を継続的に当てにいくことは市場で長い経験を培ってきたファンドマネジャーでもむずかしい。地域銀行の預証率はおおむね

第1章　地域金融機関における資産運用の課題　17

30〜40％である。かなりの資産ボリュームだ。もちろん一部トレーディングに回る部分もあろうが、有価証券の多くを相場という枠に当てはめてしまうにはリスクが大きすぎる。しかし相場変動の影響を受けないようにリスク回避を選好すると、現状はキャッシュ比率（日本国債等流動性の高い投資対象を含む）が高まるだけで収益は生まれてこない。

1980〜90年代の、主に年金基金の運用パフォーマンスに関する実証研究によれば、「運用パフォーマンスの8〜9割はアセットアロケーション（資産配分）で決まる」ことが示され（注1）、運用におけるアセットアロケーションの重要性が広く認識されるようになった。運用に携わる者にとって、このことはいまや常識としてとらえられているものの、それを実践できる枠組みが十分構築されているかと問われれば、地域銀行ではまだまだ改善の余地があるように思われる。

まず、経営サイドはポートフォリオ・アプローチという考え方を運用業務にもたなければならない。日本の代表的な機関投資家であるGPIFを参考にすると、運用資産は国内債券、国内株式、外国債券、外国株式と大きく4クラスに分類される。オルタナティブ投資やREITのような資産クラスも存在するが、基本的に4つある資産クラスをどのようにもつのか、想定するリターンとリスクのバランスを勘案して、アセットアロケーションを決定していくことが運用の基本となる。GPIFのウェブサイトをご覧いただきたい。銀行としても運用においてはGPIFのような運用ポリシーをもたなければならない。

そうはいっても銀行は株式会社であり規制業種でもあるため、期間損益や自己資本比率規制などに加えて、ファンディングが預金債務であるなど、さまざまな制約条件を抱えている。したがって地域銀行が有価証券運用を考える場合、目指す運用収益とそれに伴うリスクのみならず、銀行を取り巻く各種制約条件とのバランスもしっかりと考えなければならない。そしてこれらをまとめて考えていく枠組みがリスクアペタイトフレームワーク（注2）である。

ポートフォリオ・アプローチを実践するにあたり、銀行が定める目標リターンに対してポートフォリオのリスクを最小化する運用資産の組合せ、すなわち最適ポートフォリオという考え方を、経営は次のステップとして認識すべきである。

　最適ポートフォリオの算出方法は本書のテーマではないので省略するが、最適ポートフォリオに基づくアセットアロケーションを決定しても、金融環境の変化に応じて、一定の範囲で組入れ資産の比率を機動的に調整する必要が出てくる。特に株と債券のバランスを考えた場合、経営は①株高・債券高（金利低下）、②株高・債券安（金利上昇）、③株安・債券安、④株安・債券高という4つのレジームと、そのレジーム変化に配慮して運用業務をモニタリングしていかなければならない。とはいうものの株安・債券安の局面が長引く場合、運用業務の収益性が低下することは経営として否めない。しかしながら、その状況を見越してなんらかの準備をすることは銀行として可能なはずだ。

（注1）　代表的な論文としてGary P. Brinson, L. Randolph Hood, Gilbert L. Beebower "Determinants of Portfolio Performance" Financial Analysts Journal, Vol. 42, No. 4 （Jul. – Aug. 1986）, pp. 39-44 がある。
（注2）　筆者の「地銀の有価証券運用とリスクアペタイトフレームワーク」（週刊金融財政事情2018年11月5日　pp.26-29）を参照。

［永野　竜樹］

第2章

資産運用の変遷

　本章では、資産運用の基本となるさまざまな運用手法、すなわち、時系列的に列挙すれば、過去の主流であった長期運用モデル（平均分散法）、リーマンショック以降新たに開発された景気サイクルや相場環境変化に応じてアロケーションを柔軟に変更する運用手法、各資産クラスのリスクに着目した運用手法、さらにテールリスク回避を目的とした予兆管理手法などについて解説する。

1

概　　要

　過去においては、年金向けの長期的な運用モデルである「平均分散法」といった、「長期のデータから推定したリスク・リターンおよび相関」を用いて計算される最適ポートフォリオを数年おきに見直す運用が主流であった。しかし、リーマンショック時に主要資産間の相関が崩壊して投資家が大幅な損失を計上した反省をふまえ、従来モデルの限界に対応すべく新たな手法が台頭することになった。たとえば、期待リターンを相場局面（レジーム）ごとに変化させることで、それに応じたアロケーション構築を試みる「RBI（Regime Based Investing）」といった手法や、長期モデルに人的判断を加える「SAA（Strategic Asset Allocation）＋TAA（Tactical Asset Allocation）型」の仕組みといった、モデル完全依存の長期間保有ではなく、人の判断を加えることで「環境変化時にアロケーションを柔軟に変更する手法」が開発された。

　その後、従来型の資産クラス別に投資配分比率を決める方法とは別に、各資産を独立したリスク・ファクターに分解し、配分する「リスクプレミアムアプローチ」と呼ばれる手法の開発が行われている。また、リスクのみに着目した「リスク・パリティ」「最小分散」といったテールリスクをヘッジする戦略により、ボラティリティ管理やドローダウン管理を強化する動きもみられる。各手法の概要について、以下紹介する。

2

長期運用モデル（平均分散法）

　平均分散法とは、資産のリターンの平均（期待値）と分散（標準偏差の2乗）によって投資家の意思決定が行われるとみなして、最適なポートフォリオの構成を分析するもの。投資家は資産のリターンの標準偏差をリスクと考え、リスクを低く保ちながら、平均的に得られるリターン（収益）を高めるようなポートフォリオの選択を行う（図表2－1参照）。

図表2－1　長期運用モデル（平均分散法）
✓伝統的なポートフォリオ構築手法
✓現在も多くの年金基金やマルチアセットマネジャーが採用（GPIF等）
✓各資産の期待リターン、リスク値を設定し、有効フロンティアを作成。投資効率の高い最適アロケーションを策定
✓期待リターンの設定方法はさまざま（均衡リターン、Black Littermanモデル、ビルディングブロック法等）

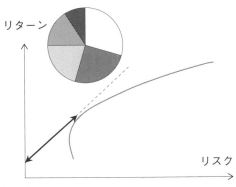

（出所）　ANAM作成。

その際、リスク（標準偏差）1単位当りの超過リターン（リスクゼロでも得られるリターンを上回った超過収益）を測定したシャープレシオが高いほどリスクをとったことによって得られた超過リターンが高いこと（効率よく収益が得られたこと）を意味するため、リスクとリターンの組合せを考えた場合、投資家が選択可能な組合せ（投資機会集合）のなかで、最も有利な選択肢をつなぎあわせた境界線である効率的フロンティア上にあるアロケーションを採用するという考え方である。

効率的フロンティアを描く際に必要となる各資産の期待リターンの設定方法は種々存在する。以下に代表例を示す。

・市場ポートフォリオ（市場時価総額ウェイト）を均衡ポートフォリオと考え、共分散行列から各資産のインプライド期待リターン（均衡リターン）を導出する。

・均衡リターンにベイズ統計を用いて投資家の見通し（自信度）をブレンドし、期待リターンの値を調整する（Black Littermanモデルによるリターン）。

3
新しいアプローチ（投資スパン短期化へ）

① RBI（Regime Based Investing）

金融商品のリスク・リターン特性は経済情勢に大きく依存するため、マクロ環境変化を加味したアロケーション運営を目指す手法。たとえば、横軸をインフレ率、縦軸をGDP成長率とした景気サイクル上の象限（レジーム）によって相対的によいパフォーマンスを発揮する金融資産は異なる（成長に伴いインフレ率が上振れる場合：株式・コモディティ・REIT等、成長が頭打ち・インフレ率が下振れる場合：国債・投資適格社債等）ことを活用する。

4象限のどこに位置しており、いつ変化するのかといったレジーム判断に基づいて機動的にポートフォリオ構成を変更する手法（図表2－2参照）。

図表2－2　RBI（Regime Based Investing）

✓伝統的手法では、個別資産のリスク・リターンの計測が主であったが、よりマクロの視点で景気循環を計測する手法
✓リスク・ファクターごとのリスクをとることで対価としてプレミアムを獲得
　a　レジーム（経済サイクルの局面）ごとの奨励資産整理
　b　レジーム考慮後の各資産の期待リターン算出（Black Littermanモデル等）
　c　メイン・サブ・リスクシナリオを考慮に入れた期待リターンの算出

（出所）　ANAM作成。

② SAA + TAA型

長期均衡モデル等をベースとした基本ポートフォリオ（SAA）に、ジャッジメンタルに各種ボトムアップ戦略を付加しつつ、相場環境変化にあわせて機動的にアロケーションを調整して最終ポートフォリオ（TAA）を構築する手法（図表2－3参照）。

図表2－3　SAA＋TAA型

✓伝統的な長期運用モデルをベースに（SAA）、短期の相場環境変化に
　対応すべく定性判断を加えてオーバーレイする手法（TAA）へ

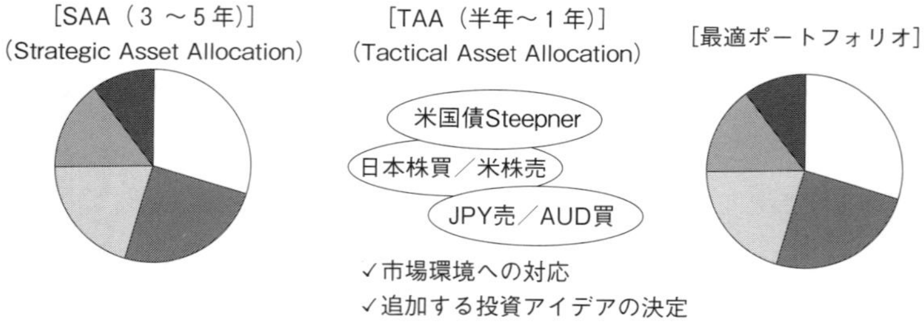

　［SAA（3～5年）］　　　　［TAA（半年～1年）］
（Strategic Asset Allocation）　（Tactical Asset Allocation）　［最適ポートフォリオ］

米国債Steepner

日本株買／米株売

JPY売／AUD買

✓市場環境への対応
✓追加する投資アイデアの決定

（出所）　ANAM作成。

4
リスクに着目した運用手法の導入

① リスク・パリティ

主要資産間のボラティリティを均衡(パリティ)させることで損失の抑制を目指す手法。たとえば、株式と債券のリスク量を常に均等とすることを制約条件として、年率で価格変動率が株式15％、債券5％と3：1を想定した場合、アロケーション比率は株式25％に対して債券75％の1：3とすることで、株高・債券安やその逆のときには損失が限定される戦略(図表2－4参照)。

図表2－4　リスク・パリティ
✓主要資産間のボラティリティを均衡させドローダウンを極力抑制する手法
✓リーマンショック以降、当手法を用いたファンドが増加
✓ただし、投資ホライズンが長期の運用(年金等)に選好される傾向

債券：株式＝50：50のポートフォリオ例

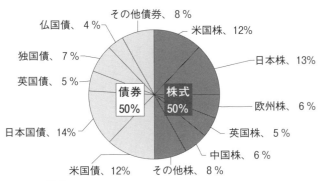

(出所) ANAM作成。

株式の変動率が高まると、債券など他の資産と比べたリスク量を均等に保つよう自動的に株式の投資ウェイトを引き下げるため、相場が混乱した局面で運用資産の値下りリスクを軽減できるメリットがある一方で、その売却フロー自体が相場の下落幅を大きくするといったデメリットもある。IMFは、同戦略の資産が2017年時点で16.5兆〜19.25兆円と推計している。「株価下落→実現ボラティリティ上昇→株式リスク調整による売却」が株価をさらに下落させるといった市場への影響は一般に観測されている。規制強化で業者のマーケットメイク機能が低下しており、値がいっそう大きく振れやすくなっているという点で留意が必要である。

② 　リスクプレミアムアプローチ

　資産の価格ではなく、各資産のリターンの源泉であるリスク・ファクターの偏りを回避するかたちで分散投資を実施する手法。各資産のリターンの源泉を主成分分析により複数の「リスク・ファクター」へと分解する。たとえば、「政治リスク＝EM株のリターン−先進国株のリターン」というように一般的な市場ファクターにより各種リスクをモデル化し、図表2−5に記載されている「クレジット」「政治リスク」「流動性」「経済成長」「インフレ」「実質金利」という6種類のリスクを分散させたファクターアロケーションを行ったうえで資産アロケーションを決定する。

図表2−5　リスクプレミアムアプローチ

✓各資産クラスのリターンの源泉であるリスク・ファクターをアロケーションする手法
✓リスク・ファクターごとのリスクをとることで対価としてプレミアムを獲得
✓大手運用会社や海外年金基金が一部採用

各資産のリスク・ファクターの分解

	セクター						
	先進国株	EM株	IG	物連	EM債券	HY
リスク・ファクター	クレジット	クレジット	クレジット		クレジット	クレジット
	政治リスク	政治リスク	政治リスク		政治リスク	
		流動性			流動性	流動性
	経済成長	経済成長	経済成長	経済成長	経済成長	経済成長
	インフレ	インフレ	インフレ	インフレ	インフレ	
	実質金利	実質金利	実質金利	実質金利	実質金利	実質金利

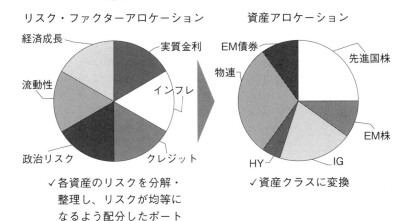

リスク・ファクターアロケーション　　資産アロケーション

✓各資産のリスクを分解・整理し、リスクが均等になるよう配分したポートフォリオを作成

✓資産クラスに変換

（出所）　ANAM作成。

5

緊急時のポジション削減プロセスを付加

　リスクオフや全資産売りといった相場環境の変化に対する予兆管理を行うためのリスクインディケーターも複数開発されている。実現リスク・リターンの傾きの動きをサインとするもの、ボラティリティやマクロ指標の合成指数に閾値を設けてサインとするもの、資産間相関の悪化をサインとするもの等が開発されてきた。ただし、警戒サインは早いがその分「だまし（シグナル点灯の誤り）」が多かったり、遅行したりと、相場急変時のテーマがつど異なることもあり、各インディケーターの反応は状況に応じてまちまちであることがわかっており、各々の特徴をつかんだうえで活用する必要がある。

　なお、リスク予兆管理については第6章で詳細を説明する。

6

リスク・パリティファンドのケーススタディ

　新しいアプローチの問題点を示す一例として、米国株市場においてボラティリティ指数がリスク・パリティ戦略ファンドに与えた影響について考察する。

　リスク・パリティ戦略では、トータルのリスク量を一定に維持する、株式と債券のリスク量を均等に保つといった制約条件を設けた運用を行う。したがって、株価変動に伴うボラティリティ上昇（低下）に直面すると、制約条件を維持するためにリスク量拡大（縮小）の対応として株式を売却（購入）する行動に出ることになる。

　ボラティリティ指数（VIX指数）は、株価が比較的大きな下げをみせるタイミングで上昇する。過去においては、PBOC（中国人民銀行）による人民元安誘導に端を発したチャイナショック、2015年Q4に米国ISM製造業指数が50割れを示現した後、2016年初にWTI原油が26ドル／バレルへ続落するなかでの世界同時株安、英国のEU離脱を問う国民投票、米国大統領選挙などを材料とした株価下落時に、VIX指数は上昇している（図表2-6参照）。

　2018年2月5日にも株価急落とともにVIX指数は上昇した。その日次変化幅は20ptと過去最大を記録、回帰直線を用いた株価4.1％下落に対する推計値に比して約4倍の規模と突出していた（図表2-7参照）。クレジット、金・新興国株・米国債などの他資産の変動を大幅に上回る動きであり、過去にみられた「株価下落によるVIX上昇」とは主従が異なる動きであったとも考えられる。

　証券会社のフロー情報によれば、インバース型（VIX指数と逆方

第2章　資産運用の変遷　31

図表2−6　VIX指数の推移（2015年初来）

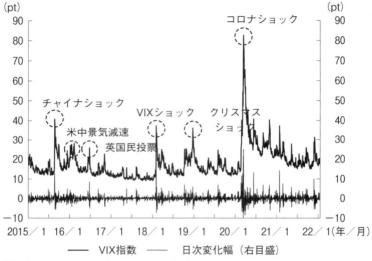

（出所）　Bloombergに基づきANAM作成。

向の価格変動となる）やレバレッジ型（VIX指数の2倍または3倍の価格変動となる）のVIX連動ETP（Exchange Traded Products：上場取引型金融商品）発行会社によるボラティリティ買いがVIX指数の急騰を主導した模様である。インバース型商品の大幅な値下りに呼応した投資家のロスカット行動に加え、レバレッジ型商品が値動きの変動を確保するために行う順張りのリバランスは、ETP発行会社からみればVIX指数上昇時には買持ちを拡大させる必要から行われた。そういったVIX指数買いフローが2018年2月5日のニューヨーク15時以降の時間外と重なったことも大きな値動きにつながった。

　2016年11月のトランプラリー以降、長らく続いた低ボラティリティ環境下において、株式保有量を一定金額に維持したとしても、リスク量は低下していくことになるため、リスク・パリティ戦略で

図表2−7 VIX指数と株価の関係（2015年初来）

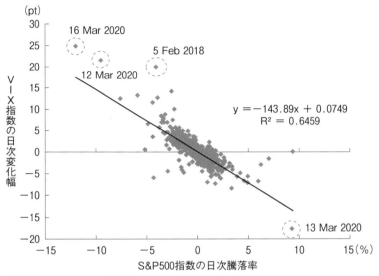

（出所） Bloombergに基づきANAM作成。

はリスクの低下した分だけポジションを拡大することが可能となる。加えて、株式の値上りにより評価益が増加していく良好な市場環境においては、リスクテイクのインセンティブが働きやすい。このため、「株式保有比率引上げ」による利益追求や「オプション売り戦略」によるパフォーマンスのエンハンスを意図した動きがみられてきたなかで、2018年2月に短期間で比較的大きな株価下落が示現したため、大きく積み上がったポジションのアンワインドが加わり、値下り率が大きくなったと考えられる。このように相場急変時のリスク・パリティ戦略の行動が市場に与えるインパクトは大きくなっており、変動幅を助長する点に留意する必要がある。

［山内　正俊］

第 3 章

多資産運用の実務

　多資産運用の実務は、投資家の求めるリスク・リターンのもとで最適なポートフォリオのアロケーションを求めることから始まる。この最適アロケーションの算出に際して、投資ユニバースに含まれる各資産の期待リターンとボラティリティ、さらに資産間の相関が必要となる。

　本章の前半では、これらのパラメータ推定とアロケーション算出、その後のフロントにおけるリスク管理に関して、厳密な数式展開よりも直感的な理解に重心を置き、実務的に注意すべき点を紹介する。

　本章の後半では、さまざまな運用手法についての研究・実践をふまえたうえで、半期ごとの収益目標達成を目指す国内銀行のポートフォリオ運営に適するようにと考えて構築した、多資産運用ファンド（SAA＋TAA型）の具体的な運用プロセスについて説明する。

1
各資産の将来価格のモデリング

複数の資産で構成されたポートフォリオを構築することがゴールであるが、まずは米国債やJGBなど各資産の「期待リターン」と「ボラティリティ」を用いて、将来価格についてのモデルを立てることから始まる。図表3－1をみてみよう。実線が資産価格の値動き、点線が「トレンド＝期待リターン」、両矢印が「トレンドからの乖離＝ボラティリティ」と考え、資産価格の動きを期待リターンとボラティリティの2つを用いて記述している。

図表3－1　期待リターンとボラティリティのイメージ

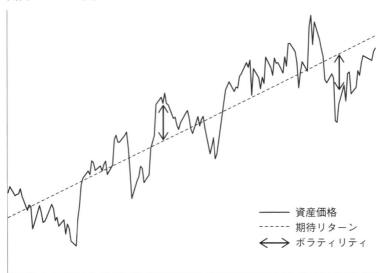

(出所)　ANAM作成。

この期待リターンとボラティリティの推計にヒストリカルデータを用いる方法もあれば、他の数理的手法で推計する方法、ポートフォリオマネジャーの相場観に基づく主観的な数値を使用する方法などさまざまな方法がある。金融機関では客観的な説明力が求められていることに加えてVaRなどリスク管理指標との整合性に鑑みると、ヒストリカルデータを用いるのが順当であろう。

　しかしながら、ヒストリカルデータを用いた期待リターンの推定には注意が必要となることを示しておく。

　米国債7－10年トータルリターンインデックスの値動きをプロットしたものが図表3－2である。このうち、上図は2010～2018年1月末までの約8年間のデータ、下図は2016～2018年1月末までの約2年間のデータである。8年分のデータを用いると右肩上がりのトレンドラインは妥当であるように見受けられるが、2年間のデータでみると1本のトレンドラインで表現することはむずかしい。それどころか右肩下がりの期間もあり、期待リターンがマイナスであったりプラスであったりする。このように、観測期間に応じてリターン実績が大きく異なり、さらに観測期間が短くなるほどトレンドラインを引くことがむずかしくなるため、ヒストリカルデータを用いて期待リターンを推定することは一般的に困難である。

　一方で、ヒストリカルデータを用いたボラティリティの推定は比較的容易であり、ヒストリカル・ボラティリティとして広く知られている。図表3－3では、S&P500トータルリターンインデックス（上図）と米国債7－10年トータルリターンインデックス（下図）について、期間3カ月分の日次データを用いて計算したリターン実績（実線）とヒストリカル・ボラティリティ（点線）の推移を示した。いずれの資産も、リターン実績はプラスからマイナスまで振れ幅が

第3章　多資産運用の実務　37

図表3－2　観測期間の違いによる期待リターンの変化

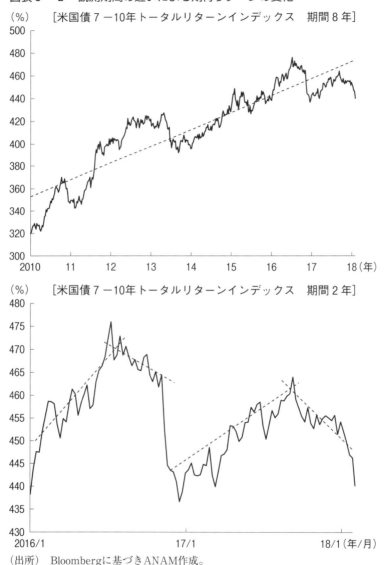

（出所）　Bloombergに基づきANAM作成。

図表3-3　3カ月日次データを用いたヒストリカルなリターンとボラティリティの推移

（出所）　Bloombergに基づきANAM作成。

大きいなかで、ヒストリカル・ボラティリティは比較的安定している。

たとえば、今日から3カ月間のデータを用いて計算した結果と、1営業日前から3カ月間のデータを用いて計算された結果の間に大きな差が出てしまうと、「どのタイミングで計算を始めるのか」という別の問題が発生するために計算結果の信頼性が損なわれてしまう。つまり、ヒストリカルデータを用いてパラメータ推定を行う場合、計算期間の影響を大きく受ける期待リターンの推定は困難であり、安定した計算結果となるボラティリティは比較的容易ということになる。

次に、使用するヒストリカルデータについて観測期間の長さや観測の頻度をどうするのかという問題があるが、これについてはそれぞれ運用主体の投資ホライズンとリバランスの頻度に応じればよいと思われる（図表3－4参照）。1秒間に何度も売買を繰り返すHigh Frequency Tradingのデスクが月次データを基にボラティリティを

図表3－4　運用主体と投資ホライズンの違い

(出所)　ANAM作成。

推定することはナンセンスであるし、逆に年金運用者がTickデータを用いて景気サイクルの分析を行うのも違和感があろう。地域金融機関においては、収益目標が半期ごとに区切られており、ポートフォリオのリバランス頻度は多くても日次であることをふまえると、ヒストリカルデータの観測期間を6カ月、頻度を日次データとして選択することは妥当であると思われる。

　地域金融機関を運用主体として考える場合、この先6カ月間の収益計画に基づく最適ポートフォリオを作成するにあたり、

- ✓ この先6カ月間の各資産の期待リターンとボラティリティについて
- ✓ 期待リターンは市場部門の予測を使用
- ✓ ボラティリティは過去6カ月間の日次データによるヒストリカル・ボラティリティを使用

といったように、予測している時点と推定方法を明示することが重要である。

2

多資産への拡張と効率的フロンティア

　本章1では、期待リターンとボラティリティを用いて各資産の値動きをモデル化した。もう少し厳密な言い方をすれば、各資産の対数収益率について期待リターンとボラティリティによるモデル化(注)を行って、将来時点の分布を決めたということになる。ここで、多資産への拡張に入る前に、複数資産をポートフォリオでもつ意義について再確認しておきたい。

　図表3－5は、米国株と米国債の2資産でポートフォリオを組んだケースである。

(注)　対数収益率(資産価格の対数をとった差分。資産価格がXからYに変化した場合、対数変化率＝log（Y/X）となる)を用いることで、複利計算の効果と資産間の価格水準の違い（たとえば日経平均20,000円とS&P500指数2,700ドルなど）をそろえる効果を自然にモデルへ織り込むことができる。

　この期間の各資産のリターンとボラティリティは、

✓米国株の実績リターン22％、ヒストリカル・ボラティリティ8.5％

✓米国債の実績リターン0.5％、ヒストリカル・ボラティリティ4.1％

　米国債を100％保有したポートフォリオから、10％ずつ米国株の組入れ比率を増やして（米国債90％＋米国株10％、米国債80％＋米国株20％……）、米国株100％保有のポートフォリオまで11個のポートフォリオについて実績リターンとボラティリティを計測した（ちなみに多資産で構成されるポートフォリオのボラティリティを「リスク」

図表３－５　２資産ポートフォリオにおけるリスク・リターンの向上

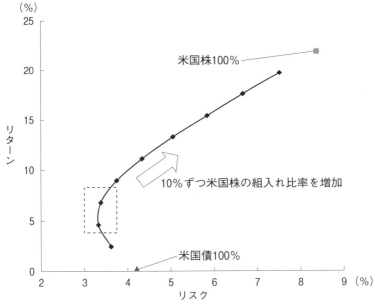

(出所)　ANAM作成。

と呼ぶことが一般的であるため、以降、ボラティリティとリスクとを使い分けることとする)。すると、米国債100％（▲点）から米国株100％（■点）にかけて直線上に点がプロットされるわけではない。

　プロットされた曲線は左に凸の形状となっている。すなわち米国債100％よりも低いリスクで高いリターンとなるポートフォリオが存在したことを示している。これが、複数資産をポートフォリオで保有する意義である。リスクとリターンという尺度を導入し、単位リスク当りのリターン＝シャープレシオを用いてパフォーマンス測定を行うと、単一資産をもつよりもパフォーマンスのよいポートフォリオが（必ずではないがほとんどの場合において）存在するので

ある。

さて、2資産の議論を多資産に拡張しよう。多資産になった途端にポートフォリオ構成のパターンが無数に存在してしまう。それらすべてについてリスクとリターンを計測することは不可能なので、最適化計算と呼ばれる、指定されたリスクに対してリターンが最大となるポートフォリオ構成を算出するような数値計算が必要となる。この最適化計算を有限個のリスクに対して行うことで各リスクに対応したリターンが算出され、2資産の場合と同様にリスク・リターン平面にプロットしたものが効率的フロンティアと呼ばれる（図表3－6参照）。

効率的フロンティアが描けたということは、リスクとリターンとポートフォリオ構成が1対1で結びついたことと同義である。図表3－7でいえば、リスク5％でリターン2％のポートフォリオ構成

図表3－6　効率的フロンティア作成プロセス

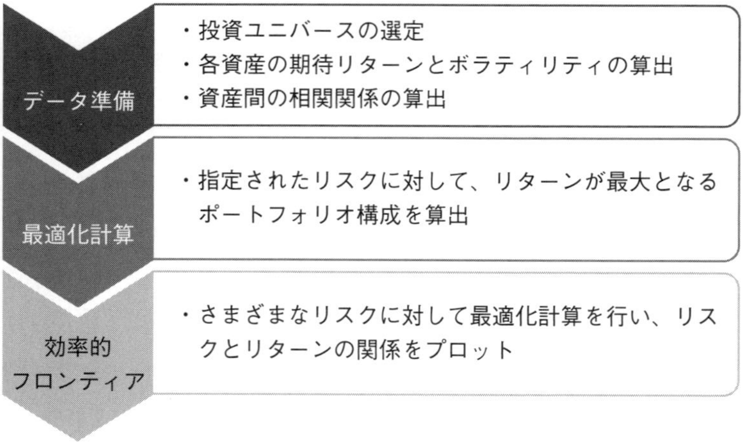

データ準備	・投資ユニバースの選定 ・各資産の期待リターンとボラティリティの算出 ・資産間の相関関係の算出
最適化計算	・指定されたリスクに対して、リターンが最大となるポートフォリオ構成を算出
効率的フロンティア	・さまざまなリスクに対して最適化計算を行い、リスクとリターンの関係をプロット

（出所）　ANAM作成。

44

図表3-7 効率的フロンティア

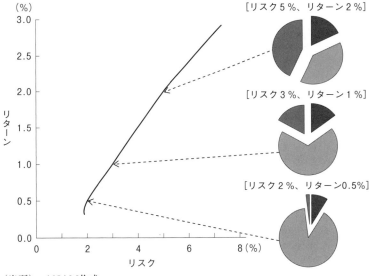

(出所) ANAM作成。

が計算結果としてわかることになる。

　余談ではあるが、効率的フロンティアの形状について少し触れておく。実務的な影響はほとんどないので、興味のない方は読み飛ばしてもらってかまわない。2資産ポートフォリオの平均(＝期待リターン)と分散(＝リスクの2乗)の定義は以下のとおりであり、分散は期待リターンの2次関数となっていることがわかる。

【資産 X、Y(確率変数)をウェイト w_1、w_2 でつくったポートフォリオ Z を考える】

$$Z = w_1 X + w_2 Y$$

第3章　多資産運用の実務　45

［ポートフォリオ Z の平均（期待リターン）］

$$E[Z] = w_1 \cdot E[X] + w_2 \cdot E[Y]$$

［ポートフォリオ Z の分散（リスクの2乗）］

$$Var[Z] = E[(Z-E[Z])^2]$$
$$Var[Z] = E[Z^2]-E[Z]^2$$
$$Var[Z] = w_1{}^2 \sigma_x{}^2 + w_2{}^2 \sigma_y{}^2 + w_1 \cdot w_2 \cdot \rho \cdot \sigma_x \cdot \sigma_y$$

　普段われわれが目にする効率的フロンティアは横軸がリスク、縦軸が期待リターンとなっているが、リスクは期待リターンの2次関数となっていることに立ち返ると、横軸が期待リターン、縦軸がリスクとなっているほうが数学の教科書に忠実だろう。効率的フロンティア上で最もリスクが小さいポートフォリオを最小分散ポートフォリオとして、最小分散ポートフォリオの期待リターンをp、リスクをqとすると、原点から（p，q）だけシフトさせた2次関数が効率的フロンティアそのものである。このX軸とY軸を回転させて、リターンが正となる点だけを抜き出したものが普段目にする効率的フロンティアである。最小分散ポートフォリオより下の点は、同じリスクで期待リターンが低いポートフォリオとなるため採用されない。2次関数をグルッと回転させて必要な部分だけ抜き出したのが効率的フロンティアなので、左に凸の形状をしているのである（図表3－8参照）。

　さて、効率的フロンティアが描けたので、後は好きなリスク・リターンの点を選べばよいかというと実務的にはそうでもない。前項で述べたとおり、各資産の期待リターンというのは推定がむずかし

図表３－８　効率的フロンティアは２次関数の片側形状となっている

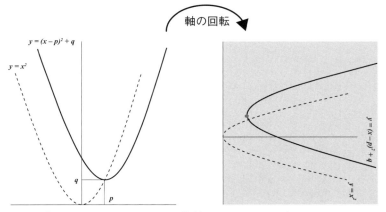

最少分散ポートフォリオにおける期待リターン＝p、ボラティリティ＝q
（出所）　ANAM作成。

いので、リスクオン（株高債券安）、リスクオフ（株安債券高）など異なる幾つかの期待リターンシナリオを想定し、それぞれのシナリオに対応する効率的フロンティアとポートフォリオ構成をみておくべきである。例として、日本株、日本国債、米国債の３種類を投資ユニバースとし、期待リターンの違いによる効率的フロンティアの変化をプロットした（図表３－９参照）。

たとえば収益計画上、年率１％リターンのポートフォリオが必要であったとすると、シナリオごとにとらなくてはならないリスクが異なることがわかる。また、各シナリオにおけるリターン１％のポートフォリオ構成は図表３－10のとおりとなる。

リスクオン（株高債券安）で株式アロケーションが減少し、リスクオフ（株安債券高）で株式アロケーションが増加していることに違和感を覚えるかもしれないが、以下のように解釈できる。

図表3－9　期待リターン変化による効率的フロンティアの変化

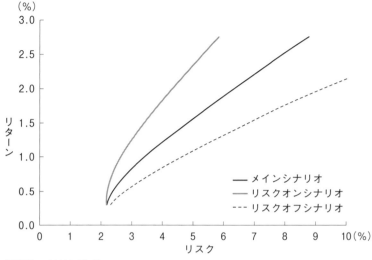

(出所)　ANAM作成。

- ✓ポートフォリオの収益源はおおむね株であり、債券はリスクを低下させる逆相関資産として機能している。
- ✓また、メインシナリオに対して、リスクオンシナリオでは株式の期待リターンが高く、リスクオフシナリオでは株式の期待リターンが低く設定されている。
- ✓「株式の期待リターン×株式アロケーション」でポートフォリオの期待リターンがおおむね表現できるのであれば、1％リターンを達成するために必要となる株式アロケーションはリスクオンシナリオでは少なく、リスクオフシナリオでは多くなる。

同一の期待リターンについてアロケーションを比較しているので上述のようなことが起こるが、一方で収益計画は相場つきによって

図表3-10 各シナリオに対応する期待リターン
1%のポートフォリオ構成

[①メインシナリオ]

[②リスクオンシナリオ:株高債券安]

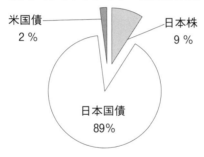

[③リスクオフシナリオ:株安債券高]

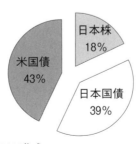

(出所) ANAM作成。

第3章 多資産運用の実務 49

変更されるものでもあるまい。ここで大事なのは、リスクオフシナリオでは日本株を18％、米国債を43％も保有しないと年率１％リターンのポートフォリオが作成できないということである。すなわち、収益を稼ぐのがむずかしい環境であるほど、よりリスクをとらなくてはならないことを示唆している。メインシナリオに比してかなりのVaR配枠が必要となるため、シナリオ自体の蓋然性が低かったとしても、収益計画策定時には必要な情報となろう。

3

ポジション管理とリスク・パリティ

(1) ポジション管理の考え方

　一般的に金融機関では、フロント（第1線）、ミドル（リスク管理部門、第2線）、バック（第3線）と組織が分かれている。リスク管理部門は自己資本に対して許容できる最大損失額＝VaRにて管理を行うが、フロント部門は収益責任も負っているため、リスク・リターンの関係性に軸足を置いた管理となる。たとえば、VaRと同様にプロダクト別の管理を行うと、株高債券安（もしくは株安債券高）局面でポートフォリオのP/Lは安定しているにもかかわらず、損失の出ている債券（もしくは株式）だけがロスカットルールに抵触するという事態になりかねない。あくまでもポートフォリオとしての管理が必要となる。

　プロダクト横断的な管理例として、ポジション管理を考えてみよう。株式は1％デルタ、債券はBPVによる管理が一般的だが、これをポートフォリオに対する感応度へ置き換えてみよう。

✓株式デルタ……株価1％の動きに対するポートフォリオの変化率

✓債券BPV……金利が1bp変化した際のポートフォリオの変化率

ここで米国株20％、米10年国債80％のポートフォリオを例にとっ

第3章　多資産運用の実務　51

て上述のポジション管理を行ってみると次のようになる。

✓ 株式デルタ……20bp（＝20%×1%）
✓ 債券BPV……8bp（＝80%×Duration 10年×1bp）

　米国株が1%下がっても、米金利が2.5bp低下すればポートフォリオのP/Lは守れるということがわかる。また、「最近の値動きだと株式1%上昇に対して金利3bp上昇の関係性がある」といった場合には、株式デルタを4bp積み増す（＝米国株＋4%）、もしくは債券BPVを1.5bp削減（＝米10年国債▲15%）すれば、ニュートラルなポジショニングになるといった議論もできる。

　また、第2章で紹介したリスク・パリティの考え方も実務的には非常に有用である。株と債券が完全な逆相関にある状況下での均衡度合いをボラティリティベースで測る手法であり、株高債券安もしくは株安債券高のように株と債券の値動きが完全に逆となる際にP/Lが動かない状態をリスクが等しい、すなわちリスク・パリティと呼ぶ。株の値動きが債券に対して4倍であれば、株1単位に対して債券4単位保有すればリスク・パリティの状態であり、実際には「値動き」をヒストリカル・ボラティリティで代替している。具体的な計算式は以下のとおりである。

$Alloc_i$……資産iのポートフォリオ構成比率
Vol_i……資産iのヒストリカル・ボラティリティ
RP_i……資産iのリスク・パリティベースでのポートフォリオ構成

$$RP_i = \frac{Alloc_i \times Vol_i}{\sum_i Alloc_i \times Vol_i}$$

先ほどと同様に米国株20％、米10年国債80％のポートフォリオを例にとってみてみよう。

	ポートフォリオ構成比率	ボラティリティ	リスク・パリティベース構成比率
米国株	20％	16％	50％
米10年国債	80％	4％	50％

　米国株のボラティリティが16％、米10年国債のボラティリティが4％とすると、上で述べたRPの分母は6.4％（＝20％×16％＋80％×4％）となるので、各資産のリスク・パリティベース構成比率は次のようになる。

✓米国株：20％×16％／6.4％＝50％
✓米10年国債：80％×4％／6.4％＝50％

　リスク・パリティベース構成比率が50％：50％とはすなわち、リスク・パリティの状態にあるということになる。3資産以上の場合も同様の計算を各資産について行い、最終的に「株」と「債券」に分類してパリティ度合いを測ればよい。

⑵　ボラティリティの推計

　さて、値動きを表す数値としてヒストリカル・ボラティリティを使用しているわけだが、ボラティリティ算出に使用する計算期間はどれくらいが適当なのだろうか。計算期間が1年間と10年間ではヒストリカル・ボラティリティの計算結果は当然異なるので、株式30％・債券70％のポートフォリオを例にとり、リスク・パリティへ

の影響をみてみよう。

ゴルディロックス相場のような低ボラティリティ局面が、1年間続いた場合のポートフォリオのボラティリティとリスク・パリティ度合いを計算した結果が図表3－11である。ここで、短期とは過去1年間のデータから作成したヒストリカル・ボラティリティを使用して計算することであり、長期とは過去10年間のデータから作成したヒストリカル・ボラティリティを使用して計算している。

なお、前節においてヒストリカル・ボラティリティは推計期間によらず一定なので推計しやすい旨を説明したが、これはたとえば観測期間3カ月のボラティリティはどの期間をとってもあまり変化しないということである。一方、ここでは観測期間を3カ月にするのか1年にするのか10年にするのかという議論である。

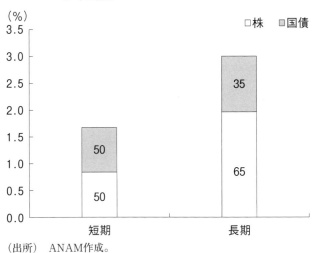

図表3－11　ボラティリティの期間によるリスク・パリティの違い

（出所）　ANAM作成。

棒グラフの高さがポートフォリオ全体のリスクを表しており、内訳を株と債券のリスク・パリティベース構成比率にしてある。ポートフォリオのリスクを見比べると、短期リスクは1.5％強と長期リスクの３％程度に比して低くなっており、低ボラティリティ相場を反映していることがみてとれる。

　短期と長期のどちらが優れた指標であるかを判断する前に、一般的なボラティリティの特徴を２点、紹介させていただく。

○　ボラティリティ・クラスタリング

　　✓ボラティリティが一度上昇すると、しばらくはボラティリティの高い状態が続く（低下した場合も同様）

○　平均回帰性

　　✓長期的には平均的な水準に落ち着く性質

　短期リスクは「直近の相場環境が続くのだとしたら……」という仮定のもとでの指標となっており、ボラティリティ・クラスタリングの特徴をとらえている。一方で長期リスクは、足元のレジームが変わり長期的な水準に戻ったことを想定した指標となっているため、こちらもまた平均回帰性の特徴をとらえている。図表３−11の例に戻れば、足元の相場環境が続いている限りはポートフォリオのリスクは1.5％強であるものの、低ボラティリティ環境が終焉すると実は３％程度のリスクをもったポートフォリオであるということを示唆している。

　リスク・パリティについても同様のことがいえる。図表３−11で示したように、短期リスクではパリティ状態となっているポートフォリオであっても、長期リスクで計測すると株のリスクに寄ったポートフォリオになっている。これは、株のボラティリティ水準が

第３章　多資産運用の実務　55

債券対比で大きいため、長期的な水準との乖離幅も大きくなることに起因している（図表3-12にあるように、長期的な水準からの乖離は株11％、債券1％）。

相場環境が長期的な水準に回帰する場合、株式を落とす以外にも債券購入でパリティ状態をつくることにより、実質的なリスク削減効果を得ることができる。地域金融機関のポートフォリオ運営はロングオンリーであり、しかも資金収益目標を達成するためにポジション量を小さくしづらいという特徴がある。このような制約がある投資家には、ポジションを積み増すことで実質的にリスクを落とす操作というのは非常に有用となる。その際に、リスク・パリティの考え方は購入量のメド値を教えてくれる（株式と債券が逆相関となることが前提）。

ポートフォリオのリスク計測に使用するボラティリティとしては何を使うべきかという質問に立ち返ると、少なくとも短期的なヒス

図表3-12　レジーム変化によるリスク・パリティ構成比率の変化

（低ボラティリティ環境）	ポートフォリオ構成比率	ボラティリティ	リスク・パリティベース構成比率
米国株	30％	7％	50％
米10年国債	70％	3％	50％

↓

（長期的な水準）	ポートフォリオ構成比率	ボラティリティ	リスク・パリティベース構成比率
米国株	30％	18％	65％
米10年国債	70％	4％	35％

（出所）　ANAM作成。

トリカル・ボラティリティと長期的なヒストリカル・ボラティリティの2種類を使用してリスクおよびリスク・パリティ度合いを測るべきだろう。そうすることで、相場観に基づいた将来のポートフォリオリバランスについて、具体的な方法論を議論する助けになるだろう。

4
相関リスクの管理

　株と債券で構成されたポートフォリオをもつ意義の1つとして、株と債券間の逆相関関係があげられる。リーマンショック時のような大きなショックが起きると株安債券高が示現することが多いため、リスク・パリティのような考え方がメインストリートに出てきているし、何よりも平時には逆相関であることがポートフォリオのリスクを低減させる主要因となる。

図表3-13　米国株と米国債の相関関係は基本的に逆相関となっている

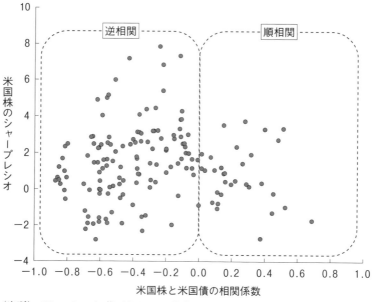

（出所）　Bloombergに基づきANAM作成。

図表3-13は2014〜2017年までの期間で、縦軸に米国株のシャープレシオ（正値であれば株高、負値であれば株安と考えてよい）、横軸に米国株と米国債の相関係数をプロットしたものであるが、株高・株安のどちらの場合でも、基本的には負の相関係数＝逆相関となっている。観測期間を変えてみても、相関係数の強弱はあるが同様に逆相関の関係を見出すことができる。

　本章3で説明したリスク・パリティも、逆相関を前提としたリスク管理指標となっている。リスク・パリティの状態を中心に、株高・債券安を想定しているのであれば株のリスク・パリティベース構成比率を多めにし、逆に、株安・債券高を想定しているのであれば債券のリスク・パリティベース構成比率を多めにする。逆相関を

図表3-14　リスク・パリティの考え方

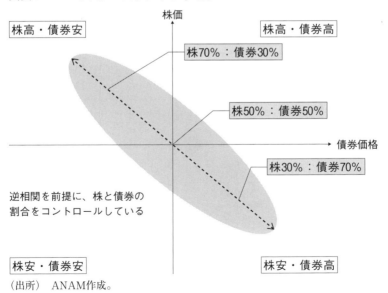

（出所）　ANAM作成。

第3章　多資産運用の実務　59

前提として、株と債券の割合をコントロールする指標である。

しかし、金利上昇をきっかけとした株安が起きた場合にリスク管理の景色は一変する。株安・債券安が示現しており、図表3－14におけるリスク・パリティで管理している象限から外れている。

図表3－15は同時期における過去10年のデータを用いた相関マトリクスと過去3カ月のデータを用いた相関マトリクスを比較したものであるが、過去3カ月のデータを用いた相関マトリクスが正値になっており、リスク・パリティが前提としていた逆相関の関係が崩れていることがわかる。

すなわち、逆相関から順相関へのシフトが未捕捉リスクとなっているわけであり、そのなかでも株安・債券安局面をとらえる指標が

図表3－15　観測期間による相関係数の違い

［過去10年のデータを用いた相関マトリクス］

	日本株	米国株	欧州株
日本国債	－0.31	－0.20	－0.26
米国債	－0.38	－0.30	－0.36
欧州債	－0.33	－0.36	－0.27

［過去3カ月のデータを用いた相関マトリクス］

	日本株	米国株	欧州株
日本国債	－0.31	－0.08	0.00
米国債	－0.29	0.03	0.18
欧州債	－0.12	0.08	0.28

（出所）　ANAM作成。

必要となる。

　最近では「予兆管理」という名のもと、さまざまなリスクインディケーターが存在する。ただ、重要なのは「何に対する予兆管理なのか」という目的を明確にすることだ。株式を扱う部署であれば株の急落リスクを予兆管理の目的とすればよいし、債券を扱う部署であれば金利上昇リスクを予兆管理の目的とすべきであろう。本書のように多資産運用のポートフォリオを管理する投資家であれば、逆相関のもとでの株安や債券安は管理できているはずなので、全資産売りに対する予兆管理を行う、ということになる（図表3－16参照）。

　一般的にリスクインディケーターは複数の指標から作成されることが多い。ここでは全資産売りのリスクインディケーターを作成す

図表3－16　未捕捉のリスク

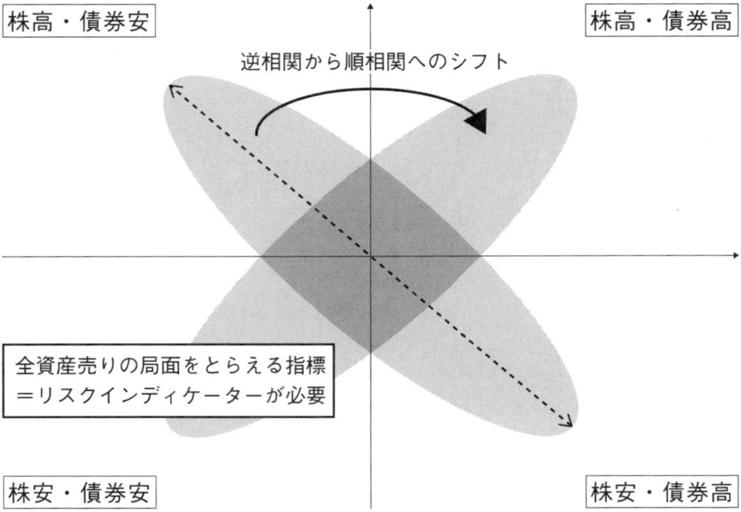

（出所）　ANAM作成。

第3章　多資産運用の実務　61

る際に組み入れられている指標の種類を紹介しておく。

✓ 株、債券、クレジットなど資産ごとの指標
✓ 先進国、新興国など地域ごとの指標
✓ ボラティリティ系など先行性をもつ指標
✓ ファンダメンタル系など遅行性をもつ指標
✓ 先物ポジションの偏り、サーベイなど市場参加者の意見

　これらの指標を組み合わせ、最適な閾値を探し出してリスクインディケーターとするのだが、図表3-17で示したような上昇・下降

図表3-17　リスクインディケーターに用いられる指標と閾値の例

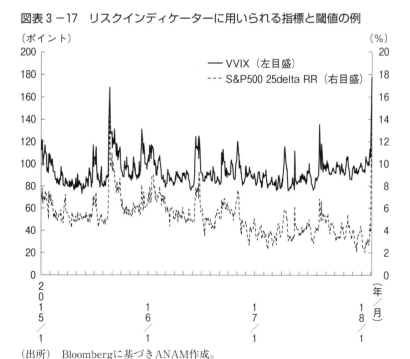

（出所）　Bloombergに基づきANAM作成。

トレンドがなく、リスクイベントで大きく反応してくれる指標を選ぶと閾値が設定しやすいだろう。詳細は第6章のリスク予兆管理にて述べる。

　ここでは、閾値を決める際にも「何をもって最適とするか」に注意が必要であることを述べるにとどめる。一般的にポジションを落とすインディケーターよりも、ポジションを復元するインディケーターの難易度のほうが高い。たとえば、「閾値を超えるとポジションクローズ、閾値に収まるとポジション再開」といったルールのもとで、損失が最も少なく、かつBuy and Hold戦略よりも損失が抑えられるインディケーターを「最適なインディケーター」とすると難易度がグッと上がることになる。下落幅だけに注目する、2番底を当てる精度に注目する、などでインディケーター作成の難易度を落とすのも一考である。

第3章　多資産運用の実務　63

5
多資産運用ファンドの運用プロセス
（SAA＋TAA型について）

　第2章の資産運用の変遷で示したさまざまな運用手法についての研究・実践をふまえたうえで、半期ごとの収益目標達成を目指す国内銀行のポートフォリオ運営に適するようにと考えて構築したのが、以下で説明する多資産運用ファンドの運用プロセスである。

　SAA＋TAA型を採用することで、長期均衡モデル等をベースとした基本ポートフォリオ（Strategic Asset Allocation）に、ジャッジメンタルな各種ボトムアップ戦略を付加しつつ、相場環境変化にあわせて機動的にアロケーションを調整して最終ポートフォリオ（Tactical Asset Allocation）を構築する。

【SAAのコンセプト】

・規制や各種制約条件に対応しつつ、金融機関向け多資産ポートフォリオのアロケーションの説明力・透明性向上に向け、過去の市場データから極力恣意性を排除した最適ポートフォリオを導出する。

・各資産の期待リスク・リターン値を使用し、伝統的な長期均衡モデルをベースに、リスク抑制的な各種運用制約および独自のレジーム戦略を加味し、最適化を実施、投資スパン6カ月～1年を見据えた中期的なポートフォリオを組成する。

【TAAのコンセプト】

・SAA（基本ポートフォリオ）をベースに市場分析・リスク分析に基づいた投資戦略を選定、ポートフォリオをフォワードルッキン

グにチューニングする。

・各種ボトムアップ戦略（定量・定性分析に基づく個別戦略）を付加するとともに、相場環境変化にあわせて機動的にアロケーションを調整することでさらなる収益の積上げを目指す。

　いままで述べてきた方法を用いて、一定の条件下で過去データに基づいた効率的ポートフォリオが作成できたならば、それを基本ポートフォリオとして参照しつつ最終ポートフォリオ運営を行うことで、足元のアロケーションの説明力を向上させることができる。

　具体的には適切な株式量の設定や円貨・外貨金利リスクの割振り等、SAAはTAAを決定する際に有用となる。また、SAAがベンチマーク的な役割を果たすため、TAAとのパフォーマンス差異を相場要因（期待収益との乖離）、規模要因、Tilt要因等に要因分解することでポートフォリオ運営のレビューに活用することができる（図表3−18参照）。

第3章　多資産運用の実務　65

図表3-18 SAA+TAA型の運用プロセス

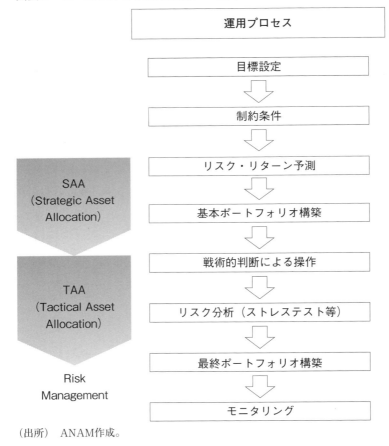

(出所) ANAM作成。

6

運用プロセスに取り入れている
各種手法の概要

　以下、多資産運用ファンドの運用プロセスにて採用している各種
手法（SAA導出、リスク管理、相場下落の予兆管理等）の概要につい
て説明する。

(1)　各資産の期待リターン推定：Reverse Optimization

　基本ポートフォリオを作成する際には、内包する各資産の期待リ
ターン、リスクならびに各資産間の相関関係が必要となる。一方
で、本章の冒頭でも述べたように、複数の資産について期待リター
ンを推定することは非常に難易度が高い。そこで、各資産の期待リ
ターンを一意に決めることができるReverse Optimizationという手
法を紹介する。

　平均分散アプローチは各資産の期待リターン、リスク、資産間の
相関関係を用いて効率的フロンティアを作成し、任意のリスクもし
くはリターンを指定すると最適なポートフォリオ構成が得られると
いう手法であった。

　Reverse Optimizationは、市場の時価総額加重平均ポートフォリ
オ（図表3－19参照）が効率的フロンティア上の1点を表している
という前提から始まる。すなわち、平均分散アプローチでは計算結
果として出てくるアロケーションが、最初からわかっていることに
なる。次に、この時価総額加重平均ポートフォリオのリスクと期待
リターンを決める必要があるのだが、これは効率的フロンティア上

第3章　多資産運用の実務　67

図表3-19　時価総額加重平均ポートフォリオのアロケーション

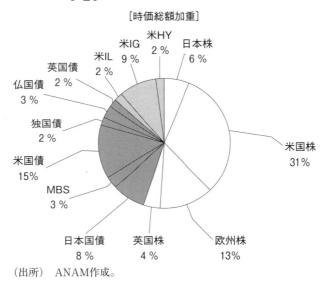

(出所)　ANAM作成。

の「どの点」を表現しているのかを決めることに等しい。本章の冒頭で説明したように、リスクについてはヒストリカル・ボラティリティで代用できるとしても、期待リターンを決めるためには議論が必要となる。市場全体を表現している時価総額加重平均ポートフォリオなので、IMFの世界経済成長予測で代用する、長期的なシャープレシオとリスクから期待リターンを求める、など適当な方法を選択して期待リターンを決めることになる。

さて、リスクと期待リターンの組合せを決めたので、効率的フロンティア上の1点に対応するアロケーション（時価総額加重平均ポートフォリオ）が判明した。各資産のリスクと資産間の相関関係をヒストリカルデータから算出すれば、残るパラメータは各資産の

期待リターンのみである。そこで、平均分散アプローチで計算する
と時価総額加重平均ポートフォリオが先ほど決めた効率的フロン
ティアの1点となるような各資産の期待リターンを求めればよい
（図表3-20参照）。「Reverse Optimization」と呼ばれるゆえんは、
計算の仮定がおおむね平均分散アプローチの逆になるからである。

また、長期間のヒストリカルデータを用いて計算したリスクや資
産間の相関関係をReverse Optimizationに使用して求めた各資産の
期待リターンは長期的な均衡水準とみなすことができ、「長期均衡
リターン」と呼ばれる。

⑵　レジーム表現：Black Littermanモデル

Reverse Optimizationで求めた各資産の期待リターンにはフォワー
ドルッキングの要素が乏しい。だが、運用担当者としてSAA導出
の際に用いる期待リターン設定に、「金融相場→逆金融相場→逆業
績相場→業績相場」といったレジーム（相場局面）を反映させ、ア
ロケーションに反映させたいというモチベーションは当然に存在す
る。そこで、ベイズ統計を用いてレジームをブレンドし、Reverse
Optimizationで求めた期待リターンの値を調整するBlack Litter-
manモデルを紹介しておく。レジームをどのように定義するかであ
るが、たとえば株と債券の期待リターンを用いて「株高債券高→株
安債券安→株安債券高→株高債券安」の4象限をレジームと考えて
みよう。

この場合、モデルに入力するのは「逆相関の傾向がある米国株と
米国債といった2資産のリターンの組合せの予測」となる。また、
各予測についての投資家の自信度もパラメータとして入力できる。
自信度が高い予測はリターンに対する影響度が大きくなり、自信度

第3章　多資産運用の実務　69

図表3-20 平均分散アプローチとReverse Optimizationの違い

[平均分散アプローチ]

各資産の期待リターン、リスク、相関関係から効率的フロンティアを作成

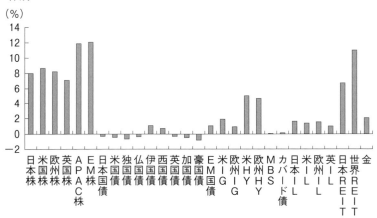

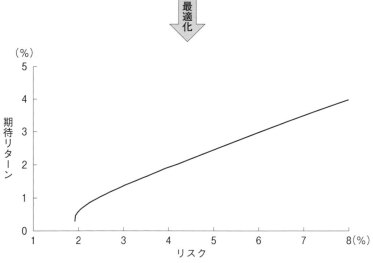

(出所) Bloombergに基づきANAM作成。

[Reverse Optimization]

時価総額加重ポートフォリオ（＝市場ポートフォリオ）の期待リターン、リスク、各資産のリスク、相関関係から各資産の期待リターンを作成

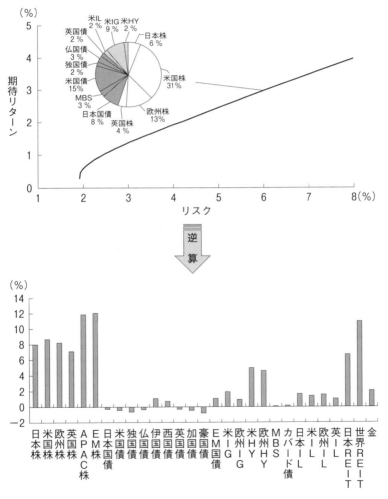

第3章 多資産運用の実務 71

が低い予測はリターンにあまり影響しないという調整も可能である。

半期ごとに収益目標を達成しなくてはならない地域銀行の運用担当者は、この先6カ月間の各資産の期待リターン、さらにはそれらを組み合わせたポートフォリオの6カ月間の期待リターンが興味の中心であろう。したがって、この先6カ月間の中短期的なリターン予測をモデルに入力すれば、Reverse Optimizationで求めた長期均衡リターンに、当面の投資環境認識に基づく中短期期待リターンを融合したと解釈できる(図表3-21参照)。

モデルによって更新された期待リターンとリスクを基に、平均分散アプローチを用いて効率的フロンティアを再作成し、任意のリスクもしくは期待リターンから選んだポートフォリオをSAAとする。

図表3-21 Black Littermanモデルの運用プロセス

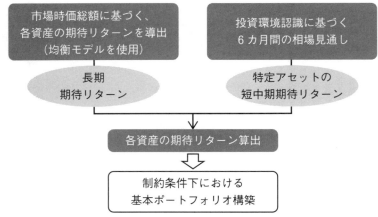

(出所) ANAM作成。

(3) 資産ごとのリスクやリスク・ファクターごとの偏りをモニタリングする手法

① 想定リスク（株式・債券リスクの偏り）

各資産のリターンの標準偏差（ボラティリティ）と相関係数から推定されるポートフォリオのリスクを測定（図表3-22参照）する。想定リスクの内訳は、リターンの変動を株と債券の固有要因に分解したときのインパクトの比率を表す。過去データについては短期（過去1年、週次・指数加重平均）と長期（過去10年、月次・指数加重平均）として想定リスクを各々算出する。

② リスク・ファクター分析（リスク・ファクターごとの偏り）

リターンの源泉を、マクロ経済指標等にて説明するよりは、下記のリスク・ファクターをリターンの源泉としてとらえたほうが精度

図表3-22　資産リターンの標準偏差と相関係数から推定されるリスク

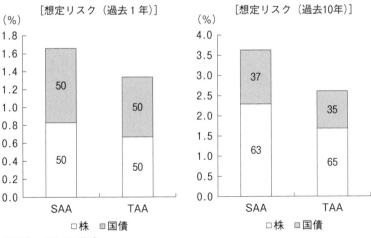

（出所）　ANAM作成。

が高いと判断、各資産のリターンを、6つのリスク・ファクターで回帰する（図表3－23参照）。

① エクイティ……世界株リターン
② デュレーション……長期金利変化

図表3－23　各資産のリターンを6つのリスク・ファクターで回帰

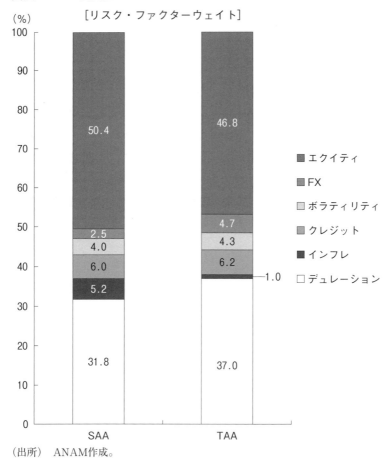

（出所）　ANAM作成。

③ インフレ……BEI変化
④ クレジット……社債スプレッド変化
⑤ ボラティリティ……MBSスプレッド変化
⑥ FX……外国為替レート変化

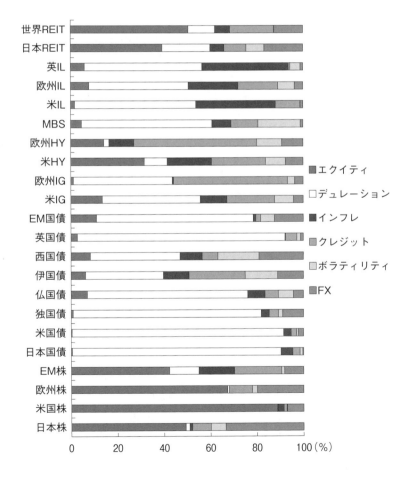

⑷　収益変動およびテールリスクを抑制する仕組み（ドローダウン分析）

　過去データを基にポートフォリオを継続保有した際の半年間における最大損失額（マックス・ドローダウン）を計測、制約条件として採用し、テールリスクを防止するもの。

⑸　リスクインディケーターを用いた予兆管理

　複数のリスクインディケーターにて、全資産売りの予兆管理を行う。ボラティリティ系指標とその他指標を組み合わせた指標に加え、主要資産のリスク対リターンをプロットし、回帰曲線の傾きから投資魅力度を算出する指標等に閾値を設定し、予兆管理として日々モニタリングする。たとえば、米国株式における市場ボラティリティ系指標例は以下のとおりである。いずれも株価下落時には上昇を示す傾向があるため、その観点からチェックすべきものである（図表3-24参照）。

①　VIX……先物オプション市場で売買されているプレミアムから将来の変動率を予測する。各行使価格別のImplied Volatilityの加重平均値として算出されたもの。オプションはヘッジツールであるとの観点から、オプションプレミアムは市場の相場変動に対する保険料ともいわれている（恐怖指数）。

②　EVRP（Volatility Risk Premium in Equities）……Implied Volatilityと過去の値動きから算出した実現ボラティリティとの差。Historical Volatilityを仮にフェアバリューとみなして、Implied Volatilityがそれより上方に位置していれば、市場がより大きな値動きを想定していることになる。

③ SKEW……PutオプションとCallオプションのボラティリティの差。拡大はPutオプションの買い需要が強いことを表すことから価格下落に対するヘッジニーズの強さをみる。

④ TERM……目先の価格変動を想定する場合、相対的にオプション期間の短い商品を購入する傾向がある。

図表3－24　米国株式における市場ボラティリティ系指標例

指　標	概　要	特徴
VIX	S&P500指数先物における各行使価格のImplied Volatility加重平均値に基づく	市場の相場変動に対する保険料
EVRP	S&P500指数先物　1 M Option Implied Vol－Historical Vol	フェアバリュー以上のプレミアム上昇をモニター
SKEW	S&P500指数先物　3 M Option 90%Strike Vol－110% Strike Vol	市場のダウンサイドに対する警戒感を反映
TERM	S&P500指数先物　Option 1 M ATM Vol－3 M ATM Vol	目先の市場リスクの高まりをモニター

（出所）　ANAM作成。

第3章　多資産運用の実務　77

7

銀行ポートフォリオ運営への活用

(1) ポートフォリオ構築プロセス高度化

　地域金融機関が多資産運用ファンドの運用プロセスを活用し、自行の運用に適したSAA構築を検討するにあたり、留意すべき点について以下説明する。

① 運用ガイドラインについて……まず、投資対象の範囲は広いほうがリスクに対してよりリターンの大きいポートフォリオの構築には有利であると一般的にはいえるが、預金という負債の特性からくる流動性制約をふまえれば、平時はもちろんショック時においても高い市場流動性を有する資産（先進国の株価指数や国債等（先物取引を含む））を中心として分散投資を行うことが基本となる。エマージング資産やハイイールド社債等といったショック時には市場流動性が大きく低下することが想定される資産を対象とする場合は、投資金額に上限を設けることを検討しておく。また、投資対象を広げたことによって必要となる追加的なマンパワー、RORA（Return on Risk-Weighted Aseet）の観点からの投資効率、IRRBB（Interest Rate Risk in the Banking Book）や自己資本比率規制等の金融規制の観点からの制約を考慮する必要がある。

② 想定シナリオの作成について……経営陣やリスク管理部門と合意した金融・経済シナリオをベースに、国内外証券会社など他社が開示しているマクロシナリオとの比較検証を行ったうえで、市

場部門が詳細なシナリオを策定する。マクロ環境や金融政策等の分析に加え、過去の相場急変局面を参考にし、向こう半年間程度のマクロ見通しを策定する。その際はメイン、サブ、リスク等の複数のシナリオを作成し、さまざまな環境を想定しておく。その後、原則四半期ごとにシナリオを更新するが、市場急変があった場合には適宜見直しを検討する。

③　制約条件について……制約を増やせば増やすほどリスク・リターンが悪化することを認識しつつ、以下の制約条件例を検討する。

・マックス・ドローダウン水準の設定（テールリスク抑制）
・資金収益率の設定（過度な売買益に依存しない安定した財務収益の計上）
・相対的に市場流動性の低い資産に残高上限を設定（市場流動性の管理）
・ポートフォリオ総額

(2)　リスク分析力の向上

　リスク管理の観点から各リスク指標に許容メド値を設定して、最終ポートフォリオのポジション量が枠内に収まっていることをモニタリングする必要がある。期初ごとに市場部門が収益目標とあわせて設定する許容損失限度額（＝協議基準額）への抵触を回避することを目的としたメド値の設定例を以下紹介する（図表3-25、図表3-26参照）。

①　マックス・ドローダウン—分散投資モデルを過信しない—……過去の相場実績（たとえば過去10年間、リーマンショックを除く）を基にポートフォリオを継続保有した際の向こう半年間における

第3章　多資産運用の実務　79

図表3-25 適切なリスクモニタリング

・新たなリスク管理指標の採用
　リスク管理の観点から下記リスク指標について許容メド値を設定・モニタリング
① マックス・ドローダウン
　過去の相場実績を基にポートフォリオを半年間継続保有した際の最大損失額、テールリスク抑制
② 株式リスクバジェット
　株式・金利・クレジットといったファクター別リスク寄与度を表現した指標、リスク特性のゆがみを把握
③ 想定リスク（ボラティリティ）
　統計学的アプローチにより期待リターンからの総合損益の変動幅を測定、収益の振幅抑制

（出所）　ANAM作成。

図表3-26 許容メド値の設定例

リスク指標	①マックス・ドローダウン	②株式リスクバジェット	③想定リスク（週次1σ）
許容メド値の設定例	協議基準額×1.2倍(注)	株式残高を拡大して①に抵触する水準	ポート全体を拡大して①に抵触する水準
位置づけ	ハードリミット	ソフトリミット	ソフトリミット

（注）　ポジション圧縮前提を考慮、協議基準額とは総合損益下振れ時の抵触回避水準。
（出所）　ANAM作成。

最大損失額を計測するもの。期中ポジション不変を前提としたリスク指標であるため、総合損益下振れ時のポジション圧縮を勘案すれば、許容損失限度額（＝協議基準額）と同じないしは若干大

きめの数字を許容メド値として設定することになる。たとえば、テールリスク抑制のためハードリミット（超過してはならない水準）と位置づける。

② 株式リスクバジェット（株式リスク割合）……ポートフォリオのリスク特性のゆがみを把握する指標。株式は資金収益が不安定（配当は確定キャッシュフローではない）、ロールダウンがない、減損リスクが相対的に高い等の特性があることから、株式リスクの保有に一定の制限を設ける必要がある。ポジション量が不変でも市場環境により変動する指標なのでソフトリミット（超過すれば今後の対応について協議する水準）が妥当である。株式リスクバジェット（株式リスク割合）の許容メド値上限を算出する際に使用するポートフォリオは、SAAを出発点として株式比率を拡大させて算出したマックス・ドローダウンが上記①の許容メド値に抵触する際のアロケーションとする。

③ 想定リスク（ボラティリティ）……想定リスクとは、各資産の週次リターン標準偏差と相関係数から推定されるポートフォリオのリスクであり、収益の振幅抑制の観点から許容メド値を設定する。ポジション量が不変でも市場環境により変動する指標なのでソフトリミットが妥当である。想定リスク（ボラティリティ）の許容メド上限を算出する際に使用するポートフォリオは、SAAを出発点としてアロケーション比率を固定しつつ、規模を拡大させて算出したマックス・ドローダウンが上記①の許容メド値に抵触する際のアロケーションとする。

8

最終ポートフォリオ運営（TAA）

　以下、SAAをベースとしたTAAを構築する際に、パフォーマンス向上を図るツールとして投資対象拡大やオプション売りといったボトムアップ戦略例を紹介する。

①　ボトムアップ戦略例〜SAA対比のTilt

　最終ポートフォリオ運営におけるアロケーションは基本ポートフォリオをベースに各種ボトムアップ戦略（定量・定性分析に基づく個別戦略）を付加するとともに、相場環境変化にあわせて機動的な操作を行う。TAAでの各資産のアロケーション比率決定過程は以下のとおり。

　各種リスク管理指標（マックス・ドローダウン、株式リスクバジェット、想定リスク）が許容メド値内に位置していることの確認はもちろんのこと、メインシナリオの確信度および相場環境（変動率や資産間の相関等を含む）に応じて、各種リスク管理指標の使用率を決める。資産配分は、日米欧等の地域ごとや株式Indexごと、債券であれば投資対象年限も含めて検討するが、円投外貨調達コストが割高な場合は先物の活用も選択肢とする。

②　ボトムアップ戦略例〜投資対象拡大

　米国短期金利の上昇によりイールドカーブがフラット化する局面では米国債はキャリー＆ロールダウン効果の低下から投資妙味が減退する。米国モーゲージ証券は期限前償還というオプションが内在（ネガティブコンベクシティ）していることに対する代償として米国債に比して利回りが高く、投資対象の組入れは検討に値する。特

に、米国の政府機関であるジニーメイ（政府抵当金庫）が元利払いを保証するGNMA債は、高い信用力（BISリスクウェイトゼロ）と高い市場流動性（日次売買高は約2兆円）を有していることに加え、米国債を上回る資金収益率が期待できる（図表3－27参照）。

　また、GNMA債と米国長期債のパフォーマンス比較において、短期間での大きな相場変動が生じた局面を除けば、趨勢的には強い順相関があることが示されており、米国債代替としての活用が考えられる（図3－28参照）。

③　ボトムアップ戦略例〜オプション売り

　証券の運用利回りピックアップの手段として、保有証券を原資産とするコールオプションの売建てを活用する。米国先物カバードコール戦略とは、米国債券先物の買いと同先物のコールオプション

図表3－27　GNMA債と米国債スプレッドの推移

（出所）　Bloombergに基づきANAM作成（2021年9月現在）。

図表3−28 GNMA債と7−10年米国債の相関関係の推移

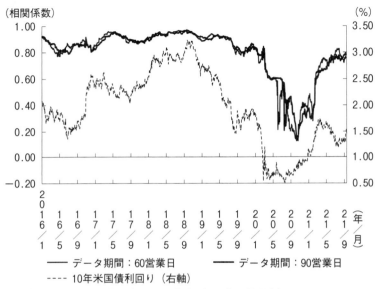

(出所) Bloombergに基づきANAM作成（2021年9月現在）。

の売建てを組み合わせたもの（米国先物カバードコール戦略＝米国債先物投資＋同先物のOut of The Moneyコールオプション売却）。金利上昇時にはプレミアム収入が損失を緩和（クッション効果）、金利横這い圏ではプレミアム収入が収益をエンハンス、金利低下時にはキャピタル益が限定されるため、ボックス相場ないしは金利上昇幅が限定的であると想定する場合には検討に値する戦略である（図表3−29参照）。

図表3-29 米国先物カバードコール戦略の目標リターン例

[米国先物カバードコール戦略＝米国債先物投資＋同先物のOTMコールオプション売却]

・金利上昇時：プレミアム収入が損失を緩和（クッション効果）
・金利横這い圏：プレミアム収入が収益をエンハンス（下記目標リターン例）
・金利低下時：キャピタル益が限定（約20bpを超える金利低下部分のキャピタル益は見送り）

⇒ボックス相場ないしは緩やかな米国金利上昇を想定する場合には合理的な投資行動

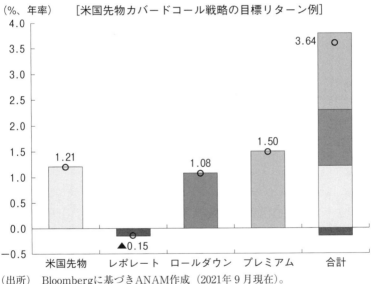

（出所） Bloombergに基づきANAM作成（2021年9月現在）。

[山内　正俊]

第 **4** 章

多資産運用におけるリスク管理

　地域金融機関の有価証券運用が担う役割は、リスクを低く抑えつつ安定的なリターンを獲得することである。従前はJGB投資がこの課題に応えてきた。しかし、長期にわたる日銀の金融緩和によりデュレーションの長いJGBですらプラスの利回りを消失してしまった。このため、地域金融機関は、有価証券運用として新たな投資方法を模索せざるをえなくなった。その代表的な候補として、多資産運用の重要性が認識されるようになった。本章では、このような背景を前提として、地域金融機関において多資産運用のリスク管理では何を行うべきかについて、多資産運用ファンドのリスク管理者としての立場から考察する。

1

多資産運用におけるリスク管理の機能

　多資産運用におけるリスク管理とひとくくりにいっても、多資産運用の実施の仕方により、リスク管理として行うべきことは異なる。このため、はじめにどのような多資産運用を前提としてリスク管理を行うかについて議論を行う。

(1)　運用の外部委託か自社運用か

　基本的に多資産運用は、国内外の株式、国内外の債券、その他の資産への投資を指す。JGB投資に比べると、投資対象となるアセットクラス数・銘柄数が格段に増えることを意味する。地域金融機関の資産規模によっても異なるが、従来から有価証券運用を担う人員の少なさは懸案事項とされてきた。このため、アセットクラス数・銘柄数の増大は、一般的に運用の外部委託の比重を増大させる結果となった。本項では有価証券運用の外部委託か自社運用かという軸、および運用に割り当てられるリソースという軸を導入して、有価証券運用の分類を最初に行う。図表4－1はこの2つの軸を図示したものである。縦軸に自主運用比率の高低をとり、横軸に割当可能なリソースの多少をとったものである。ここでリソースとは人員、システム、投下資金等を意味する。

　組織体として何事もすべて組織内で完結すれば、運営の自由度は高まるが、運営の自由度を高めることは、必要とするリソースを増加させることを意味する。しかし、どのような組織体であってもリソースは有限である。したがって、リソースの多少によって、結果

図表 4 − 1　自主運用比率とリソースの概念図

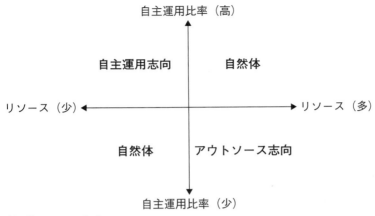

(出所)　ANAM作成。

的に自主運用比率が決定されることはきわめて自然である。その意味で、図表 4 − 1 の第一象限および第三象限を"自然体"と表現している。一方、第四象限を"アウトソース志向"と表現したのは、割当可能なリソースが大きいにもかかわらず、自主運用比率が低いのは、経営の意図的な選択の結果と考えられるからである。また、第二象限を"自主運用志向"としたのも、同様に経営の意図的な選択の結果と考えることができるからである。

　金融機関における市場部門の運営のあり方をこのように 4 つのグループに分類したとき、問題のあるグループは、"自主運用志向"グループであろう。多資産運用に必要なリソースを欠いているにもかかわらず、自主運用比率が高いということは、資産運用のリスクを無意味に増大させている可能性があるからである。自主運用比率を高めたいならば、リソースの割当てを増やすしかないということになる。この意味では、第三象限のグループも多資産運用を減ら

す、つまり有価証券運用自体を減らす方向にかじを切るしかない可能性がある。

　ところで、究極の運用方針として、すべてをアウトソースする場合を考えるとき、アウトソースの中身が問題となる。多資産運用自体をアウトソースするのか、多資産運用のパーツをアウトソースするのかという問題である。多資産運用自体をアウトソースする場合、委託先はできるだけ少なくし、委託先の選別に主眼を置くべきことは当然であろう。一方、多資産運用を系統的に行う体制ができているならば、個別のアセットクラスをパーツとしてアウトソースすることになろう。すべてを自主運用する場合、多資産運用を系統的に行う体制ができていることは当然として、個別の銘柄選択・執行にも専門性がなければならない。

(2)　リスク管理部門の果たすべき牽制機能

　従来、リスク管理部門の業務はリスクアセットの集計やVaRの計測等の規制対応業務およびフロント業務に対する牽制業務の2つの業務が主で、有価証券運用の中身について触れる必要がないものであった。JGB投資による収益の消失により、リスクを伴う投資、つまり多資産運用にかじを切る状況では、系統的に多資産運用を行う体制ができているかについて検証を行うことが、リスク管理の重要な業務となると考える。また有価証券運用のリスクの状況を経営へレポーティングすること、さらに企画部門が経営計画等、会社全体の方針を策定するプロセスのなかで、少なくとも有価証券運用の収益目標の妥当性の検証をリスク管理部門が行う必要がある。リスク管理部門の業務が、運用環境の変化に伴って大幅に広がったことを認識しなければならないだろう。

⑶　ポートフォリオ・アプローチ

これまで、多資産運用を系統的に行う体制という言葉を使って表現したことは、ポートフォリオ・アプローチと言い換えることができるだろう。ポートフォリオ・アプローチは2つの仮定から構成されている。1つ目の仮定は、あらゆる金融資産がほぼ連続的に価格が決まり、かつリスク・リターン平面上で表現される要素と考えることである。言い換えると、各金融資産は期待リターンとリスク（ボラティリティ、リターンの標準偏差）をもつと考えている（図4－2参照）。2つ目の仮定は、あらゆる金融資産の価格変動は、幾つかのリスク・ファクターによって説明可能と考えることである。リスク・ファクターとは、具体的には債券インデックス、株式インデックス、金、原油、REITインデックス、ドル円レート等である。この仮定は、数式を使って以下のように表現可能である。

いま、n個のリスク・ファクターがあり、その変化率（リターン）が$\{f_1, \cdots, f_n\}$で、金融市場における任意の金融資産（ポートフォリオ）xの価格のリターンr_xを、

$$r_x = F(f_1, \cdots, f_n) \qquad (1)式$$

と表すことができるということである。ポートフォリオ・アプローチは基本的に、平均－分散アプローチ（モダンポートフォリオ理論）に依拠している（その詳細については第10章を参照）。

図表4－2に描かれている曲線は効率的フロンティアと呼ばれる曲線で、リスク・ファクター自身を資産とみなし、選好するリスク水準（図表4－2の横軸のどの位置かということ）に応じて最良のポートフォリオ（リスク・ファクターの組合せ）が決定できるという

図表4-2 効率的フロンティア

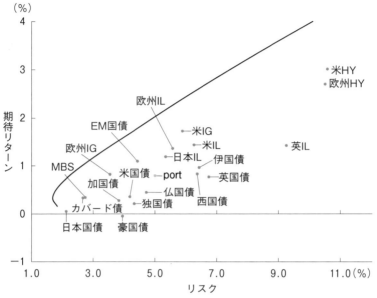

(出所) ANAM作成。

ことである。

　また、現状で保有するポートフォリオも同じ平面上に表現することが可能となり（たとえば図表4-2の"port"と命名された点）、現状のポートフォリオをどのように変えればリスク・リターンを改良することができるかも示すことができる。この意味で、ポートフォリオ・アプローチはフロント、リスク管理（あるいは金融機関の全部署）が収益予想等について会話するための道具となる。

(4) ポートフォリオ・アプローチの導入

　従来の有価証券投資計画の決定および執行のプロセスは概念的に

以下のように整理することができるだろう。

a　情報収集……投資可能な個別資産の予想リターンとリスクについて情報収集

b 1　収益目標……

Σ（個別資産の予想リターン×個別資産の投資制限）＝収益要請

b 2　制約条件……

VaR{Σ（個別資産のリスク×個別資産の投資制限）}＜リスク制限額

Σ（個別資産のリスクアセット）＜リスクアセット制限額

c　執行……制約条件の範囲内で収益目標を満たす個別商品の積上げ

ただし、このプロセスには問題点が3つある。

・問題点1……個別資産の予想リターンの妥当性がどのように担保されているか、ということである。運用のアウトソースの場合、委託先の予想リターンをそのまま使用することがある。

・問題点2……リスク・ファクターに分解したうえでVaRを計測しているか。個別資産のボラティリティの積上げベースでVaRを計測している場合がある。

・問題点3……最適化が欠如しているため、効率の悪い投資になっていないか。

ここであげた3つの問題点は、従来の投資方法では多資産運用において最終的に効率の悪い投資になっている可能性を否定できないことを意味する。問題点1および問題点2は、リスク・ファクターからみた個別資産の予想リターンおよびリスクの整合性が担保されていないことを意味し、適切なリスク・リターンを認識できないことを意味する。

そこで、ポートフォリオ・アプローチを導入することにより、有

価証券投資計画の決定および執行のプロセスは概念的に以下のように変更される。

A　情報収集……投資可能な個別資産のデルタについて情報収集

B1　収益目標……

　　　Max(Σリスク・ファクターの期待リターン×デルタ) = 収益要請

B2　制約条件……

　　　VaR{Σ(リスク・ファクターのリスク×デルタ)} < リスク制限額

　　　Σ(個別資産のリスクアセット) < リスクアセット制限額

C　執行……制約条件の範囲内で収益目標を満たす個別資産の投資比率の決定

　ここで、デルタは個別資産の投資額をリスク・ファクターに対する投資額で置き換えることを意味する。

　具体的にデルタとは、(1)式から、リスク・ファクターの個別資産xへの感応度

$$\delta_x = \left(\frac{\partial r_x}{\partial f_1}, \cdots, \frac{\partial r_x}{\partial f_n} \right) \qquad \text{(2)式}$$

を求めて、個別資産xへの投資額をIとするとき、各リスク・ファクターにいくら投資したことと同じになるかという数値である。

　つまり、

$$\delta_x I = \left(\frac{\partial r_x}{\partial f_1} I, \cdots, \frac{\partial r_x}{\partial f_n} I \right) = (I_1, \cdots, I_n) \qquad \text{(3)式}$$

である。$I_1, \cdots, I_n$は各リスク・ファクターへの投資額である。

⑸ リスクアペタイトフレームワーク[1]におけるリスク管理

　ポートフォリオ・アプローチを前提とするときのリスク管理において、有価証券運用のリスクの状況を経営へレポーティングする場合、報告すべき内容には、保有するポートフォリオについて以下の数値が含まれなければならないだろう。

0）ポートフォリオの総合損益

1）ポートフォリオの期待リターン

　　＝Σリスク・ファクターの期待リターン×投資比率

2）ポートフォリオのリスク

$$= \sqrt{V（Σリスク・ファクターのリターン×投資比率）}$$

3）ポートフォリオ変動額

　　＝リスク・ファクターのデルタ×基準変化幅

4）シナリオ・シミュレーション結果（含むストレステスト）

　ここで、ポートフォリオ変動額とは、リスク・ファクターごとに計算される数値であって、ポートフォリオへの全投資額のなかで、各リスク・ファクターへの投資相当額（リスク・ファクターのデルタ）に基準変化幅（たとえば1％）を乗じることによって計算されるものである。さらにシナリオ・シミュレーションでは、リスク・ファクター・ベースでシナリオを作成し、シナリオが実現した場合のポートフォリオの損益を計算することを意味する。これらにより、リスク・ファクター・ベースでポートフォリオの把握が可能になる。

1　第1章のコラム「経営からみる地域銀行の有価証券運用の高度化①」を参照。

ここで特記すべきことは、通常、地域金融機関の有価証券運用において、主要なリスク・ファクターはせいぜい数個（3～6）であろう（たとえば円金利、TOPIX、米国金利、S&P500、など）。そのため、主要なリスク・ファクターが何か、そのリスク・ファクターに対してどのような期待リターンを想定しているか、ということに関して全社的に周知させる、あるいは全社的なコンセンサスを形成することも可能となろう。リスク管理において、これらの数値を把握することは、リスクアペタイトフレームワークを構築する際にも、重要な要素となろう。さらにフロントの本質的役割とは、リスク・ファクターの期待リターンの推定と周知であるということも認識されるため、リスク管理部門の役割がリスク・ファクターの期待リターンの推定の妥当性検証（モニタリングおよび推定方法の検証）およびポートフォリオ・アプローチの妥当性検証にあるということが認識される。これらの役割の明確化は、リスクアペタイトフレームワークの構築にも寄与することになろう。

(6)　選　　択

　ポートフォリオ・アプローチを採用すると、保有ポートフォリオのリスク・リターン特性の把握が明確になる利点があることに加えて、リスクアペタイトフレームワークの構築にも資すると考察される。さらに、ポートフォリオ・アプローチを前提とする全体最適化を行うことを考えると、複数の外部委託先に多資産運用を委託する場合、一般にそれらのポートフォリオをあわせたものが全体最適とはならず、1つの外部委託先にすべてを預ける以外に全体最適とならないことも示唆される。

　しかし、1つの外部委託先に集中するためには、単なる外部委託

先の選定にとどまらない決断が必要となる。現状の金融機関の意思決定の仕方を考慮すると、パーツを外部委託して、ポートフォリオ全体の最適化を自社で行うことが、現実的な対応となると考察される。そのため、多資産運用を外部委託する場合には、委託先を１つに限定するのは、運用ノウハウの吸収・人財育成等の明確な意図がある場合に限定されるだろう。

　以上、リスクアペタイトフレームワークを地域金融機関が導入せざるをえない状況を念頭に置き、ポートフォリオ・アプローチがそれと整合的であることを説明した。仮にリスクアペタイトフレームワークを導入しない場合であっても、運用の透明性を確保する観点からポートフォリオ・アプローチが有効であることは確かといえる。

　また、リスク管理部門の業務・任務は従来の受け身の仕事に加えて、経営が選択する経営指標に整合的な、有価証券運用における最適戦略を選択できているかの検証から、最適戦略を実現する投資モデルが選択されているかの検証、さらにリバランスの実施状況およびシナリオ構築の検証まで、広範囲にわたることを認識しなければならない。リスク管理は以上のような認識（鳥瞰の意味）のもとで、個別の業務の位置づけを考えて業務を遂行することを求められている。

第４章　多資産運用におけるリスク管理　97

2

ポートフォリオ・アプローチにおける リスク管理

　本章1において、ポートフォリオ・アプローチの概略およびそれに対応したリスク管理の概略について説明した。本節ではポートフォリオ・アプローチを前提とするときのリスク管理における個別の内容について説明を行う。

(1) リスク管理の一般論

　情報セキュリティ等で用いられる、リスク管理の定義は、「リスクについて、組織を指揮統制するための調整された活動」となっている。一般にリスク管理は以下の3項目から成り立つ。多資産運用においても基本は同じである。

① リスクアセスメント……ある状況になった場合に、いくらの損失が発生するかを事前に評価すること

② リスク対応……リスクアセスメントで評価された事態になったとき、どのように対応するかをあらかじめ決めること

③ 上記を実施するための方針や運営・モニタリング・見直し体制の導入と実行

　これらをポートフォリオ・アプローチにおけるリスク管理の観点からみると、①から③は以下のようになる。

❶ 選択された投資プロセスのもとで、シナリオのはずれ具合に応じて損失の程度を計量し、リスクシナリオとすること

❷ シナリオの修正勧告あるいはリバランス勧告

❸ 投資モデル、シナリオ、リバランス等の妥当性（パフォーマンス）検証および見直し

以下(2)、(3)および(4)で、前記❶および❷について、その前提となる方法論の概略とリスク管理として行うべきことについて解説する。

(2) 投資プロセス

投資プロセスは、運用を効率的に行うための基本的な考え方である。CAPMやマーコビッツ・モデル等のベータ系の投資モデルを前提とする場合の基本的な手順は以下のとおりである。

① リスク・ファクターの決定……投資するアセットクラスの決定および各アセットクラスを代表するリスク・ファクターを決定（具体的なリスク・ファクターについては後述）。

② 投資ユニバースの決定……具体的な投資銘柄のラインアップのこと。規制によって制約されてしまう部分も多いが、何に投資するか、あるいは、できるかをあらかじめ選択しておく。投資ユニバースはできるだけ広くするほうがよい。さらに投資銘柄とリスク・ファクターの関係（デルタ）を明確にしておかなければならない。

③ 最適戦略の選択……ポートフォリオ全体の運営目標。たとえば、シャープレシオ最大化、収益最大化、与件リスク下リターン最大化、リスク・パリティ戦略等。

④ 投資モデルの選択……最適戦略を実現するために、最も使いやすい投資モデルを選択。ただし制約条件の設定、たとえば、配当制約、デュレーション制約、リスクアセット制約等を含む。

⑤ シナリオ構築……リスク・ファクターのシナリオは投資モデル

第4章 多資産運用におけるリスク管理 99

に与える最も重要なパラメータ（(3)で後述）である。

⑥　投資比率の決定……投資モデル上でリスク・ファクターに対する投資比率を決定。

⑦　投資銘柄の決定……リスク・ファクターに対する投資比率から投資銘柄を選択する。ポートフォリオ全体としてデルタ換算して、リスク・ファクターに対する投資比率が実現されていなければならない。

　リスク管理の観点からは、前記プロセスのなかで、シナリオ構築部分の検証が重要である。なぜなら、このプロセスが投資パフォーマンスを左右する最も重要な鍵となっているからである。さらに、リスク・ファクターに対する投資比率とリスク・ファクターのリスクシナリオがあればリスクシナリオ時の損益が計算できるので、さまざまなシナリオのもとでのシミュレーションを行うことが可能である。

　ところで、ここではベータ系の投資モデル（ベータ運用）を前提としたが、ベータ系の投資モデルとアルファ系の投資モデル（アルファ運用）の違いを簡単に説明する。

　ベータ運用は、世界全体の経済は徐々に成長するので、それを反映する株式市場等も上昇すると考え、マーケットの短期的な価格変動を気にせず、インデックス（リスク・ファクター）に長期投資を行うことである。また、債券投資においても、インデックスに長期投資することがベータ運用であるが、この場合デュレーションの長い債券（インデックス）に対する投資が主となろう。ベータ運用の問題点は短期的（3カ月、1年等）な投資結果を期待できないことにある。この問題を克服するには短期的な予想の精度を向上させなければならない。

一方、アルファ運用は、さまざまな金融市場において、なんらかの非効率性が存在し、一定期間後に当該市場が効率的になるということを前提に、当該市場が効率的になったときに収益を獲得できる投資を行うことである。アルファ運用では、市場が効率的になるまでの期間がわからないこと、市場が効率的になると投資機会がなくなること等の構造的な問題があるため、アルファ運用を前提とする投資プロセスを構築することはむずかしい。

(3) シナリオ

ベータ系の投資プロセスで、短期的な収益の確保のために、最も重要な要素は適切なシナリオ（期待リターン）の設定であることを前項で述べたが、本項では、フロントにおけるシナリオ作成に限定せず、一般的なシナリオ構築方法について説明する。シナリオを作成する対象は選択したリスク・ファクターである。リスク・ファクターの候補は、以下のとおりである。

- 株……TOPIX、MSCIインデックス（米国株、欧州株、英国株、APAC株、EM株）
- 債券……CITI債券インデックス（日本国債、米国債、独国債、仏国債、伊国債、西国債、英国債、加国債、豪国債、EM国債、米IG、欧州IG、米HY、欧州HY、MBS、カバード債、日本IL、米IL、欧州IL、英IL）
- 不動産……日本REIT、世界REIT
- コモディティ……金、原油

代表的なシナリオの構築方法は、以下のとおりである。
① エコノミック・シナリオ・ジェネレータ（ECG）……有料サー

ビスで、Moody's（Barrie & Hibbert）、Deloitte、Numerix等。

② 各種機関が発表する相場見通しを利用する方法……金融機関や研究機関の発表する予想を集約。

③ 運用会社の相場見通しに乗る方法……一般に運用会社は独自に予想を行う。外部委託を行っている場合は、その予想に乗っていることと同じである。

④ 独自予想による方法……調査部がある金融機関では独自に予想することが可能。調査部がなくとも独自に作成することはあり得る。

⑤ 過去データを用いて、統計的な推定を行う。また、無料で公開されているSOA（Society of Actuaries）のモデルを利用する方法もある。

すでに述べたように、シナリオの重要性はベータ運用では顕著である。また、リスクアペタイトフレームワークではシナリオに関して全社的なコンセンサスを形成することが重要であろう。フロントにおけるシナリオ作成と同時にリスク管理におけるリスクシナリオの作成も前記のいずれかの方法で行うことになろう。また、シナリオと次項で詳述するリバランスとは密接な関係にある。

なお、特定のシナリオを想定したくない場合、アルファ運用に特化するという選択もあるが既述のように問題点も多い。また、複数のシナリオを想定するミニマックス戦略（最小損失となる方法を選択する戦略）の採用も考えられる。

(4) リバランス

シナリオは通常、完全に的中することはない。このため、適宜シナリオを修正することはむしろ正しい。

シナリオの修正はポートフォリオのリバランスの実施を伴うことになる。リバランスにはコストがかかることを必ず考慮しなければならない（投資モデル上にコストを反映させる必要があるという意味）。また、シナリオの修正がない場合でも、定期的なリバランスあるいは臨時のリバランスを行うことはあり得る。

リバランスについて注意すべきことは、損益の悪化時のみシナリオ修正およびリバランスを行うことは適切ではないということである。予想外に収益が高いときに、リバランスを行うことも必要となる。ポートフォリオ全体の見直しを迅速に行うためには、システム的なサポートも重要だ。

ところで、シナリオの修正を適切に行うためには、リスク・ファクターのリターンのモニターが重要である。モニターの結果、どの時点で修正を行うかは、①ルール・ベースの方法（つまりリスク・ファクターのリターンがシナリオから一定の乖離があれば、修正する方法）もあれば、②チャート分析の援用（つまり市場参加者が意識しているチャート・ポイントを超えたところで修正を行う方法）もあろう。

修正手順はシナリオ構築法に依存する。たとえばECGを使っている場合、フロントがシナリオ修正の必要性を感じたとしても、ECGの供給側がアップデートを行わなければシナリオの修正を行うことはできない。他の方法でも同様である。シナリオの修正を機敏に行うという意味では、独自にシナリオを作成することを基本にして、他の方法のよい部分を取り込むことが現実的ともいえよう。

さて、フロントにおいて適切にシナリオ修正およびリバランスを行っている場合はリスク管理部門としては運用について静観すべきであろう。しかし、総合損益が一定値以下になるならば、リスク管理部門からフロントに対してリバランスの勧告を行う。このことは

第4章 多資産運用におけるリスク管理 103

フロントとリスク管理の間で、事前に合意しておくことが必要となる。また、リスク管理の観点から、シナリオの修正頻度が月2回を超えるならば、シナリオ構築法自体に問題があり、方法の見直しを勧告する必要が出てくる。

(5) パフォーマンスの検証

パフォーマンスの検証には、損益だけでなく、①シナリオの適切さ、②リバランスの適切さ、③投資モデルの適切さ、④最適戦略の適切さ、⑤経営指標（たとえばRORA）の観点、等が含まれる。これらの総合評価として運用者のパフォーマンスは計測されるべきであろう。運用者のパフォーマンスは、複数の観点から客観性をもって検証することが可能である。運用、あるいは運用者の何がよくて何が悪かったのかを具体的に示すことができる。実はこのパフォーマンスの評価なくして運用の高度化は図れない。次節以降でパフォーマンスの検証の各要素について解説を行う。

3

パフォーマンス検証の諸要素

(1) シナリオの適切さの検証

　シナリオの適切さを定量的に計測する方法として、リスク・ファクターのシナリオを中心として、その前後の合計幅を1標準偏差とする範囲に実現値が収まった場合を適切なシナリオと考え、それ以外の場合を不適切なシナリオと考えることにする。具体的には、以下のように評価する。

① 　各リスク・ファクターの投資期間リターンのボラティリティσ_iの算出……リスク・ファクターf_i（$i = 1, \cdots, n$）ごとの投資期間リターンのボラティリティσ_iを算出する。この計算にはリスク・ファクターの過去5年の月次データを使用する。月次ボラティリティをルートT倍法（リスクは期間の平方根で増加することを利用して将来の投資運用結果を算定する方法）等で投資期間、つまりシナリオの作成時期と想定している将来時点までの期間に相当する値に調整する。

② 　リスク・ファクターごとに実現リターンと期待リターン（シナリオ）との差x_iの算出

$$x_i = f_i の実現リターン - f_i の期待リターン \qquad (4)式$$

③ 　リスク・ファクターごとの非的中度d_iの算出

第4章　多資産運用におけるリスク管理　105

$$d_i = \frac{x_i}{\sigma_i} \qquad (5)式$$

　非的中度は数値の絶対値が大きいほど、シナリオが適切でなかったことを意味する。

④　リスク・ファクターごとの評価基準

$$-L < d_i < +L \qquad (6)式$$

となっていれば、適切とする。

　ただし、Lは0.5程度と考える。ここで、d_iが標準正規分布に従うとし、L＝0.5ならば、その範囲内に収まる確率は約38.3％である。

⑤　総合評価基準……ポートフォリオ全体としてシナリオを評価するため、各リスク・ファクターに対する投資比率をθ_i（ただし$\sum_{i=1}^{n} \theta_i = 1$）とするとき、全体としての総合非的中度は、

$$D = \sum_{i=1}^{n} \theta_i d_i \qquad (7)式$$

となる。

　各非的中度d_iがほかの的中度と独立に標準正規分布に従うならば、総合非的中度Dも、L＝0.5の範囲内に収まる確率は約38.3％である。

　なお、非的中度について、ロングが前提の投資においては、非的中度の符号が重要な意味をもつ。当然、総合非的中度Dがプラスならば、全体として期待以上のリターンを獲得したことを意味する。

さらにシナリオの修正等がある場合を想定して、単位評価期間（たとえば１年）内での評価については次のように考える。単位評価期間をUとし、シナリオ修正回数をn_sとする。一度も修正しなかった場合$n_s = 1$とする。単位評価期間Uについてシナリオ修正時点を区切りとして分割した期間を$\tau_1, \cdots, \tau_{n_s}$とする。

つまり、

$$U = \tau_1 + \cdots + \tau_t + \cdots + \tau_{n_s} \qquad (8)式$$

とする。

このとき、期間ごとに総合非的中度を計算して、これをD_tと置くならば、単位評価期間に対応する総合非的中度は、

$$D[0, U] = \sum_{t=1}^{n_s} \frac{\tau_t}{U} D_t \qquad (9)式$$

と表す。

単位評価期間に対応する総合非的中度$D[0, U]$に対する評価基準も前記の方法と同じである。

(2) リバランスの適切さの検証

リバランスの適切さの検証は、リバランスを含めた総合リターンとリバランスをしなかった場合の総合リターンの比較が最も容易な検証である。

まず、期初を０、リバランス時点をR、期末時点Tとする。リバランス前のポジションでの期間 [R, T] に対応するリターンをr^*、ポジションの期待リターン（シナリオ）をs^*とする。一方、実現したリバランス後のリターンをr_{RT}、それに対応する期待リターンをs_{RT}

とする。

　このとき、リバランスを行わなかった場合と行った場合の差を $\Delta(R, T)$ とすると、

$$\Delta(R, T) = r_{RT} - r^* \qquad (10)式$$

である。$\Delta(R, T)$ がプラスならばリバランスをしたほうがよかったことになる。一方、リバランスを行ううえで、シナリオ自体の構築が適切であったかどうかという観点を評価する場合、$\delta(R, T)$ を、

$$\delta(R, T) = \frac{|r^* - s^*| - |r_{RT} - s_{RT}|}{|r^* - s^*| + |r_{RT} - s_{RT}|} \qquad (11)式$$

と定義すると、$-1 \leq \delta(R, T) \leq 1$ で、$\delta(R, T)$ が 1 に近ければリバランス時のシナリオが適切であり、0 に近ければリバランス前と同等、-1 に近ければシナリオは適切ではなかったと考えることができる。ところで、シナリオ構築の適切さを加味して、リバランスの適切さを評価するにはどうすればよいだろうか。いま、$e^* \equiv r^* - s^*$ および $e_{RT} \equiv r_{RT} - s_{RT}$ とすると、(10)式は、

$$\Delta(R, T) = (s_{RT} - s^*) + (e_{RT} - e^*) = \Delta s(R, T) + \Delta e(R, T) \qquad (12)式$$

と書き換えることができる。通常、$\Delta s(R, T) > 0$ であって、それゆえリバランスを行うことになる。さらに $\Delta e(R, T) \approx 0$ となると、シナリオ構築および結果が両方よいことになる。

　なお、ここでのリターンは対数収益率を使い、リターンの年率換算等を行わず、実リターンとする。もちろん期待リターンも、それに平仄をあわせる。仮にリバランス前後でシナリオの修正がない場合、$s_{RT} - s^* = 0$ となり、$\Delta(R, T) = \Delta e(R, T)$ となる。

108

さて、最初のリバランス時点を0として単位評価期間Uについて、リバランスの適切さを評価するならば、単位評価期間U内でリバランスを行った時点を $(t_0 = 0 <)\ t_1, \cdots, t_{n_r} (= U)$ とすると、リバランス回数はn_rで、総合リバランス評価は、

$$
\begin{aligned}
\Delta(t_0, t_1, \cdots, t_{n_r}) &= \sum_{i=1}^{n_r} \Delta(t_{i-1}, t_i) \\
&= \sum_{i=1}^{n_r} \Delta s(t_{i-1}, t_i) + \sum_{i=1}^{n_r} \Delta e(t_{i-1}, t_i) \\
&= \Delta s(t_0, t_1, \cdots, t_{n_r}) + \Delta e(t_0, t_1, \cdots, t_{n_r}) \qquad \text{(13)式}
\end{aligned}
$$

となる。ここで、$\Delta s(t_0, t_1, \cdots, t_{n_r}) \equiv \sum_{i=1}^{n_r} \Delta s(t_{i-1}, t_i)$、$\Delta e(t_0, t_1 \cdots, t_{n_r}) \equiv \sum_{i=1}^{n_r} \Delta e(t_{i-1}, t_i)$ とおく。この指標では単位評価期間U内でリバランスの結果については評価できるが、個別のリバランスの評価が不適切になる可能性があるので、

$$
\begin{aligned}
\nabla(0, t_1, \cdots, t_{n_r}) &= \frac{1}{n_r} \sum_{i=1}^{n_r} \frac{\Delta(t_{i-1}, t_i)}{t_i - t_{i-1}} \\
&= \frac{1}{n_r} \sum_{i=1}^{n_r} \frac{\Delta s(t_{i-1}, t_i)}{t_i - t_{i-1}} + \frac{1}{n_r} \sum_{i=1}^{n_r} \frac{\Delta e(t_{i-1}, t_i)}{t_i - t_{i-1}} \\
&= \nabla s(t_0, t_1, \cdots, t_{n_r}) + \nabla e(t_0, t_1, \cdots, t_{n_r}) \qquad \text{(14)式}
\end{aligned}
$$

という指標も考えられる。ここで、$\nabla s(t_0, t_1, \cdots, t_{n_r}) \equiv \frac{1}{n_r} \sum_{i=1}^{n_r} \frac{\Delta s(t_{i-1}, t_i)}{t_i - t_{i-1}}$、$\nabla e(t_0, t_1, \cdots, t_{n_r}) \equiv \frac{1}{n_r} \sum_{i=1}^{n_r} \frac{\Delta e(t_{i-1}, t_i)}{t_i - t_{i-1}}$とおく。(14)式はリバランスごとのリターンを年率化して平均しているので、リバランスの適切さがより正確に表現されている。ただし、結果としての

第4章　多資産運用におけるリスク管理　109

リターンが高くなったかは別問題である。結果としてのリターンが重要ならば(13)式により評価する。さらに∇sと∇eの絶対値も重要であり、∇sが十分大きくかつ∇e ≈ 0となる傾向がみられるとシナリオが適切で、リバランスが成功している。

また、簡便法として、前項で説明した総合非的中度を援用して検証することも可能である。

期間 [0, T] に対する総合非的中度 D [0, T] は、

$$D[0, T] = \frac{R}{T} D_1 + \frac{T - R}{T} D_2 \qquad (15)式$$

となる。

一方、リバランスを行わなかった場合の総合非的中度をD*[0, T]とすると、

$$D^* [0, T] = D_1^* \qquad (16)式$$

と書ける。

この2つの数値を比較して、

$$D^* [0, T] < D [0, T] \qquad (17)式$$

となっていれば、損益の観点からリバランスは適切だったことになる。

シナリオの適切さの観点からみると、リバランスごとに期間を分けて、総合非的中度を計算することで、シナリオの修正の結果的な善悪が理解できる。ただし、D* [0, T] > 0 かつD [0, T] > 0 である場合、(17)式が成り立てば、損益の観点からリバランスは成功であるが、シナリオ修正が適切であったために、プラスのリターンを得た

のか、偶然そうなったかの区別ができない。シナリオの適切さも評価したいならば(14)式による評価を行う必要がある。

(3) 投資モデルの適切さの検証

多資産投資において投資モデルという場合、Black Littermanモデルを想定する場合が多い。Black Littermanモデルでは、投資家のマーケット見通しとCAPMから計算される均衡リターンを合成した期待リターン（データから計算された分散共分散行列も若干修正される）を指定して、マーコビッツによる平均−分散アプローチの解法により、リスク・ファクターに対する投資比率が計算される。

しかし、このモデルにしてもさまざまなバリエーションが考えられる。たとえば、CAPMから計算される均衡リターンの計算法についてマーケットで共通ルールがあるわけではない。

また、平均−分散アプローチの解法において、さまざまな制約条件を入れて解くことがあり、これは平均−分散アプローチ自体の理論的な議論を離れて、単なる数値計算の手法となる。

もちろん投資家のマーケット見通しが正しいかどうかは、すでに説明したシナリオの適切さに関連する。現実的なモデルの運用の観点からいえば、平均−分散アプローチの解法で使用される期待リターンがシナリオに相当する。シナリオが的中しているならば、平均−分散アプローチから計算される投資比率に従って投資を行えば、その結果には大きな問題はないが、一般に、期待リターンがそのまま的中することはほとんどないから、平均−分散アプローチによる投資結果も期待どおりではない。この事実は明確に認識しておく必要があり、投資モデルには限界がある。

さて、なんらかの合理的な判断により投資モデルが選択されてい

ると考え、かつ投資モデルには最も重要なパラメータとしてシナリオを入力する必要があるという前提で以下の議論を行う。

投資モデルの適切さを議論するとき、シナリオが適切であった場合と、シナリオを適切に指定することがそもそも困難と判断される場合で、その適切さを検証する方法は異なるであろう。

① シナリオが適切であった場合……総合非的中度が十分小さいにもかかわらず、十分な投資パフォーマンスが得られない、あるいは目標とする投資パフォーマンスを得るために過大なリスクを負う必要がある場合、投資モデルおよび分散共分散行列の推計が適切かどうかを疑う必要がある。つまり各リスク・ファクターの期待リターンが適切であったが、リスクの配分が適切でなかったため、起きうる現象である。リスクの配分ではリスクおよび相関係数行列（つまり分散共分散行列）も大きな役割を果たすため、ポートフォリオ全体のリスクが期待リターンの微細な差に極度に敏感に反応する投資モデルでは、その微細な差が大きな投資結果の劣位を招くことがある。この場合、よりロバストな投資モデルに変更・改良する必要がある。

② シナリオを適切に指定することがそもそも困難な場合……シナリオを適切に指定することがそもそも困難と判断される場合、投資モデルを根本的に見直す必要があり、シナリオの適切さがあまり問われないモデルへの変更をすることが必要となる。ただし、そのようなモデルとして、代表的なミニマックス戦略をベースとする投資モデルでは、実現リターンがかなり低くなる傾向にあり、収益目標との乖離をどのように埋めるかが問題となる。また、アルファ運用を中心に据えることもすでに議論したように困難が伴う。

(4) 最適戦略の適切さの検証

最適戦略の選択では、最適性の定義と必須な制約条件（リスクアセット、IRRBB、VaR等）の2つが重要な要素となる。最適性の定義はさまざまあり、何を最適とするかによって、選択される投資モデルは異なる。考えられる最適性の定義としては、①シャープレシオ最大化、②RORA最大化、③与件リスク下期待リターン最大化、④与件投資金額下収益極大化、⑤ミニマックス戦略、⑥リスク・パリティ、等が考えられる。

与えられた条件（リソース等の条件、経営指標など）によって、おのずと最適性の定義が決まってしまう場合もあるが、制約条件との兼ね合いも考えて設定する必要がある。さらにリスクアペタイトフレームワークのなかで、全社的な最適性についての決定があるならば、それに沿った最適戦略を採用することは必至であろう。その意味でリスクアペタイトフレームワークとの整合性を考察することも最適戦略の適切さの検証作業の一部を構成することとなろう。

(5) 経営指標の観点からの検証

さまざまな経営指標があり、どの経営指標を銀行経営の柱に据えるかは、銀行経営上の最も重要な選択である。選択された経営指標の観点から、運用全体を評価することは必須であろう。どの経営指標を選択するかは各行の経営者が判断することだから、これ以上の議論は行わないが、1つの例として、RORAを経営指標とした場合について議論を行う。また、最適戦略と経営指標の関係は、端的にいえば、経営指標は銀行全体に対して適用されるが、ここでの最適戦略は有価証券運用のみに適用される。仮に経営指標をそのまま有

価証券運用の最適戦略としてもさしつかえない。ただし、どのように実装するかについては熟慮が必要であろう。リスク管理の立場では、経営指標と最適戦略の整合性を検証することが重要な任務となる。

　さて、バーゼル規制下においては、リスクアセット額対比のリターン（RORA）が経営上非常に重要であることは当然である。この意味では、投資リターンにおける投下資金をリスクアセット額と考えて、最適戦略・投資モデルを考察することが考えられる。ここで少なくとも最適性あるいは目的関数にRORAを採用する方向性と、最適化における制約条件としてRORAを採用する方向性の2つの考え方がある。

　なお、リスクフリー資産に対するリスクアセット額はゼロである。つまり、この考え方のもとでは、投下資金がゼロとなることを意味する。したがって、従来の金利環境（金利収入が見込める状況）では、RORAを最大化するために、投資資金なしでリターンが得られるという意味で、可能な限りのJGB投資を行うことが理に適っていた。

　しかし、10年未満のJGBの利回りがマイナスとなっている現状ではJGB投資がRORA最大化に寄与するかどうかは定かではない。また、外貨建て国債も為替ヘッジ後の利回りがマイナスとなることが多く、RORA最大化に寄与するかどうかは定かではない。為替ヘッジなしでの外貨建て国債投資は、為替リスクを大きくとることになるので、やはりRORA最大化に寄与するかどうかは定かではない。

　従来の金利環境とは異なる状況下では、有価証券運用におけるポートフォリオ選択において、RORA最大化の観点が本質的な意味での投資資本（リスクアセット額）を有効に利用することにつなが

ると考える。RORAを目的関数とする場合、JGB、米国債、独国債等はリスクフリーな投資となるので、制約条件として、一定のリスク（ボラティティの意味）以下になるような制約が必要となろう。RORAを経営指標とする場合、最適戦略や投資モデルにおいて、投下資金をリスクアセット額と読み替えることが必要となり、システムの再構築等も必要となろう。

(6) 運用者の検証

運用者（ファンドマネジャー、運用チーム、運用会社、フロント）が良好なパフォーマンスを残したかどうかが、運用者の評価を定めることは言を俟たない。しかし、シナリオの適切さの検証、リバランスの適切さの検証等によって、そのパフォーマンスが一過性のものでないことを確認する作業も重要であろう。リスク管理部門の業務としては、パフォーマンスの検証を通じて、運用者のパフォーマンスが一過性でないことを確認することが重要であろう。そのために、ここまで記述してきた、シナリオの適切さの検証、リバランスの適切さの検証、投資モデルの適切さの検証、最適戦略の適切さの検証、経営指標の観点から検証という各段階での検証が可能となる枠組みを構築することはリスク管理部門の任務であろう。

［武田　伸一］

経営からみる地域銀行の有価証券運用の高度化②
〜ベンチマークという考え方

地域銀行の負債サイド（ALM運営）を考慮しつつ、（有価証券部分について）資産のベンチマークとなるものを考えることには次の

効用があるだろう。ここでベンチマークとは、現実の資産運用の状況を評価するための基準となる仮想的なポートフォリオを意味する。
・一般に、地域銀行にとって運用の指標となる土台が示されるという意味で、有価証券運用業務の効率的な運営に資する。
・バーゼル規制などの制約もふまえたリスク管理レポートがベンチマークに対して公になされればリスク管理にも資する。

具体的にベンチマークとして、資産の期待リターンと想定リスクを利用したMean-Varianceでの効率的フロンティア上のポートフォリオを採用するとして、有価証券運用の指標となるベンチマークと、銀行の負債が預金であることに由来する制約をふまえたベンチマークの2つに分ける。ベンチマークは、次の2つのポートフォリオからなるということになる。
・日本国債を中心として構成、負債とのマッチングを意識した負債ALMポートフォリオ
・リターン／リスク効率が一番よいリスクテイク・ポートフォリオ

これは、年金運用におけるTwo-Fund Separation（たとえば、効

図表4－3　銀行としての制約を考慮したベンチマークの分離

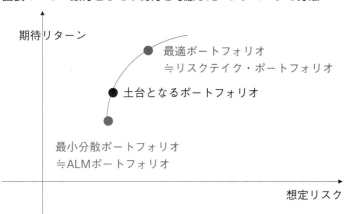

(出所)　ANAM作成。

率的フロンティア上のポートフォリオは最小分散ポートフォリオと
シャープレシオ最大の最適ポートフォリオの組合せからなる）にな
ぞらえて、最小分散ポートフォリオを負債ALMポートフォリオと考
え、最適ポートフォリオを収益ねらいのリスクテイク・ポートフォ
リオと考えるということである。

［山下　実若］

第 5 章

複数の多資産運用戦略への
投資とリスク管理

　第4章で述べたように、地域金融機関が十分なリソースを有価証券運用に割けないことを前提にして多資産運用に取り組み、ポートフォリオの全体最適化を図るためには、1つの運用会社に対して有価証券運用全体をアウトソースすることが考えられるが、そうした決断は実際にはむずかしいであろう。そこで、複数の運用会社を多資産運用のパーツとして使うことが考えられるが、巷間、代表的なものだけでも数十の多資産運用戦略（マルチアセット戦略、債券マルチアセット戦略、バランス運用戦略等）が、国内外の（外部）運用者から金融機関や年金等向けに提供されている。そのなかからどのような戦略を選び、どのようにリスク管理等を行っていくのが適切であろうか。本章ではこれについて論じたい。

1

さまざまな多資産運用戦略

多資産運用の位置づけと類型化

外部運用者の戦略の収益の源泉は何であるかを明らかにし、自らがうたっている戦略と異なることをしていないかをモニタリングすることはリスク管理上、不可欠である。

そこで、まず、外部運用者の代表的な数十の戦略の類型化を試みる。

戦略が生み出すリターンの性質がアルファ（運用者の技量によるリターン）が主なのか、ベータ（資産の中長期リスクプレミアムを獲得することで得られるリターン）が主なのかを縦軸にとり、リスク管理の視点から、分散投資によるリスク低減を図るのか、別途下値リスク回避の方策を内容とした手法・戦略なのかを横軸にとって、整理したのが図表5－1である。

価格の騰落を当てることで収益を得る（例：価格が上昇するときに事前に買い、値上り後に売る）トレーディングあるいはディーリングと呼ばれる手法がまずあげられる。この判断は人間の総合判断であることが多かったが、価格の動き自体のデータ分析などからパターンを予測し、モデル化するような計量分析も加えた投資手法に進化していった。特にデータ分析の部分は、テクニカル分析と称されることが多い。

相場の方向性を見極めるため、ファイナンスの学術研究の結果などが広まっていくなか、資産価格分析、資産配分分析といったこと

図表5-1 手法の類型化

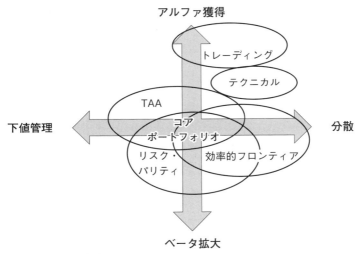

(出所) ANAM作成。

が行われるようになり、いわゆるポートフォリオ分析(複数の資産の集合体全体でその特徴をとらえる)の手法が進展していった。ただし、この場合でも資産の価格の騰落を見据えて、機動的に売り買いするTactical Asset Allocation(TAA)と、中長期的なリスクとリターンを分析する効率的フロンティア(後述)を活用する手法に分かれる。

さらに、近年では、リスクの分配に着目したリスク・パリティという考え方が出現してきている。

① トレーディング……相場の方向性について、計量分析やジャッジメンタル判断から決定し、売り買いを実施する。多資産についてその方向性を予測しポジションをとるという意味で多資産運用戦略である。

② テクニカル……相場の時系列データやチャート（図）から将来
の価格の方向性を分析・判断し、売り買いを実施する。多資産に
ついてその方向性を予測しポジションをとるという意味で多資産
運用戦略である。

③ TAA……計量分析やジャッジメンタル判断を総合化して、な
んらかの資産配分を決定するが、その変更を機動的に実施する多
資産運用戦略で、配分固定の多資産運用戦略に対して、Tactical
Asset Allocation（TAA）と呼ばれている。

④ 効率的フロンティア……上記の多資産運用戦略は多資産である
こと（収益機会の積上げが多資産にわたること）が多資産運用戦略
と呼ばれるゆえんであったが、資産間の相関等も考慮した、ポー
トフォリオと呼ばれる概念を導入し、そのポートフォリオを組成
するにあたり、リスク当りリターンが大きいように効率を重視し
て多資産間の配分を決定する戦略。目標とするポートフォリオを
リスク・リターン特性から描かれる点の集合（効率的フロンティ
ア）として描く。

⑤ リスク・パリティ……リスクの配分に重きを置いた考え方で、
資産の額面金額ではなく、全体のリスクに占める当該資産のリス
クの占める割合が、資産ごとに同じくなるように、資産配分を決
める手法。リスク・パリティと呼ばれている。

一方、投資家ニーズに対応していく観点からでは、以下のような
整理も可能である。

❶ オポチュニスティック……期待リターン等の予測という観点
ではなく、投資機会の積上げにより投資ポートフォリオが結果
的にできあがる。

❷ トレンドフォロー……資産価格の変動が一定の間は過去の動きの延長であることに基づき、トレンドから投資ポートフォリオが結果的にできあがる。

❸ レジームスイッチ……経済サイクル（例：回復、過熱、後退、低迷）ごとに、資産価格やそのリターンの動向がパターン化されることをモデル化して、経済サイクルにあわせて投資ポートフォリオを変えていく。

❹ ターゲットリスク……一定の目標とするリスク量を決定し、それを目指してポートフォリオを組成していく。

❺ ファクターインベストメント……各リターンの収益（例：株式リターン、国債リターン、社債リターン等）の源泉を、いくつかのリスク・ファクターと呼ばれるもので説明し（例：経済活動リスク・ファクター、実質金利リスク・ファクター、企業倒産リスク・ファクター等）、資産の分散ではなく当該リスク・ファクターの分散を図るような投資ポートフォリオを組成する。

さらに、下値リスクを重視し、単純なリターンの変動性であるボラティリティよりも下値に関するリスクとして代表的なドローダウンをできるだけ回避することを主眼とするものなどに細分できる。また、投資ホライズンが、短期か中長期かによって戦略を分けることもできる。短期のみの視点（例：1日、1週間）で運用ポートフォリオがつくられているものもあれば、中長期（1カ月、1年）的な考え方で投資ポートフォリオがつくられているものもある。

第5章　複数の多資産運用戦略への投資とリスク管理　123

2

多資産運用戦略における運用と
リスク管理の落とし穴

　多資産運用戦略において、従来行われてきた運用手法／リスク管理手法が適切でないことが明らかになったり、具体的な運用の実践のなかでその内容が変更されていたりする例も多々ある。また、適切でない戦略が広まるようなことも起こっている。こうした情報を見出すことも、外部運用者を活用する意義となろう。以下、具体例を解説していく。

(1) 「リスク」への傾倒、「リターン」への傾倒

　市場全体の動き（ベータ）は、多資産運用戦略のリターンやリスクを決める重要な要素である。この観点から、多資産運用戦略、特に計量分析を活用した運用において、リスク・パリティ等のリスク管理の着眼点に基づいて運用を行う考え方が広まってきている。ただし、リターンへの考慮が不足する懸念がある。

　例をあげよう。リスク・パリティ等のリスクバジェット管理は、資産価格の変動がいくつかのリスク・ファクターに分解することができるという前提に立つ。しかしながら実際の運用において、あるいは、資産のリターンについて、そうした特定の前提は強すぎるものであり、実務的には資産のリターンの出方を短中期的に予測・判断すべきである。こうした観点があってこそ、多資産運用戦略で安定的な収益を生み出すことができる。

　また、ジャッジメンタルな運用手法においては、逆に「リターン

への考慮」の行き過ぎ／リスク考慮の欠落と考えられる例がみられる。たとえば、金利上昇時にマイナスリターンとなることが多い債券への投資は必要ないのではないかという債券無用論がある。特にジャッジメンタルな判断を反映する運用手法では起こりがちな議論である。

しかしながら、中期的に利上げ局面である場合でも、過去のデータをみると、一方的に債券がマイナスリターンを生み出し続けているわけではなく、株式のリターンの変動を抑える等の意義も見出せる。すなわち、ポートフォリオ全体のリスク・リターンの効率性からみれば、債券ゼロが最適解ではない。リスク当りリターンの高いポートフォリオは債券ゼロとは通常ならないのである。こうした状況は複数のリスク・ファクターにおいてもいえる（ファクター同士、リターンを補い合うことが通常である）。このように、一定の量、債券を保有し、ポートフォリオ全体のリスクを分散しておくことには意義がある。

(2) リスク管理のための手法

前項の例は市場全体の動きからリターンを得ようとする場合の留意点であるが、外部運用者は独自の技量によって収益を追加しようと工夫を凝らしていることが多い。そのなかで、リスク管理の手法も高度化されてきている。従来、比較的一般に行われてきた、リスク管理ルールに基づく行動（常識）が改良されてきている（従来の手法の非常識化）。

たとえば、従来のロスカット手法が、リターンへの考慮が欠落していたとして、改良されてきている。すなわち、単純に一定の損失が発生する事態となったら売却（損切り）するロスカット行為は、

第5章　複数の多資産運用戦略への投資とリスク管理　125

ポートフォリオ・インシュアランス（損失が発生するのにあわせ、少しずつ損切りしていく）の手法や、オプションを利用する手法よりも最適でない（多期間での運用リスクマネジメントが必要であるのに、リターンへの配慮を捨象したものである）ことが判明している。

　同様に、資産上昇のターゲットに達したら利食いするような方針への対応としては、その水準に達成後、直ちに売却するのではなく、カバード・コールのデルタ調整のように徐々に売り上がっていくことが最適とされる。

　また、一度に全額を投資して、その後市場が下落すると、投資した全額が下落リスクにさらされてしまうため、投資の実務において、市場が下がったら一部の金額を買うという投資行動を続けていく、「買い下がり」の手法がある。しかしながら、相場が下がらなかった場合は、買い下がりで獲得できたはずの上値を犠牲にしている。すなわち、下がるまで待つ買い下がりは、下値は抑えるが上値を犠牲にしている。むしろ、積立型で一定の期間、平均して必ず買う方法のほうが、リターンの期待値が大きくなることも一般に多い。

　参考図書：山下実若『動的資産配分の投資理論と応用』（中央経済社）

3

複数の多資産運用戦略のリスク管理

(1) 複数の投資先をもつことについてデータが語る留意すべき点

　個別銘柄株式への投資では、多くの銘柄に分散投資することには意義があると周知されている。さまざまな多資産運用戦略（外部運用者が運用するファンド）が存在するなか、ファンドへの投資ではどうだろうか。すなわち、いろいろな運用者の数多くの戦略に分散投資することがどのような意味をもつであろうか。

　ファンドに投資することは他人任せの運用となるため、地域金融機関の投資金額全体からみるとまだまだ限定的な量となっている。したがって、まだ深刻な問題になっているとはいえないが、一般に外部マネジャー利用について、以下の「同質性」の問題を指摘できる。

　多資産運用戦略でいくつかの外部運用者の特性（とっているリスクと期待されるリターンなどの特徴）をみてみると、その運用内容に大差がないことが多い。そうであれば、わざわざ複数の外部運用者に運用を頼む必要はない。少なくとも多くのマネジャーに分散する必要はない（同じものを複数の先に依頼する必要は小さい）。

　したがって、外部マネジャーを評価するとき、われわれはリターンの数字の大きさだけでなく、その外部マネジャーが独自のリターンを生み出したか（まねできない付加価値を提供したか）をみることが重要である。

第5章　複数の多資産運用戦略への投資とリスク管理　127

図表5-2のように、横軸を戦略がとっているリスク量、縦軸を期待リターンとして、各戦略をプロットしてみる。一定のリスクであればリターンが最大になるようなポートフォリオを組むとして、その集合は効率的フロンティア（図内の線）となる。戦略が同質といったのは、どの戦略も比較的この効率的フロンティアの線上に近く、何か戦略特有のポートフォリオ構成ではなさそうだという意味である。中長期的な効率的フロンティアは運用者で大きく異なることはなく（短期的な相場見通しは別）、自分でも効率的フロンティアは計算して書くことができ、外部のマネジャーに依頼するまでもないのではないか。

図表5-2　効率的フロンティアと各戦略のリスク・リターン

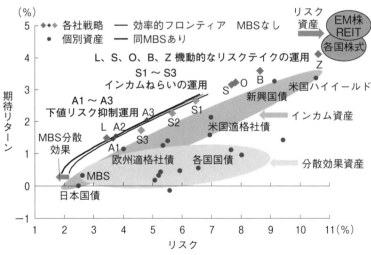

（出所）　各公開資料とANAMデータに基づきANAM作成（2018年6月末現在）。

(2)　ポジションの相殺リスク、インデックス化のリスク

　複数の戦略（ファンド）をあわせた全体のポジション（日本株を
どのくらい買い、保有しているかなどの資産配分）を考えた場合に、
あるファンドではある資産について買持ち、他のファンドでは売持
ちした場合は、全体でみると打ち消しあってゼロとなることもあ
り、そうなると、わざわざ別々に投資して、合計するとゼロとなる
ような無駄な行動をとっていることになる。

　また、多くのファンドを集めると、結局すべての資産に適量投資
しただけの平凡な資産運用を行うことにもなりかねない。これは、
個別の株式アクティブ運用者が異なる銘柄に投資していても、多く
のアクティブマネジャーに投資すると全体としてはインデックス
（市場全体の姿）と変わらなくなってしまうという、クローズド・イ
ンデックスの問題に似ている。

　ただし、もし、適切なタイミングをとらえたポジション変更によ
る収益獲得能力がある場合には、多くのファンドに投資する意味は
あろう。

第5章　複数の多資産運用戦略への投資とリスク管理　129

4

多資産運用戦略のパフォーマンスの検証

　多資産運用のパフォーマンスについて、以下の指摘がある。

・多資産運用戦略といっても、そのパフォーマンスは株式のリター
　ンと同方向ではないのか。

・運用技量の差異がわかりにくい。

　そこで、多資産運用のパフォーマンスを以下の要素に分解してみ
る。

・市場参加者の平均的なポートフォリオから得られるリターン

・運用手法から得られるリターン

　これは、たとえば、日本株式アクティブ運用のパフォーマンス
を、市場ポートフォリオのリターン（TOPIXリターン）部分と、サ
イズやバリュー等のファクターで説明できるリターン部分とに分解
する手法と同じ考え方である。

(1) 分析手法

　具体的には、ある外部運用者の戦略のリターンを、

　　戦略リターン

　　　＝①株25％：債券75％ポートフォリオ（典型的ポートフォリオ）

　　　　＋係数×②株バリュエーション戦略（株の割安度を基にした
　　　　　戦略）

　　　　＋係数×③金利対益利回り戦略（金利株収益性比較を基にした
　　　　　戦略）

　　　　＋係数×④経済活動戦略（マクロ経済指標を基にした戦略）

130

＋係数×⑤センチメント戦略（景気動向調査を基にした戦略）

＋係数×⑥モーメンタム戦略（テクニカル指標を基にした戦略）

＋⑦残差

と分解するモデルをつくり、いくつかの外部運用者のデータを使って分析した。

　ここで、

・①の株（円ヘッジ後米国株指数で代替）25％：債券（円ヘッジ後米国国債指数で代替）75％というポートフォリオは、投資家の平均的なポートフォリオとして仮定したもので、ベンチマーク的な意味をもつ。すべての（合理的な）市場参加者を合計したポートフォリオは効率的フロンティアの最適解であると考え、それを近似的に簡略化したものである。

・②は、PBRやPERといった指標で株が割安か否かを判断し、割安時は株式にオーバーウェイト（割高時はアンダーウェイト）する手法である。

・③は株式の魅力度を、株式益利回り（1／PER）マイナス10年国債利回りの数値で判断し、数値が大きいとき株を割安と判断し、株式にオーバーウェイト（逆の場合はアンダーウェイト）する手法である。

・④は株式の魅力度を、鉱工業生産の伸びが大きいか（株が魅力大）で判断し、魅力大のときは株式にオーバーウェイト（逆の場合はアンダーウェイト）する手法である。

・⑤は株式の魅力度を、PMI指数の指標が大きいか（株が魅力大）で判断し、魅力大のときは株式にオーバーウェイト（逆の場合はアンダーウェイト）する手法である。

第5章　複数の多資産運用戦略への投資とリスク管理　131

・⑥は株式の魅力度を、過去１年のリターンが大きいか（株がトレンドをもっているなら魅力大とする）で判断し、魅力大のときは株式にオーバーウェイト（逆の場合はアンダーウェイト）する手法である。

・①～⑥において係数は、それぞれの手法の要素がどのくらい入っているか（①～⑥の係数を合計すると１になる）を示す（感応度ともいえる）。

・なお、上記において、指標が大きいか否かは過去３年平均値と当該月の数値の比を計算して、前月比増大したか否かで判断している。

・⑦は、①～⑥の戦略では説明できない、当該戦略の独自技量部分である。

(2) 分析結果

　分析に使ったデータは、ウェブサイト等から入手できる指数や外部運用者の多資産運用戦略のパフォーマンスデータの３年度分（月次データ、2016年度（６月以降）～2018年度（１月まで））を用意し、モデルに当てはめて、①～⑥の係数（感応度）を求め、また、⑦の残差部分を検証した。

　図表５－３（2016年度～2018年度通期の分析）、図表５－４（2016年度のみの分析）では、ＡからＦまで６つの具体的な戦略について、一般的な手法に対し各戦略がどのくらいの感応度をもっているか（上図）と、一般的な手法を除いた独自の技量はどのくらいか（下図）を示している。

図表5-3　運用者の技量分析／2016年度～2018年度　通期
　　　　（上図：感応度、下図：残差）

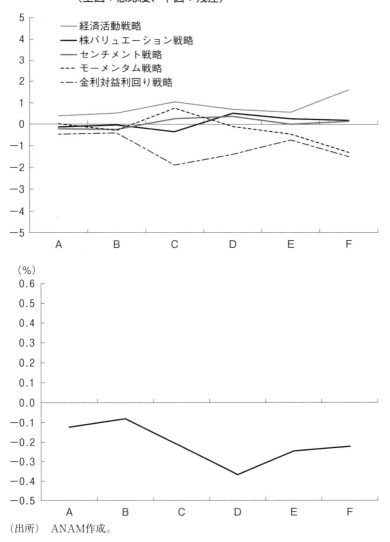

(出所)　ANAM作成。

図表5-4　運用者の技量分析／2016年度のみ
（上図：感応度、下図：残差）

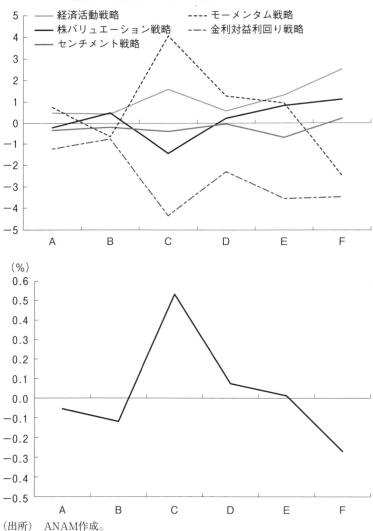

(出所)　ANAM作成。

たとえば、図表5-3上図をみると戦略Aは、

戦略Aリターン

$= ① + ② × (-0.1) + ③ × (-0.5) + ④ × 0.4 + ⑤ × (-0.2)$

$\quad + ⑥ × 0.01 + ⑦$

となっている（各折れ線グラフがAの場所で示す数値が係数となる）。戦略Aでは経済活動戦略が多く占める（感応度0.4で他よりも大きい）。

　戦略Cはモーメンタム戦略も利用し、金利対益利回り戦略の逆張りなどの要素もある。

　また、図表5-3下図は、残差項を示しているが、AからFのどの戦略もほぼゼロとなっている。これは独自技量部分がないことを示しているが、データをとる期間にも依存し、図表5-4下図でみると（2016年度のみ）、いくつかの戦略は残差がプラスとなっている。

　この分析では、データ量に限りがあることと、統計的な優位度も高いものが少ないこと（推定の信頼性が高くない）等から結論じみたことはいえないが、各戦略の特徴（①〜⑥のどの戦略の要素が強いか等）は一定程度みてとれる。たとえば、図表5-3上図と図表5-4上図ではその感応度の状況が、各戦略とも変わっておらず（たとえば最も感応度が高いものは変わっていない等）、スタイルがぶれていないことが観察される。

　外部の運用者を利用する場合は当然、運用成績の分析はリスク管理の最重要ポイントである。パフォーマンスがプラスかマイナスかのような偶然に左右される判断ではなく、外部運用者の技量をさまざまな角度から測ることが重要であることをこの例は示している。

第5章　複数の多資産運用戦略への投資とリスク管理　135

5

多資産運用戦略の注意点

　国内外の株式や債券などをミックスして保有するような多資産運用戦略は、総じてミドルリスク・ミドルリターンをねらった商品設計・運用がなされていることが多いことから、できる限りリスクを抑制しながらリターンを確保したい地域金融機関による投資額は年々増加している。

　純資産総額上位の多資産型投資信託で日次データが直近5年間入手可能な10ファンドを分析対象として、リスク・リターンを計測したものが図表5－5である。結果をみると、多資産型投資信託のリターンのボラティリティは、おおむね日本国債より高く、国内株式より低いことがわかる。また、年率リターンの時系列データをみると、国内株式市場が上昇する局面では、おおむね日本国債よりリターンが高く、国内株式よりリターンが低い一方で、国内株式市場が下落する局面では、国内株式以上・日本国債以下のリターンとなっている。リスクをある程度抑制しながら安全資産よりも高いリターンの獲得をねらう商品として、これらの多資産型投資信託が商品設計・運用されてきたことがうかがえる。

　しかし、データを細かくみると国内株式と同程度の高いリスクをとっている多資産型投資信託もあれば、日本国債並みに低いリスクをとっているものもあるなど、商品によってかなりのばらつきがみられる。それはリターンにおいても同様で、国内株式と同程度のリターンのものもあれば、日本国債並みに低いリターンとなってしまっているものも散見される。仮に目論見書上は似たような運用資

図表5−5　多資産型投資信託のリスク・リターン
　　　　（上図：基準価額の年率ボラティリティ、下図：年率リターン）

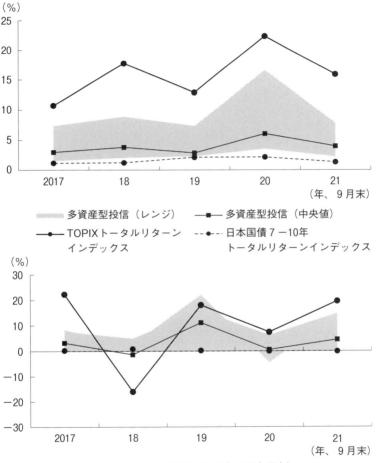

(出所)　Bloombergに基づきANAM作成（2021年9月末現在）。

産・運用手法であったとしても、リスクのとり方やリターンの結果などが大きく異なる場合があることには注意が必要である。どんな

にミドルリスク・ミドルリターンをねらった商品設計・運用がなされていても、相場環境によってはそこから外れる場合もあることを事前に想定したうえで、日々のリスク管理やモニタリングを精緻に行うことが重要となる。

[山下　実若、坂根　学]

第 6 章

リスク予兆管理

　近年、リスク資産の価格変動性の高まり、リスク管理要請（含み損益を含む収益のブレの管理）の高まり、期間損益をふまえた、適切な下値リスク回避のための投資行動実施要請と相まって、リスク資産の下値リスク管理のニーズが高まっている。リスク資産価格が下落し始めてから、損失の管理（損切り）を実行するといった、後追いのリスク管理から、（急激、または大きな）リスク資産価格の下落の予兆をとらえ、事前に下値リスクに対応することが求められてきている。本章では、下値リスク管理のために、大きな下落の予兆をつかむ手法について検討する。また、2020年の新型コロナウイルス感染症の世界的な拡大を機にした、いわゆるコロナショックにおいて、こうしたリスク予兆がどのように機能したかを検証する。

1
リスク予兆管理データの種類

　実務的には、経営陣が地域金融機関の有価証券運用のあり方を考えるための材料という位置づけで、資産価格形成の環境変化や経済レジームの変化を示すデータを分析することが行われている。たとえば、1カ月程度のうちに発生する可能性のあるイベントを予想し、それに対応するアクション（ヘッジ、計画再考等）を検討することになる。そのためのデータの種類としては、

・資産価格等の方向を示すデータ
・センチメント（リスク・オン／オフ）を示すデータ

図表6-1　リスクイベントの予兆を示すデータ一覧

・**資産価格動向**……株価／金利のテクニカル分析 ・**価格リスク動向**……株式／債券指数のボラティリティ（VIX等）、 　　　　　　　　　　　オプション情報（株Call/Put比やSKEW等） ・**経済環境・成長**……長短金利スプレッド、クレジットスプレッド 　　　　　　　　　　（含むLibor-OISスプレッド等）、マクロ・データ（GDP、失業率、インフレ等）、ミクロ・データ（ISM等センチメントサーベイ、企業業績等） ・**市場環境動向**……出来高、フロー、投資家サーベイ、ファクター／テクニカル／HFTデータ、新興国データ、為替動向 ・**資金調達関連**……フィナンシャル・コンディション指数、銀行融資基準／態度、不良債権比率、倒産率（個人、法人）

（出所）　ANAM作成。

・（金融）システミック・リスクの予兆を示すデータ

などがある。

　図表6－1にリスクイベントの予兆を示す一般的なデータをまとめた。実務的にはこれらのデータを加工、総合した指数を利用することが多い。

2

リスク予兆管理データ例

(1) 市場データ

■200日移動平均比

・リスク資産の価格等の推移について、200営業日の移動平均から現時点の価格等がどのくらい乖離しているかをみるもの。

・この乖離度合いを示す方法として、z-scoreと呼ばれるものがある。これは、

(その時の数値 - 過去200日移動平均) /過去200日移動平均との差の標準偏差

で計算され、数値が移動平均から何倍の標準偏差分乖離しているかを表す。

■20営業日リターンの過去5年月次リターンボラティリティ比

・上記200日移動平均比を期間5年の月次ベースで考えたものである。z-scoreは次のように算出される(ここでは中期z-scoreと呼ぶこととする)。

z-score = (過去20営業日リターン - 月次リターン過去5年分の平均) /月次リターン過去5年分の平均との差の標準偏差

■VIX等

・株式や債券の価格のボラティリティ(インプライドボラティリティ)を市場のオプション価格から推定したもの。米国株式S&P500指数のVIX指数が著名である。日経平均や米国国債等

のインプライドボラティリティも計算・指数化され、公表されている（Chicago Board of Tradeほかより）。

(2) マクロ／ミクロデータを利用した指標

多くの証券セルサイド（ブローカー等）のアナリストがマクロ／ミクロのデータに関して指標を独自に作成し、公表している（各情報ベンダーより提供されている）。一例としてCitiグループが作成する指数例を列記する。

■Citi Macro Risk Index

■Citi EM Macro Risk Index

■Citi Short-Term Macro Risk Index

■Citi Japan Economic Surprise Index

■Citi US Economic Surprise Index

■Citi EU Economic Surprise Index

■Citi China Economic Surprise Index

■Citi EM Economic Surprise Index

このうち上から3つの指数は、市場参加者のリスク回避度を表す指標である。他はマクロ経済指標の発表時、市場コンセンサスとどう異なったか（より良好な数字か期待はずれの数字か）をみて、どちらが多いか指標化したものである。

また、次期決算の業績予想を上方修正した企業数と下方修正した企業数を集計したものが各情報ベンダーから公表されている。たとえば、過去20営業日におけるMSCI World Equity Index（先進国株式の指数として一般的なもの）採用銘柄の次期決算純利益上方修正企業数／下方修正企業数を計算して、Global Earning Revisionsを計算することができる。これも一例であり、集計を使って投資家各自

第6章　リスク予兆管理　143

がオリジナルな指数を作成できる。

(3) セルサイド／バイサイドの指標

多くの民間会社（セルサイドであるブローカーやバイサイドである資産運用会社等）がさまざまなデータを総合して、リスク指標を作成し、情報ベンダー経由で公表している。弊社も独自に作成しているが非公開である。公開されているものとしては、たとえば、次のようなものがある。

■BoAML Bull & Bear Index

・バンクオブアメリカ・メリルリンチ社（証券）が作成し、情報ベンダー経由等で公表している、リスク資産の買われすぎ、売られすぎを示す指数である。指数が上昇するとリスク資産の下落リスクが高まっていることを同社のモデルが示していることを表す。買われすぎの数値の由来や、作成方法はブラックボックスである。

■Credit Suisse Fear Barometer

・クレディスイス社（証券）が情報ベンダー経由等で公表している、投資家のリスク資産に対するセンチメント（価格下落の恐怖をどのくらい感じているか）を表す。数値のレベルをどう判断するかや、作成方法はブラックボックスである。

■UBS Dynamic Equity Risk Indicator

■UBS Global EM DERI（Dynamic Equity Risk Indicator）

・UBS社（証券）が作成し、情報ベンダー経由等で公表している、株式の価格下落リスクがどのくらい差し迫っているかを表すもの。上は先進国株式、下は新興国株式を対象としている。数値のレベルをどう判断するかや、作成方法はブラックボック

スである。

■MS Japan Cycle Indicator

■MS US Cycle Indicator

■MS EU Cycle Indicator

・モルガンスタンレー社（証券）が作成し、情報ベンダー経由等
で公表している、各国・地域（日本、米国、欧州）の景気サイ
クルの状態を示す指数である。景気回復、景気過熱、景気後
退、景気低迷という４つの状態のうち、景気後退に入ると株式
等のリスク資産の下落リスクが高まる。

■Natixis Risk Perception Indicator

・Natixis社（資産運用会社）が作成し、情報ベンダー経由等で公
表している、リスク資産の下落リスク度合いを表す。

(4) フィナンシャル・コンディションに係る指標

民間調査会社や米国各地のFederal Reserve Bankが、企業の資
金調達の容易さを指数化したものを作成している。具体的には以下
があげられる。各情報ベンダー経由で公開されており、入手しやす
いものを例示する。

■MS US Financial Condition Index

・モルガンスタンレー社（証券）が作成し、情報ベンダー経由等
で公表している。企業の資金調達の難易度を表す。短期金利、
長期金利、クレジットスプレッド、株価の水準等を利用した指
数で、金利上昇やクレジットスプレッド拡大、あるいは株価の
下落は資金調達をむずかしくする方向に働き、指数値が上昇す
る。

第６章　リスク予兆管理　145

■GS US Financial Condition Index
- ・ゴールドマンサックス社（証券）が作成し、情報ベンダー経由等で公表している。基本的な考え方は上記モルガンスタンレー社と同様。

■FRB Chicago National Financial Condition Index
- ・米国シカゴ連銀が作成し、情報ベンダー経由等で公表している。基本的な考え方は上記モルガンスタンレー社、ゴールドマンサックス社と同様である。

（参考ウェブサイト：https://www.chicagofed.org/publications/nfci/index）

(5)　システミック・リスクに係る指標

　米国各地のFederal Reserve BankやECBが、金融システムのリスク（システミック・リスク）の度合いを指数化したものを公表している。情報ベンダー経由で公開されており、入手しやすいものを例示する。

■FRB Cleveland Systemic Risk Indicator
■St. Louis Fed Financial Stress Index
■ECB Financial Stability

（参考ウェブサイト：https://www.clevelandfed.org/our-research/indicators-and-data/systemic-risk-indicator.aspx

https://fred.stlouisfed.org/series/STLFSI

https://www.ecb.europa.eu/pub/pub/prud/html/index.en.html）

3

リスク予兆指標の検証

　本章2で紹介したリスク予兆管理データは本当にリスクイベント発生の先行指標として役に立つのだろうか。本節ではこの点を検証する。

(1)　株式市場価格の方向と各リスク指標

　図表6-2は各リスク予兆管理データの推移を、米国株式指数の推移とあわせて図示したものである。これらリスク予兆管理データの動きが、株式の下落を「予兆」しているといえるだろうか。

　具体的にはSPX（米国株式の代表的な指数であるS&P500指数）の急落局面を4つ選び（図中⬆印の部分。2015年夏と2016年初にあった2回のチャイナショック、2018年2月のVIXショックと同年12月の世界同時株安）、各指標がリスクを予兆していたか（事前にリスクに対して警鐘を鳴らしていたか）をチェックした。結果は、いずれも予兆というより、後追い的に株価の下落後、指標値が大きくなっている。

　まず、前述した、200日移動平均からの乖離度合いであるz-scoreや中期的な乖離度合いである中期z-scoreも計算し、それらが株価急落の予兆となっているかを検証した。傾向として、指標が2標準偏差程度200日移動平均から離れると、米国株式の下値リスクが顕在化する危険信号となる（z-socre＝2であると、2σ離れていることとなる）。

　この2σという判断レベルを1.5σ、1σと調整することで、ある程度予兆として利用できる可能性がある。

第6章　リスク予兆管理　147

図表6-2 リスク予兆のための指標推移／SPX

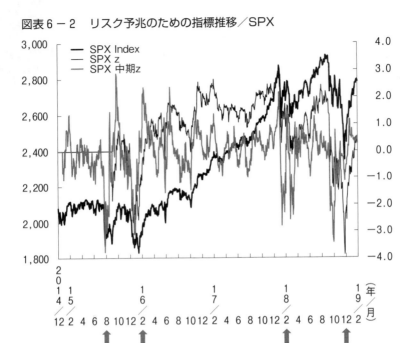

(注) ・SPX Index　米国株S&P500指数の推移（左目盛）
　　 ・SPX z　200日移動平均からの乖離度合いであるz-score（右目盛）
　　 ・SPX中期 z　中期的な乖離度合い（右目盛）
(出所) Bloombergに基づきANAM作成。

　次に、マクロ／ミクロのデータを基にした指数について検証する。図表6-3のとおり、4つのリスクイベント以外でも、何度も急激な数値上昇は起こっており、いわゆる「だまし」が多い。

図表6－3　リスク予兆のための指標推移／マクロ／ミクロのデータ

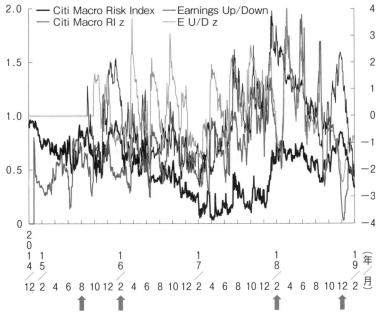

（注）・Citi Macro Risk Index　Citi Macro Risk Indexの推移（左目盛）
　　　・Citi Macro RI z　Citi Macro Risk Indexの200日移動平均からの乖離
　　　　度合いであるz-score（右目盛）
　　　・Earnings Up/Down　過去20営業日におけるMSCI World Equity
　　　　Index（先進国株式の指数として一般的なもの）採用銘柄の次期決算
　　　　純利益上方修正企業数／下方修正企業数の推移（左目盛）
　　　・E U/D z　過去20営業日におけるMSCI World Equity Index（先進国
　　　　株式の指数として一般的なもの）採用銘柄の次期決算純利益上方修正
　　　　企業数／下方修正企業数の200日移動平均からの乖離度合いである
　　　　z-score（右目盛）
（出所）Bloombergに基づきANAM作成。

第6章　リスク予兆管理　149

図表 6 - 4 リスク予兆のための指標推移／セルサイド・バイサイド提示指数

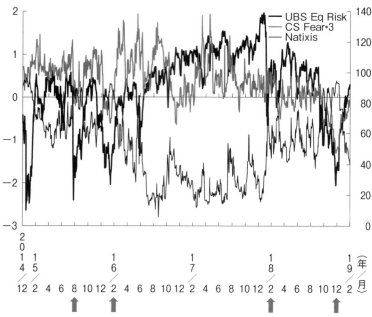

(注) ・UBS Eq Risk　UBS Equity Risk Indexの推移（左目盛）
　　・CS Fear*3　Credit Suisse Fear Barometer（CS Fear、図示のため数値は3倍している）（右目盛）
　　・Natixis　Natixis Risk Perception Indicatorの推移（右目盛）
(出所)　Bloombergに基づきANAM作成。

次に、セルサイド、バイサイドが提示している指数について検証する。図表6-4のとおり、前述と同様、4つのリスクイベントのみを特定する状況ではない。

図表6－5　リスク予兆のための指標推移／VIX指数

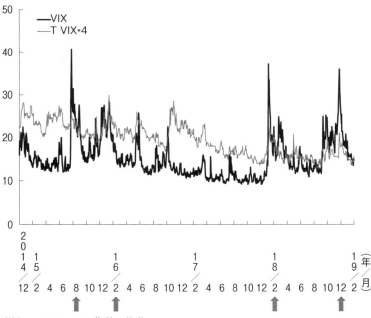

(注)　・VIX　VIX指数の推移
　　　・T VIX＊4　米国国債に関するボラティリティ指数（図示のため数値は4倍している）
(出所)　Bloombergに基づきANAM作成。

　次に、巷間よく記述されるようになったVIX指数について検証する。図表6－5のとおり、4つのリスクイベントで最も顕著な上昇が起こってはいるが、それ以外でも急激な数値上昇等がみられる。何度もそうした数値上昇は起こっており、いわゆる「だまし」は多いものの、相対的に「だまし」は少ない。

第6章　リスク予兆管理　151

図表6-6 リスク予兆のための指標推移／FC指数・セルサイド算出

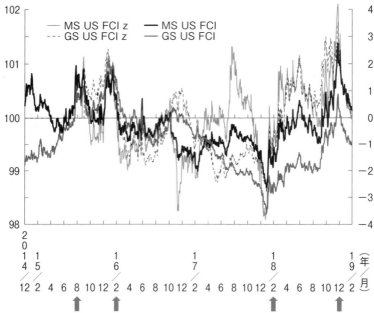

(注) ・MS US FCI　MS US Financial Condition Indexの推移（左目盛）
　　・MS US FCI z　MS US Financial Condition Indexの200日移動平均からの乖離度合いであるz-score（右目盛）
　　・GS US FCI　GS US Financial Condition Indexの推移（左目盛）
　　・GS US FCI z　GS US Financial Condition Indexの200日移動平均からの乖離度合いであるz-score（右目盛）
(出所) Bloombergに基づきANAM作成。

次に、フィナンシャル・コンディション（FC）に係る指数について検証する。図表6-6、図表6-7のとおり、4つのリスクイベント以外の「だまし」が比較的少ない。また、z-scoreは上下に変動が行き過ぎたときにイベント発生となる傾向にある。

図表6－7 リスク予兆のための指標推移／FC指数・FED算出

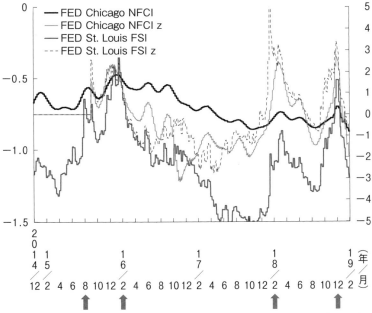

(注) ・FED Chicago NFCI　FRB Chicago National Financial Condition Indexの推移（左目盛）
　　・FED Chicago NFCI z　FRB Chicago National Financial Condition Indexの200日移動平均からの乖離度合いであるz-score（右目盛）
　　・FED St. Louis FSI　St. Louis Fed Financial Stress Indexの推移（左目盛）
　　・FED St. Louis FSI z　St. Louis Fed Financial Stress Indexの200日移動平均からの乖離度合いであるz-score（右目盛）
(出所) Bloombergに基づきANAM作成。

(2) 相関分析

　株式指数の騰落、債券利回りの変化などの市場の動向と、前述の各リスク予兆データがどのような相関をもっているかをみたものが図表6－8である。

　過去4年（2015年1月～2019年1月）の日次データを使用して、5営業日前（1週間（月～金の5営業日）は日々時価変動する市場の動きをとらえる長さとして代表的）のリスク予兆指標と当日の市場指標との相関関係を計算した。図表6－8で、指数値と利回りの相関は左目盛、日次リターンと日次変化の相関は右目盛に示されている。指数によってプラスサイドに数値が大きいとリスクを示すものと、マイナスサイドに数値が大きいとリスクを示すものがあり、それに気をつけながら図表6－8から読み取れることをまとめると以下のとおりである。

・VIXは市場データと相関が比較的小さい（数値がリスクを予兆しているとはいえない）。VIX自体が危険を察知し持続して値が大きくなるようなものではなく、下値リスク発生直後に値が大きくなる性格であることによると思われる。

・Citi Macro Risk Indexは債券利回りと、Earnings Up／Downは株式指数と相関が強い。これらはマクロ経済と金利のつながり、企業業績と株価のつながりから理解できる現象である。

・Credit Suisse Fear Barometerは恐怖度合いが上昇すると株価が下落することを示しており、また、株式の下落が金利（利回り）の低下としばしばセットとなっていることから金利の低下とも連動している。

・UBS Equity Risk Indexは株価が高くなるとリスクについて数値

図表6－8　市場指数等とリスク指数等の相関

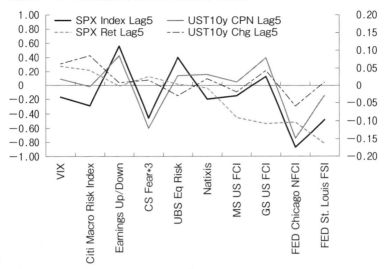

(注1) 市場動向は以下の市場指数を使用した。
・SPX Index……米国株（S&P500指数）の指数値（左目盛）
・UST10y CPN……米国国債10年指標銘柄利回り（左目盛）
・SPX Ret……米国株（S&P500指数）の指数値の日次リターン（右目盛）
・UST10y Chg……米国国債10年指標銘柄利回りの日次変化（右目盛）

(注2) これらとの相関を計測するリスク予兆データとしては以下を使用した。
・VIX（S&P500指数のボラティリティ）
・Citi Macro Risk Index
・Earnings Up／Down（前述、Global Earning Revisions）
・Credit Suisse Fear Barometer（CS Fear、図示のため数値は3倍している）
・UBS Equity Risk Index（前述）
・Natixis Risk Perception Indicator
・MS US Financial Condition Index
・GS US Financial Condition Index
・FED Chicago National Financial Condition Index
・St. Louis Fed Financial Stress Index（これは後述する金融システムリスク関係のデータであるが、参考のためにこの分析に加える）

(出所) Bloombergに基づきANAM作成。

第6章　リスク予兆管理

が高くなる傾向にある。

・Natixis Risk Perception Indicator、MS US Financial Condition IndexとSt. Louis Fed Financial Stress Indexは全体的に市場データと相関が低かった。

・FED Chicago National Financial Condition Indexは株価の下落時に指数が上がり、資金調達の困難度が上昇するため指数も上昇している。

　以上のことから、後追いの側面はあるとしても、リスク予兆データはリスク指標として一定程度の価値があるといってよいと思われる。

(3) センチメント（リスク・オン／オフ）や（金融）システミック・リスク

　投資家のリスク回避度を表すもの（センチメントを計量化）や金融システムのシステミック・リスクに着眼した指標は、株価の動きに連動する傾向にある。

4
....
ジャッジメンタルな判断の計量分析への取込み
―AIからの挑戦―

　リスク資産の下落の予兆をつかむために、これまで紹介してきた指標に加えて、200日移動平均から2σ乖離する事態のような、トレンドから一定の異常値まで乖離すると危険信号である等の経験則は有用であることが多い。さらに、リスク資産の価格やリターンの時系列データの特徴をAIを活用して分析する手法が存在する。

　一例として、さまざまな資産の価格変動やボラティリティの動きなどを、ヒートマップ（注）のかたちで表し、このパネル情報（注）をパターン認識することで、リスクの予兆を試みるモデルを紹介する。この場合、過去データから学び（Deep Learning）、またその認識モデルも人間の脳の働きを模式したニューロネットワーク型のモデルで、コンピュータにパターン認識を行わせることが多い。

（注）　次ページのコラム「リスク予兆管理におけるAIの利用例（当社モデル例）」参照。

第6章　リスク予兆管理　157

リスク予兆管理におけるAIの利用例（当社モデル例）

① 各国各資産のリターン、ボラティリティやマクロ／ミクロ情報をパネルのかたちでヒートマップ化する。これをInputとして扱う。

......

[2015年7月]

0%	0%	−1%	21%	1%	−2%
0%	0%	0%	3%	0%	0%
−11%	−9%	−9%	2%	−6%	−2%
0%	0%	1%	−2%	0%	0%
2%	2%	1%	12%	0%	1%
−4%	−7%	−3%	1%	0%	−2%

[2015年8月]

1%	1%	−1%	9%	0%	1%
0%	0%	0%	2%	1%	0%
−12%	−7%	−7%	0%	−1%	1%
−2%	0%	0%	−2%	0%	0%
0%	0%	0%	7%	0%	0%
2%	0%	1%	1%	0%	2%

......

② 翌月に大規模な危機（価格変動が2σに到達する等のイベント発生）が起こるか否かを、パネル過去データ（たとえば過去8年、およそ100カ月分の月次データ）で機械学習（Machine/Deep Learning）させ、ニューロネットワーク型（Hidden（隠れ層）型）

のモデルを作成。Inputは前月のリターンとリスクパターン（ヒートマップ）、Outputは今月下値リスクが高まっているか否か。

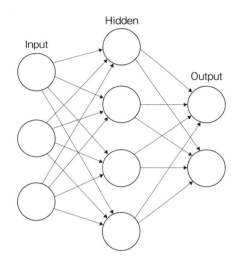

③ 作成したモデルに、今月のデータを代入して、翌月リスクイベントが発生するか否か（その確率はどのくらいか）を予測する。

パラメータ設定に依存するが、5割以上の正答率が実用の目安である。

5

リスク予兆管理シミュレーション例

(1) 金融環境指標を利用した米国株リスク予兆管理

米国株投資にあたり、リスクを前述の金融環境指標で予兆することとし、S&P500指数に投資するにあたり、金融環境指標（FED Chicago NFCI）が-1.38σ以上の悪化（12カ月のうち1回（1カ月）の頻度で起こる悪化が発生した）場合、リスク回避のためポジションゼロ化するという戦略を考える。

図表6-9に2017〜2018年の2年間のシミュレーションを示す。2016年末を100としてパフォーマンスを指数化している。

シミュレーションでは、2017年では予兆シグナルが出ず、株式指数と戦略は同じリスク・リターンであった。2018年には、2018年2月のVIXショック時と、2018年12月の下落時に予兆シグナルが出て、ポジションゼロ化するかたちとなっている。リターンは12月末の株式指数の急な戻りで戦略より株式指数のほうが若干よくなっているが、リスク（ボラティリティ）は低下しており、リスクコントロールの成果は出ている。

(2) 中期z-scoreを利用した米国債リスク予兆管理

米国債投資にあたり、利回りに関する中期z-scoreを利用して、3カ月に一度（1カ月）起こるような金利上昇（中期z-scoreで0.43σ以上の利回り上昇）が発生した場合、リスク回避のためポジションゼロ化するような戦略を考える。

図表6－9 金融環境指標をリスク予兆管理に利用した戦略例のシミュレーション

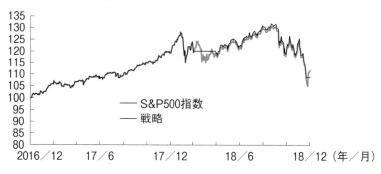

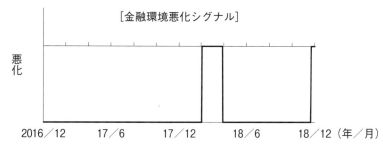

2017年1～12月	リターン	リスク
米国株式指数（S&P500指数）	19.42%	6.57%
戦略	19.42%	6.57%

2018年1～12月	リターン	リスク
米国株式指数（S&P500指数）	－6.24%	16.72%
戦略	－8.89%	13.97%

(出所) Bloombergに基づきANAM作成。

図表6-10 中期z-scoreをリスク予兆管理に利用した戦略例のシミュレーション

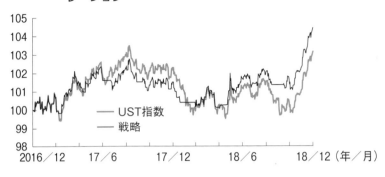

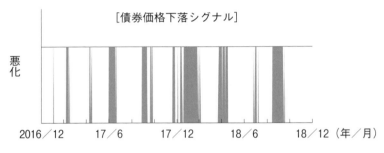

2017年1～12月	リターン	リスク
米国債指数 （UST指数（Citi US Government Index））	2.30%	2.93%
戦略	1.51%	2.81%

2018年1～12月	リターン	リスク
米国債指数 （UST指数（Citi US Government Index））	0.84%	2.93%
戦略	2.87%	2.43%

(出所) Bloombergに基づきANAM作成。

図表6－10に2017〜2018年の2年間のシミュレーションを示す。2016年末を100としてパフォーマンスを指数化している。

　シミュレーションでは、過去2年間は、金利がレンジ内で動く傾向にあったため、比較的頻度の高いリバランス戦略（3カ月に一度起こるような頻度の金利上昇時に危険と感じてポジションゼロ化する）を採用した。2018年に同戦略は金利の変動が平均よりも乖離したタイミングをうまくとらえ、リスク・リターンとも指数よりも良好な数値となっている。

(3) 課　　題

　以上でみたシミュレーション結果は、どの期間のデータでシミュレーションを行うのか、指数等がどのレベルとなれば危険と判断するのかなど、多くの裁量の余地があり、データマイニング（良好な結果が得られるようなデータの取出し方や前提等を探す）などの問題が発生しうる。ここでのシミュレーション結果はあくまで一例としてみていただきたい。

下値リスク度合いを示す指数に関する理論

(1)　CAPMの利用

　CAPMのフレームワークに基づくリスク資産のリスクの顕在化は、リスクプレミアムの急激な変化によると考え、リスク指数はこれをとらえるものとして、以下の定式化（理論化）を行う。

$$R^i - R^f = \beta^i(R^M - R^f)$$

$$= Cov(R^i, R^M)\frac{(R^M - R^f)}{Var(R^M)}$$

$$= Cov(R^i, R^M)\gamma$$

R^i：資産 i のリターン、R^f：無リスク資産のリターン、
R^M：市場平均リターン、γ：投資家のリスクアペタイト

　これはリスクプレミアム（リターン）がCov×γのかたち、すなわち、「リスク×リスク選好」ととらえられることを示している。
　このリスクプレミアムの変化は以下のように表現できる。

$$d(R^i - R^f) = Cov(R^i, R^M)d\gamma$$

$$+ \frac{\partial(R^i - R^M)}{\partial Var(R^i)} dVar(R^i)$$

$$+ \sum_{K \neq i} \frac{\partial(R^i - R^M)}{\partial Cov(R^i, R^M)} dCov(R^i, R^M)$$

　これは、リスクプレミアムの変化が、第一項のリスク選好の変化による部分と、第二項・第三項のリスクの変化による部分に分けることができることを示している。

⑵　Stochastic Discount Factor
　リスクをさまざまなファクターで解釈することが近年盛んであるが、こうしたモデルはStochastic Discount Factorによる定式化から導かれる。

$$1 = E_t[m_{t+1} R_{t+1}^i]$$
$$= E_t[m_{t+1}] E_t[R_{t+1}^i] + Cov_t(m_{t+1}, R_{t+1}^i)$$

t：時間、R^i：資産 i のリターン、m：割引率

$$E_t[R_{t+1}^i] - \frac{1}{E_t[m_{t+1}]} = \frac{-Cov_t(m_{t+1}, R_{t+1}^i)}{Var_t(m_{t+1})} \frac{Var_t(m_{t+1}) R_{t+1}^i}{E_t[m_{t+1}]}$$

$$E_t[R_{t+1}^i] - R_t^f = \beta_t^i \lambda_t$$

$$d(E_t[R_{t+1}^i] - R_t^f) = \beta_t^i \, d\lambda_t + \lambda_t d\beta_t^i$$
$$= \beta_t^i \, d\lambda_t + \lambda_t d(\sum \alpha(k)_t^i F_t^k)$$

β^i：資産 i のベータ、λ：リスク選好、
F^k：k 個のリスク要因、
$\alpha(k)^i$：k 個の資産 i に対する要因エクスポージャー

図表6−11　リスク指標の構成

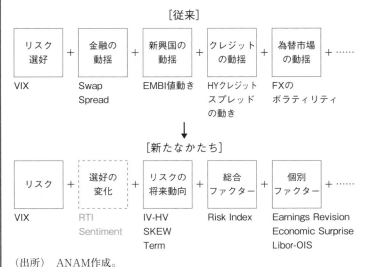

（出所）　ANAM作成。

これは、(1)と同様、リスクプレミアム（リターン）が「リスク量×リスク選好」ととらえられることを示し（リスク量とはQuantity of Riskで、リスク選好とはUnit Price of Riskを指すことも示されている）、リスクプレミアムの変化が、第一項のリスク選好の変化による部分と、第二項のリスク量の変化による部分に分けることができることを示している（この第二項はリスク・ファクターによる分解が可能であることも示している）。

　これを利用してリスク指標を組成すれば、図表6-11のようなかたちと考えられる。従来は各リスク資産のボラティリティ等を合成して指標を作成する傾向があったが、リスク・ファクターの導入等もふまえ、本来あるべき姿がみえてくる。

（参考図書：Uhlenbrock, Birgit "Financial markets' appetite for risk and the challenge of assessing its evolution by risk appetite indicators," BIS IFC Bulletin No. 31, 2008

Gonzalez-Hermosillo, Brenda "Investors' Risk Appetite and Global Financial Market Conditions," IFM Working Paper WP/08/85, 2008）

［山下　実若］

6

コロナショックの振返り

(1) ARIおよびRTIの状況

　弊社では、リスクを予兆する指数としてANAM Risk Indicator（ARI）を開発、利用している。これは、株式ボラティリティに係る指標を中心にVIXほか8つの要素からなる指標であるが、2020年3月4日にリスクオフのシグナルが点灯し、その後5月1日にシグナル解消となった動きであった。そのころにはVIXは30台割れ、Libor－OISスプレッドは落ち着き始めていた（図表6－12参照）。

　一方、ANAMのRisk Tolerance Index（RTI）は、資産ごとにリスク横軸・リターン縦軸にとり、正比例の関係があるか（正常）、否か（警戒）をみるものであるが、2020年2月4日にリスクオフの警戒値（一定以上のマイナス）に達した後、4月8日にシグナルは解除された（図表6－13参照）。

(2) 株式指数等の200日移動平均からの乖離の状況

　株価指数等の200日移動平均からの乖離をみると、平均からボラティリティの2倍値乖離（±2σ、z-scoreが±2）を上下のメドとするのが通例であるところ、S&P500の動きは2020年2月20日時点で上方への乖離の大きさが2σに近づいて2σで頭打ち、その後コロナショックが勃発し下落に転じた。乖離が下方の－2σで止まるかが注目されたが止まらず、－2σ以下に下落が続いた。なお、5年間の月次リターン平均に比して、直近1カ月のリターンが何σ乖

第6章　リスク予兆管理　167

図表6−12 ARI過去1年の推移

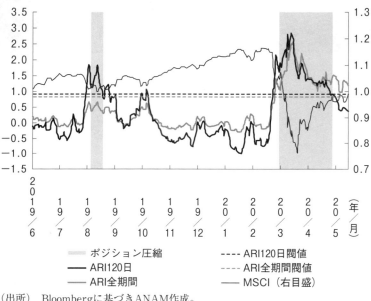

(出所) Bloombergに基づきANAM作成。

離しているかを示す中期z-scoreをみると、−2σ程度に到達後さらに下振れた。一方、金利については長期の低・マイナス金利のため、2σ等は指標性を失った(図表6−14参照)。

(3) リスク指標

ファンダメンタル指標によるリスク予兆では、マクロ/ミクロ指標、セルサイド/バイサイドの指標、FED等のフィナンシャル・コンディションに係る指標とも市場の後追い傾向だが、当時FEDの指標も注意となり、過去に例をみない最悪の状態であった(図表6−15参照)。

図表6−13　RTI過去1年の推移

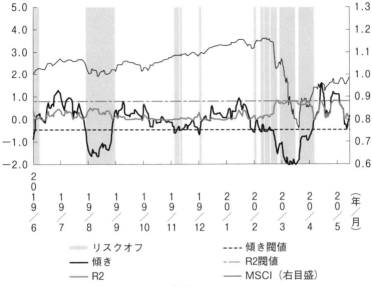

(出所)　Bloombergに基づきANAM作成。

(4) 指標の有効性の検証

　新型コロナウイルス感染症の影響が明らかとなったことを受け、S&P500は2020年2月18日高値から3月20日底値にかけ4割近い下落となった。日経平均も数日ずれているが、同程度の高値−底値の動きとなった（図表6−16参照）。

　コロナショック時の株価下落において、各種のリスク予兆管理指標が「直前の株価ピーク・その後の下落を予兆しているか」「株価が底値をつけて反転する状況を予兆しているか」について詳細な分析を行った。検証では下記の指標を使用した。

第6章　リスク予兆管理　169

図表6-14 z-scoreと中期 z-score (2020年2月20日～3月17日)

2/20	引値	z-score	中期z-score	VIX
日経	23,451.86	0.97	0.32	18.17
SP500	3,373.23	1.87	0.35	15.56
DAX	13,664	1.53	0.90	(cf SP500 SKEW)
FT	7,436.64	0.39	0.40	状態
上海A	3,174.682	1.17	1.58	1.43
JGB	-0.057	0.77	(0.24)	-
Treasury	1.503	(1.52)	(0.19)	4.65
Bunds	-0.446	(0.41)	0.15	-
Guilts	0.576	(0.75)	0.67	-
$L-OIS	0.137	(3.16)	(1.63)	-
USD/JPY	111.97	2.70	1.22	-
EUR/USD	1.079	(2.40)	(1.05)	-
USD/CYN	7.0287	0.34	0.08	-

3/4	引値	z-score	中期z-score	VIX
日経	21,329.12	(0.88)	0.12	28.07
SP500	3,130.12	0.31	0.38	31.99
DAX	12,127.69	(0.88)	0.12	(cf SP500 SKEW)
FT	6,815.59	(2.03)	0.38	状態
上海A	3,217.621	1.42	0.39	0.20
JGB	-0.114	0.08	(0.20)	-
Treasury	1.007	(2.35)	0.06	6.15
Bunds	-0.641	(1.38)	0.16	-
Guilts	0.369	(1.76)	(0.31)	-
$L-OIS	0.560	(1.34)	(1.55)	-
USD/JPY	107.27	(0.84)	0.10	-
EUR/USD	1.113	0.44	(0.11)	-
USD/CYN	6.9426	(0.72)	(0.42)	-

3/12	引値	z-score	中期z-score	VIX
日経	18,559.63	(2.40)	(2.70)	51.48
SP500	2,480.64	(2.69)	(1.39)	75.47
DAX	9,161.13	(3.02)	(5.29)	(cf SP500 SKEW)
FT	5,237.48	(3.36)	(7.31)	状態
上海A	3,063.64	0.36	0.37	-1.11
JGB	-0.067	0.62	(0.36)	-
Treasury	0.804	(2.56)	(2.07)	12.7
Bunds	-0.748	(1.82)	0.23	-
Guilts	0.265	(2.13)	(1.82)	-
$L-OIS	0.612	(1.34)	(1.55)	-
USD/JPY	104.79	(2.07)	(0.80)	-
EUR/USD	1.119	0.79	0.10	-
USD/CYN	7.0294	0.25	0.51	-

2/28	引値	z-score	中期z-score	VIX
日経	21,142.96	(0.98)	(1.84)	42.81
SP500	2,954.22	(0.65)	(0.71)	40.11
DAX	11,890.35	(1.24)	(2.07)	(cf SP500 SKEW)
FT	6,580.61	(4.52)	(3.43)	状態
上海A	3,018.364	(0.87)	0.74	-1.01
JGB	-0.159	0.48	0.41	-
Treasury	1.149	(3.09)	(2.62)	6.76
Bunds	-0.609	(1.51)	0.30	-
Guilts	0.442	(1.73)	(0.79)	-
$L-OIS	0.229	(3.44)	(0.49)	-
USD/JPY	107.89	(0.44)	(0.24)	-
EUR/USD	1.103	(0.61)	(0.09)	-
USD/CYN	6.992	(0.07)	(0.47)	-

3/6	引値	z-score	中期z-score	VIX
日経	20,749.75	(1.29)	(0.47)	36.41
SP500	2,972.37	(0.69)	(0.05)	41.94
DAX	11,541.87	(1.59)	(0.94)	(cf SP500 SKEW)
FT	6,462.55	(2.59)	(1.34)	状態
上海A	3,179.964	1.05	0.20	0.05
JGB	-0.136	(0.17)	(0.12)	-
Treasury	0.762	(2.64)	(2.51)	9.15
Bunds	-0.712	(1.69)	0.20	-
Guilts	0.236	(2.25)	(2.24)	-
$L-OIS	0.390	(1.34)	(1.55)	-
USD/JPY	104.13	(2.34)	(1.04)	-
EUR/USD	1.139	2.06	0.92	-
USD/CYN	6.9314	(0.83)	(0.54)	-

3/17	引値	z-score	中期z-score	VIX
日経	17,011.53	(2.90)	(4.27)	56.63
SP500	2,529.19	(2.56)	(1.26)	75.91
DAX	8,939.1	(3.10)	(5.69)	(cf SP500 SKEW)
FT	5,294.9	(3.33)	(7.03)	状態
上海A	2,912.867	(2.01)	(1.12)	-1.02
JGB	0.008	1.41	0.62	-
Treasury	1.078	(1.98)	0.81	9.65
Bunds	-0.438	(0.09)	0.02	-
Guilts	0.554	0.52	2.38	-
$L-OIS	0.768	(1.34)	(1.55)	-
USD/JPY	107.61	0.45	0.22	-
EUR/USD	1.100	(0.71)	(0.64)	-
USD/CYN	7.0057	0.02	0.25	-

(出所) Bloombergデータに基づきANAM作成。

図表6−15　各種指標の状況（2020年2月20日～3月17日）

日次インディケーター（2020年2月20日）

	数値	z-score	特徴	リスク示唆
マクロ／ミクロ				
2/20/2020 Citi Macro Risk Index	0.34	(0.54)	リスク回避度	-
2/20/2020 Citi EM Macro Risk Index	0.39	(1.31)	リスク回避度	-
2/20/2020 Citi Short-Term Macro Risk Index	0.56	0.53	リスク回避度	-
2/20/2020 Citi Japan Economic Surprise Index	1.80	(0.36)	予想外経済指標数値	-
2/20/2020 Citi US Economic Surprise Index	61.80	2.06	予想外経済指標数値	-
2/20/2020 Citi EU Economic Surprise Index	(30.00)	(0.32)	予想外経済指標数値	-
2/20/2020 Citi China Economic Surprise Index	58.90	1.85	予想外経済指標数値	-
2/20/2020 Citi EM Economic Surprise Index	20.80	2.19	予想外経済指標数値	-
2/20/2020 Global Earning Retrisions	0.41	-	予想上げ下げ企業数	-
Sellサイド／Buyサイド				
4/4/2019 BoAML Bull & Bear Index**	4.40	na	2以下Buy, 9以上Sell	-
2/20/2020 Credit Suisse Fear Barometer	20.80	2.19	恐怖指数	注意
2/20/2020 UBS Dynamic Equity Risk Indicator	0.45	0.12	株式リスク	-
2/20/2020 UBS Global EM DERI	143.20	(0.31)	株式リスク	-
2/20/2020 MS Japan Cycle Indicator	0.43	(1.00)	経済サイクル	(拡大後期？)
2/20/2020 MS US Cycle Indicator	0.08	0.00	経済サイクル	(拡大期)
2/20/2020 MS EU Cycle Indicator	0.11	(0.73)	経済サイクル	(拡大後期)
2/20/2020 Natixis Risk Perception Indicator	29.14	(0.60)	リスク	-
Financial Condition				
2/20/2020 MS US Financial Condition Index	0.69	(0.75)	大～調達難	-
2/20/2020 GS US Financial Condition Index	98.59	(1.75)	大～調達難	-
2/20/2020 FRB Chicago NFC Index	(0.83)	(1.03)	資金調達条件度	-
12/3/2018 FRB Cleveland Sys. Risk Ind. ADD*	4.20	na	金融機関デフォルト度	-
2/20/2020 St. Louis Fed Financial Stress Ind.	(1.60)	(2.31)	金融システム安定性	-
5/31/2018 ECB Financial Stability Risk Index**	(0.50)	na	金融システムストレス (ストレステスト)	-

日次インディケーター（2020年3月17日）

	数値	z-score	特徴	リスク示唆
マクロ／ミクロ				
3/17/2020 Citi Macro Risk Index	0.99	2.45	リスク回避度	注意
3/17/2020 Citi EM Macro Risk Index	0.79	2.49	リスク回避度	注意
3/17/2020 Citi Short-Term Macro Risk Index	0.95	1.79	リスク回避度	やや注意
3/17/2020 Citi Japan Economic Surprise Index	(19.40)	(1.08)	予想外経済指標数値	-
3/17/2020 Citi US Economic Surprise Index	57.60	1.52	予想外経済指標数値	-
3/17/2020 Citi EU Economic Surprise Index	3.10	0.57	予想外経済指標数値	-
3/17/2020 Citi China Economic Surprise Index	(238.40)	(3.31)	予想外経済指標数値	注意
3/17/2020 Citi EM Economic Surprise Index	(40.00)	(1.51)	予想外経済指標数値	やや注意
3/17/2020 Global Earning Retrisions	0.00	-	予想上げ下げ企業数	-
Sellサイド／Buyサイド				
4/4/2019 BoAML Bull & Bear Index**	4.40	na	2以下Buy, 9以上Sell	-
3/17/2020 Credit Suisse Fear Barometer	(40.00)	(1.51)	恐怖指数	やや注意
3/17/2020 UBS Dynamic Equity Risk Indicator	(4.65)	(3.19)	株式リスク	注意
3/17/2020 UBS Global EM DERI	135.77	1.44	株式リスク	やや注意
3/17/2020 MS Japan Cycle Indicator	0.43	(1.00)	経済サイクル	(拡大後期？)
3/17/2020 MS US Cycle Indicator	0.08	0.09	経済サイクル	(拡大期)
3/17/2020 MS EU Cycle Indicator	0.11	1.00	経済サイクル	(拡大後期)
3/17/2020 Natixis Risk Perception Indicator	97.38	2.22	リスク	注意
Financial Condition				
3/17/2020 MS US Financial Condition Index	5.00	2.56	大～調達難	注意
3/17/2020 GS US Financial Condition Index	100.73	3.26	大～調達難	注意
3/6/2020 FRB Chicago NFC Index	(0.67)	1.91	資金調達条件度	注意
12/3/2018 FRB Cleveland Sys. Risk Ind. ADD*	4.20	na	金融機関デフォルト度	-
3/17/2020 St. Louis Fed Financial Stress Ind.	(0.94)	2.30	金融安定性	注意
5/31/2018 ECB Financial Stability Risk Index**	(0.50)	na	金融システムストレス	-

(注)　*週次、**月次。
(出所)　Bloombergデータに基づきANAM作成。

第6章　リスク予兆管理　171

図表6−16 S&P500指数、日経平均指数の推移

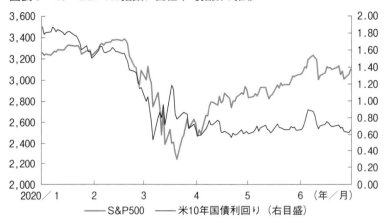

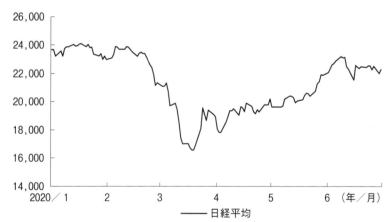

(出所) Bloombergに基づきANAM作成。

・株価指数（S&P500、日経平均）の200日移動平均からの乖離
・Citi Economic Surprise指数（マクロ経済センチメント）
・Credit Suisse Fear Barometer（リスク資産価格センチメント指数）
・フィナンシャル・コンディション指数（資金調達容易度）・ARIな

ど（弊社ジャッジメンタル判断で利用）

結果は以下のとおりである。

・株価指数のテクニカル指標である200日移動平均は米国において
は有用。ただし、今回は経験則の下値を大きく下抜けしている。

・Citi Economic Surpriseについても200日移動平均からの乖離によ
りz-score化することで、米国では有用。日本はリスクの背景に
あった新型コロナウイルス感染症の度合い、時期が他国と異な
る。

・Credit Suisse Fear Barometerはz-score化し、±3の幅でシグナ
ル化すれば一定の有用性はあるが、こうしたオリジナル指標は個
別扱いが必要。

・民間および連銀のフィナンシャル・コンディション指数は、これ
からの下落の予兆、下落が終わり底となる予兆について、それぞ
れ強み・弱みがあり、組み合わせれば有用である。

・弊社が利用するARIは、もともと後追い傾向のある予兆シグナル
だが、一定程度下落後、早い段階でシグナル提示した。RTIはだ
ましが多めだが今回は的中した。

①　株価指数（S&P500、日経平均）の200日移動平均からの乖離

S&P500の200日移動平均からの乖離z-scoreは、2020年2月11日
2.27の高値、3月20日−4.14の底値である。長期的に俯瞰すれば、
同z-scoreは「2を超えれば天井、−2をメドに底値をつける」と
いう経験則が成り立つ。しかし、今回は株価が天井に達した2月よ
り前から同z-scoreは2を超えていたうえ、株価が下落局面に入っ
てからは同z-scoreの下落は−2で止まらなかった。

日経平均の200日移動平均からの乖離z-scoreも数日ずれている
が、米国と同程度の高値−底値の動きとなった（図表6−17参照）。

図表6-17　S&P500指数、日経平均指数とz-scoreの推移

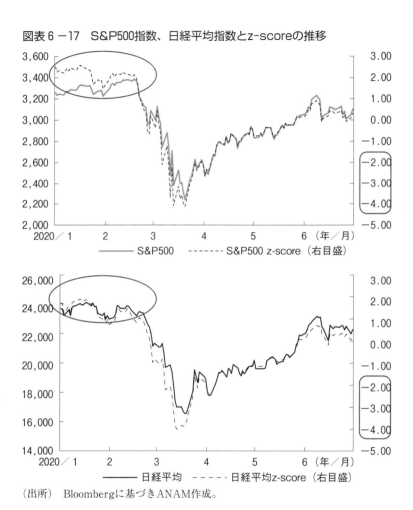

（出所）　Bloombergに基づきANAM作成。

②　Citi Economic Surprise指数（マクロ経済センチメント）

　Citi Economic Surprise指数は、各種マクロ経済指標について、実績が市場コンセンサスからどの程度乖離したかを指数化したものである。指数をz-score化した場合、米国では株価ピークあたりで

174

z-scoreが2となり、株価が底をつけたのに1カ月ほど遅れて−2を大きく超えて下落した。

日本では指数のz-scoreが米国ほど大きな動きとなっていないうえ、z-scoreの上下と株価の上下の時期のズレが米国より大きくなっている。

米国の株価の動きはCiti Economic Surpriseで一定程度予兆できるが、日本で同指数と株価の動きがずれた背景には、株価は日米が瞬時に連動することが圧倒的に多いなか、新型コロナウイルス感染症の状況は国によって時間差があったことがあると考えられる（図表6−18参照）。

③　民間のフィナンシャル・コンディション指数

民間のフィナンシャル・コンディション指数（MSとGS）は、指数そのものより指数をz-score化したものが株価動向をよりみやすくしている。MSの指数のz-scoreは、株価がピークに達した時期でも−2に到達せず、下落局面においては2を大きく超えて上昇した。GSの指数のz-scoreは、株価ピークあたりで−2となっているが、下落局面ではMSと同じく2を大きく超えて上昇した（図表6−19参照）。

④　シカゴ連銀のフィナンシャル・コンディション指数

シカゴ連銀のフィナンシャル・コンディション指数でも、指数そのものより指数をz-score化したものが株価動向をよりみやすくしている。z-scoreが−2となった時期はほぼ株価ピークであり、株価が高値であるという予兆性が高い。一方、同指数のz-scoreは株価の底値よりだいぶ前に2に到達し、その後、2を大きく超えて上昇している。なお、当該指数は金利動向との関連も強いが、同指数の米10年金利の予兆度合いは上記と同傾向である（図表6−20参照）。

第6章　リスク予兆管理　175

図表6−18 株価とEconomic Surprise指数の推移

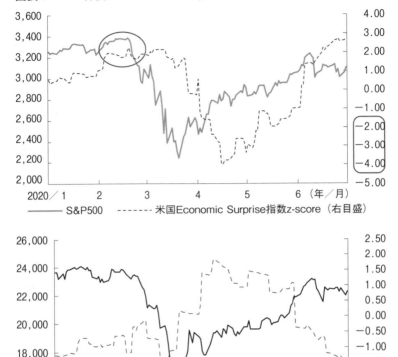

(出所) Bloombergに基づきANAM作成。

⑤ ARIおよびRTI

ARIは、VIXやマクロ指標など8つの指標の平均z-scoreで計算されており、6営業日連続で一定値を上回ると危険シグナル点灯となる。そのため後追い傾向があり、リーマンショック等の大きな下

図表6-19 株価とMSおよびGSのFinancial Condition指数の推移

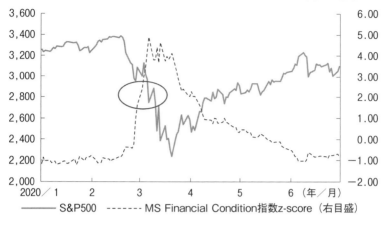

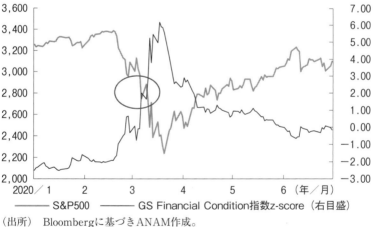

(出所) Bloombergに基づきANAM作成。

落を、いわゆる「だまし」がないように感知するために、保守的に作成されている。今回は下落開始後、比較的早く2020年3月3日にシグナル点灯、シグナルが消えたタイミングは4月末とやや遅めだった。

図表6-20 S&P500指数、米10年国債利回りとシカゴ連銀NFCIの推移

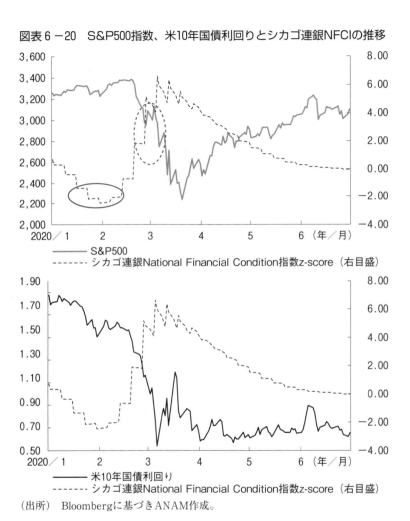

(出所) Bloombergに基づきANAM作成。

　縦軸にリターン実績、横軸にリスク（ボラティリティ実績）をとり、さまざまな資産について、そのトレンドが正（よりリスクをとればリターンが高い状態）か負（その逆）かを計算し、一定大きさの

図表6−21　S&P500指数とARI、RTIの推移

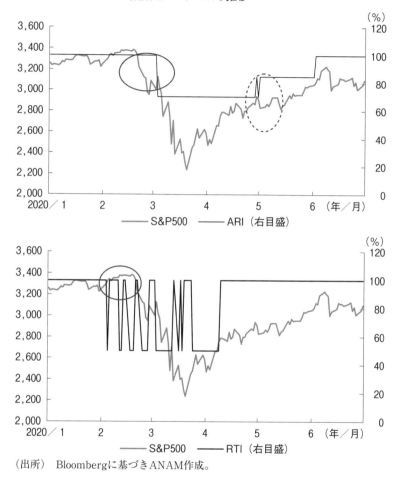

（出所）　Bloombergに基づきANAM作成。

負であれば危険信号とするRTIも利用した。今回は的確にリスクの予兆と、危険状態の終了を予見したが、一般には頻繁にシグナルが出て、「だまし」も多い（図表6−21参照）。

(5) 指標を利用した戦略シミュレーション

① 損切り戦略

シカゴ連銀National Financial Condition Index（NFCI）の200日移動平均からの乖離z-scoreが、「＋2を抜ける（金融環境悪化）と、さらに大幅株価下落があると判断、損切りして100％現金化を行い、＋2に戻れば100％株式エクスポージャーに戻す」といった戦略をシミュレートした。ここでは＋2を抜けた期間を下段図で表した。縦軸で悪化のレベルにまで階段状に上がっている期間がそれで、3回ある。そして、この期間は株式エクスポージャーをゼロ（現金100％）とした戦略のパフォーマンス推移を上段図の戦略で示した。その結果、以上のように一定のリスクの予兆を実現、特に収益かさ上げよりもリスクの低減に貢献した（図表6－22参照）。

・2018年のVIXショック時、その後の軟調な地合いではシグナル出現し奏功。

・2018年末のクリスマスショック時およびコロナショック時にシグナル出現し奏功。

② 利食い戦略

前項同様、NFCIのz-scoreが、「－2を抜ける（金融環境が加熱）と、株価高値で下落タイミングが近いと判断、利食いして100％現金化を行い、その後－2まで下落すれば100％株式エクスポージャーに戻す」といった戦略をシミュレートした（図表6－23参照）。

①の時と同様、金融環境が過熱している期間を下段図で表した。縦軸1のレベルにまで階段状に上がっている期間がそれで、2回ある。そして、この期間は株式エクスポージャーをゼロ（現金100％）とした戦略のパフォーマンス推移を上段図の戦略で示した。

図表6-22　NFCIを利用したリスク低減付きS&P500指数損切りシミュレーション

2017年1月～2020年6月	リターン	リスク	リターン／リスク
米国株式指数（S&P500指数）年率	9.74%	20.63%	0.472
戦略	9.64%	12.59%	0.766
2020年1～6月	リターン	リスク	リターン／リスク
米国株式指数（S&P500指数）非年率	－4.04%	45.39%	－0.089
戦略	－1.51%	18.82%	－0.080

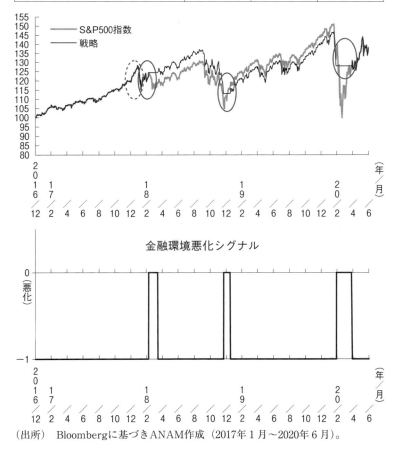

(出所)　Bloombergに基づきANAM作成（2017年1月～2020年6月）。

第6章　リスク予兆管理　181

図表 6 −23　NFCIを利用したリスク低減付きS&P500指数利食いシミュレーション

2017年1月〜2020年6月	リターン	リスク	リターン／リスク
米国株式指数（S&P500指数）年率	9.74%	20.63%	0.472
戦略	10.49%	19.54%	0.537
2020年1〜6月	リターン	リスク	リターン／リスク
米国株式指数（S&P500指数）非年率	−4.04%	45.39%	−0.089
戦略	5.29%	43.52%	0.122

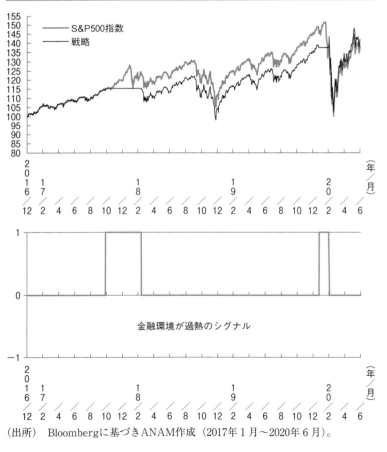

(出所)　Bloombergに基づきANAM作成（2017年1月〜2020年6月）。

図表6−24 NFCIを利用したリスク低減付きS&P500指数損切りと利食いのシミュレーション

2017年1月~2020年6月	リターン	リスク	リターン／リスク
米国株式指数（S&P500指数）年率	9.74%	20.63%	0.472
戦略	10.67%	11.09%	0.962
2020年1~6月	リターン	リスク	リターン／リスク
米国株式指数（S&P500指数）非年率	−4.04%	45.39%	−0.089
戦略	9.86%	15.67%	0.629

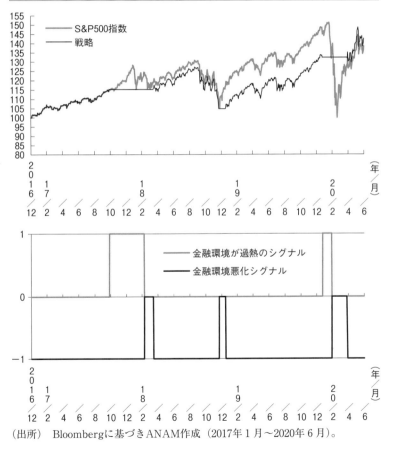

(出所) Bloombergに基づきANAM作成（2017年1月~2020年6月）。

第6章 リスク予兆管理

・2018年のVIXショック時ではシグナルが早すぎた。

・コロナショック時にシグナル出現。

・特定の期間では収益向上に貢献した。

③　損切りかつ利食い戦略

損切りと利食いの両方を実施したシミュレーションを実施。一方のみの戦略の場合よりも、リターンが向上し、リスクが低減した（図表6－24参照）。

①と②を下段図に一つの図としてまとめている。金融環境悪化の期間は下方にある、縦軸－1から縦軸0に階段状に上がっている部分で示し、3回ある。金融環境が過熱している期間は縦軸0から縦軸1のレベルにまで階段状に上がっている期間がそれで、2回ある。そして、これらの期間は①と②のように株式エクスポージャーを変化させるとした戦略のパフォーマンス推移を上段図の戦略で示した。

[山下　実若]

経営からみる地域銀行の有価証券運用の高度化③
～フロント／ミドル／バックの人財育成が重要

人財育成の重要性

さて、運用業務全体の態勢をいま一度見直すことにしよう。図表6－25は銀行の運用業務に必要な3つの機能である。みてのとおり運用の実行部隊がフロントであり、そのフロントを牽制しリスク管理を司るのがミドルであり、後方事務を支えるのがバックである。どの機能1つ欠けても運用業務は成り立たない。融資業務においても、銀行によって部署の名称は異なるものの、実行部隊である本店営業部や営業店というフロントがあり、審査部や営業推進と与信管理の橋渡しを行う融資部などのミドルがあり、融資事務センターな

図表6−25 運用業務は3つの機能で構成される

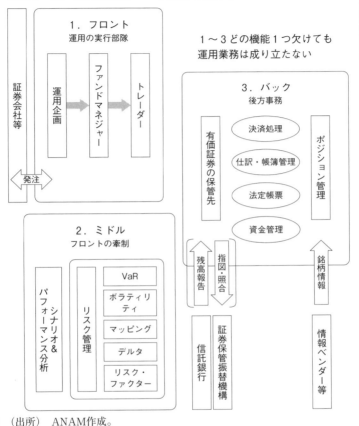

(出所) ANAM作成。

ど後方事務を担うバックがある。

　融資業務といっても、事業法人向けの各種コマーシャル・レンディングから、住宅ローン、消費者金融などのリテール・レンディングや、シンジケートローンなど多岐にわたる。融資業務においては、企画、営業、審査、管理に行員の相当数がかかわっている。一方、運用業務にかかわっている人をみると、フロント、ミドル、

バック3部門をあわせても業務に携わる数は行員全体の2%未満である。実際には1%にも満たない銀行も多い。4,000人の行員数であれば運用業務従事者は40人以下ということになる。運用業務の特殊性から人財育成がままならないと指摘する向きも多いが、地域銀行では事業性評価貸出やシンジケートローン、ビジネスマッチングやM&A、資産管理業務に信託業務等、地域銀行が取り組むべき専門性の高い業務は増えている。業務規模の大きさと収益期待の高さからすれば、運用業務にかかわる人財をもっと確保してもよいはずだ。そして第三者の力を借りてでも運用業務の人財育成を積極的に進めるべきである。

　運用業務に関して、人財育成といえばまずフロント部門のファンドマネジャーないしトレーダーの育成があげられる。しかし融資業務においては融資部や審査部の存在とそのスタッフの充実はきわめて重要である。審査なくして融資はできない。監督当局から運用業務のリスクガバナンス向上が指摘される状況にあって、運用業務においてはリスク管理の高度化、特にミドル機能の強化が鍵となる。地域銀行においても収益機会を求めてグローバルな運用を行っていくからこそ、しっかりしたリスク管理態勢を構築する必要がある。残念ながら当局あて報告が主たる業務になっているミドルも少なくない。図表6−25にあるように、運用業務の重要な役割を担えるミドル人財の育成が必要だ。また、低金利が長期化した影響で外部委託やファンド投資（投資信託）も残高が大きく伸びている。投資を支えるストラクチャーやそれに伴う制約などに精通する人財も重要だ。そのためには大手金融機関や証券会社だけではなく、運用会社での研修も大事になってくる。運用業務における人財育成は、フロント部分にとどまらず、ミドル機能、バック機能まで含めて、運用の川上から川下まで学ぶことが望ましい。時間がある程度かかるかもしれないが、結果的には運用業務全体を見渡して企画・運営できる人財が育つという好循環が生まれてくる。

[永野　竜樹]

第7章

リスク管理ツール／ANAM ダッシュボード®

　日本の長期低金利時代にあって、有価証券運用は地域金融機関にとって最も重要な収益源の１つとなっている。運用対象は国内から海外へと広がっており、規制当局はバーゼル規制を課す一方で、リスク・ファクターによるポートフォリオ管理を推奨している。運用の多様化に伴い、リスク管理の高度化とあわせて経営陣によるリスクガバナンスの実効性が強く求められるようになった。弊社では地域銀行のフロント、ミドル、そして経営陣が一緒になってグローバルな有価証券ポートフォリオを一瞥できるリスク管理ツールとして、ANAMダッシュボード®を提案している。これはルックスルーされたファンド内の個別有価証券をも含めた有価証券全体（ポートフォリオ）をリスク・ファクター（収益源泉）で分類して、俯瞰的にポートフォリオの特性（リターンとリスク）を把握し、ポートフォリオ運営に有効活用しようとする試みである。本章ではできるだけ平易にANAMダッシュボード®の内容と活用方法を解説する。

1

地域銀行の有価証券運用・
リスク管理体制の高度化への提言

　「地域銀行の有価証券運用・リスク管理体制の高度化への提言」
および「リスク・ファクター管理／ANAMダッシュボード®の活
用」について、弊社がいままでいろいろ考えてきたことを以下説明
したい。「リスク・ファクター管理／ANAMダッシュボード®の活
用」では、機長と操縦士がコックピットをみながらいろいろな天候
のなかで飛行機を操縦していくようなイメージで有価証券運用をと
らえたいと考えている。

　弊社は現在、地域銀行に「有価証券ポートフォリオの管理という
のはこうしたらいいのではないか」という具体的なアイデアを
ANAMダッシュボード®というかたちで提供している。地域銀行は
すでに、外部の有価証券運用のフロント・システムやリスク管理シ
ステムを使われていると思うが、弊社のアイデアは1つの提言であ
り、何を使うのが正しいのか、あるいは間違っているのかを主張す
るわけではない。あくまでも1つの考え方としてとらえていただき
たい。

　昨今、地域銀行は運用会社や証券会社、あるいはシステムの会社
からいろいろな提案を受け、さまざまなかたちで自行のポートフォ
リオをみることができる。しかしそれらをみて、いったい何をすれ
ばよいのかということについて、実際はなかなかわかりづらく、具
体性に欠くケースが多い。弊社は地域銀行の出資でつくられた運用
会社であり、地域銀行がこれからの運用に向けて運用手法のみなら

ずリスク管理や体制整備、加えて人財育成を具体的にどうしていけ
ばよいのかということを経営の重要なテーマとして考えている。ま
ずは運用に関して、弊社はポートフォリオ運営が重要であり、それ
に基づく運用戦略が銀行の運用・リスク管理体制を決定すると考え
ている。戦略が組織を決めると言い換えてもよいかと思う。そうな
ると次はどういう人を育てたらいいのか、というように人財育成に
もつながっていくことになる。

2

ANAMダッシュボード®

(1) リスク・ファクターによる有価証券運用ポートフォリオの把握

あくまでも弊社の試算であるが、2021年3月末の数字によると地方銀行101行中72行、おおむね7割の銀行はコア業務純益の50%以上が有価証券利息等損益で構成されている。有価証券運用が本業か本業でないかという議論が以前にあったが、決算をするうえで運用は外すことのできない業務になっており、収益の根幹の1つである。有価証券運用業務なくして決算をすることはむずかしい時代を迎えている。

図表7-1は弊社(ANAM:オールニッポン・アセットマネジメント)2021年の9月末の運用内訳である。

図表7-1　ANAMの運用内訳(2021年9月末)

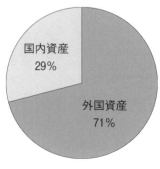

(出所)　ANAM作成。

運用資産の内訳をみると国内資産３割、外国資産７割ということで、外国の資産にウェイトが大きくかかっている。有価証券運用業務はグローバルで、海外金利や株のリスクテイクに積極的になっている。現状１％以上の運用利回りを確保しようとすれば、国内の有価証券運用だけではなかなか厳しい状況である。銀行はどうしても外国資産で運用せざるをえない。これは銀行の今後の運用体制を考えるうえで大前提であり、とても重要なポイントといえる。日本はそもそも輸出で成り立っている国で、地域銀行の顧客も海外へ輸出している。そして世界のなかでみたとき、日本はいまや最大の資本輸出国である。地域銀行が地場の預金を背景に海外で運用して、それを地元に還元することはなんら不思議な話ではない。

余談になるが海外の銀行は外国資産で運用しているのだろうか。

米国の商業銀行を例にとると、大手10行程度は自己勘定の運用ないしトレーディングを実施している。しかし規模が小さくなると、米国の地方銀行には運用という概念が薄れていく。米国ではトレジャリー部門と呼ばれるが、基本的には日本でいうところの資金部や資金証券部が短期国債を購入したり、モーゲージ証券（住宅ローン債券）を購入する程度である。米国の場合、住宅ローンはすぐに証券化されて売買されるため、地方銀行は住宅ローンの証券化と引き換えにモーゲージ債を購入することで自ら抱える地域リスクを広く分散させることが可能となる。モーゲージ債投資は貸出の変形と考えるべきである。

図表７−２をご覧いただきたい。

「リスクモニタリング、リスクガバナンスは旧態依然」という表題はやや棘のある表現であるが、グローバルに運用していかなければいけないとすれば、それにあわせた体制が銀行に必要と考えられ

第７章　リスク管理ツール／ANAMダッシュボード®　191

図表7−2 リスクモニタリング、リスクガバナンスは旧態依然

(出所) ANAM作成。

る。フロント部門では円債担当、外債担当、あるいは株やファンドなど、それぞれ担当者がいたりする。ミドルはミドルでしっかりとデータをつくって経営に報告しているし、当局からの詳細な報告要請にもしっかり対応している。しかし残念ながら運用体制が縦割りであったり、数字がつくられても単純な結果報告であったりするため、経営として運用の全体像をつかんで、環境変化をふまえてどう対応すべきなのかわからない状況が多いのではないだろうか。さらに一部の銀行では、ミドルあるいはフロントの一部でシステム対応

できないため、ポジションやリスク管理を手管理に依存するなど属人性が排除できず、有価証券運用業務の持続可能性に脆弱さを抱えているケースも散見される。

図表7−3をご覧いただきたい。

それでは監督当局は地域銀行の有価証券運用をどのように考えているのだろうか。

図表7−3の左側が金融庁の監督指針で、右側が日本銀行の考査方針である。いずれも長文なので抜粋し、重要な部分に下線をひいている。

金融庁の監督指針をみると、「市場リスク」の定義として「金利、為替、株式等の様々な市場のリスク・ファクター」という言葉を使用している。日本銀行の考査方針でも、「考査では、有価証券ポートフォリオに内包されるリスク・ファクターごとのリスクを正確に認識し、これらが自己資本および期間収益対比で許容できるかを検証したうえで、リスクテイク方針や運用計画が策定されているか点検する」というように書かれており、監督当局は何年も前から「リスク・ファクター」という言葉を使用している。「リスク・ファクター」を言い換えると「収益源泉」になる。とるリスクの対価として収益が生まれるので、リスクと収益（リターン）は表裏一体といえる。

特に右側の下の矢印で強調しているが、「リスクが収益の源泉、リスク／リターンの関係を重視」ということで、個別の投資対象だけではなく有価証券ポートフォリオ全体についても考えていくことを日本銀行は推奨している。

日本銀行はまた、最近の金融システムレポートにおいて、マルチアセット・ファンドが抱えるリスクについて言及している。大まか

図表７－３　金融庁の監督指針ならびに日本銀行の考査方針は「リスク・

金融庁　中小・地域金融機関向けの総合的な監督指針（2020年12月）

市場リスクとは、金利、為替、株式等の様々な市場のリスク・ファクターの変動により、資産、負債及びオフバランス取引の価値が変動し、銀行が損失を被るリスク、資産・負債から生み出される収益が変動し、銀行が損失を被るリスクをいうが、銀行は、当該損失が自己資本比率規制上の自己資本に算入されるか否かにかかわらず、当該リスクに係る内部管理態勢を適切に整備し、経営の健全性の確保に努める必要がある。

(1) リスク管理態勢
・取締役会は、銀行全体の経営方針に沿った戦略目標を踏まえた市場リスク管理の方針を定めているか。また、取締役会は、銀行の戦略目標、リスク管理方針に従い、かつ収益目標等に見合った適切な市場リスクの管理態勢を整備しているか。
・内外の経済動向等を含め、保有資産の価格等に影響を与える情報を広く収集・分析するとともに、経営陣が適切かつ迅速に業務運営やリスク管理等の方針を決定できるよう、重要な情報を適時に経営陣等に報告を行う態勢が整備されているか。

(2) リスク管理の内容・手法
・現在価値に換算したポジション、及びリスクの保有資産別・期日別等の内訳を適切に把握しているか。特に、特殊なリスク特性を有する保有資産のリスクを適切にとらえているか。
・VaR値をリスク管理に用いる際は、商品の特性を踏まえて、観測期間、保有期間、信頼区間、計測手法及び投入するデータ等の適切な選択に努めるとともに、計測結果を検証し、妥当性の確保に努めているか。
・ポジション枠（金利感応度や想定元本等に対する限度枠）、リスクリミット（VaR等の予想損失額の限度枠）、損失限度、ストレステストの設定に際しては、取締役会において、銀行におけるリスク管理の方針として、各設定に際しての基本的な考え方を明確に定めているか。また、取締役会等において、定期的に（最低限各期に１回）、各部門の業務の内容等を再検討し、設定内容を見直しているか。
・ストレステストの結果については、経営陣により十分な検証・分析が行われリスク管理に関する具体的な判断に活用される態勢が整備されているか。

・リスクテイクとリスク管理が別々のイメージ
・リスク管理手法が一昔前のイメージ（80年代90年代）
・有価証券ポートフォリオではなく個別投資対象重視

ファクター」

> **日本銀行　2021年度の考査の実施方針について（2021年3月）**
>
> 考査では、有価証券ポートフォリオに内包されるリスク・ファクターごとのリスクを正確に認識し、これらが自己資本および期間収益対比で許容できるかを検証したうえで、リスクテイク方針や運用計画が策定されているか点検する。
>
> 市場リスク管理
> 適切な認識に基づく運用計画等の策定
> 考査では、有価証券ポートフォリオに内包されるリスク・ファクターごとのリスクを正確に認識し、これらが自己資本および期間収益対比で許容できるかを検証したうえで、リスクテイク方針や運用計画が策定されているか点検する。
>
> リスクプロファイルに見合った管理体制の整備
> 金融機関の有価証券ポートフォリオおよびオフバランス取引のリスクプロファイルや運用手法・ヘッジ方針を踏まえ、①各種限度枠等のリスク管理体制が整備され、必要に応じて適切に見直されているか、②リスク管理部署が、適切な頻度で、時価、リスク量や各種限度枠の遵守状況等をモニタリングしているか、③ストレステストが有効に機能しているか、④内外金融市場が急変した場合に、経営陣がリスクの変動に関する報告を受け、自己資本や期間収益への先行きの影響も踏まえて、ロスカットなどの意思決定を適時に行っているか、などを、昨年3月に金融市況が急変した局面での対応状況も踏まえて、点検する。なお、マルチアセット型投資信託については、投資対象を頻繁に入れ替えるためリスク特性の把握が難しいものも含まれている。そうした投資信託への投資が多い先については、銘柄別のパフォーマンスやリスク特性の分析を的確に行っているか、また、これを踏まえた適切な購入時審査や、銘柄別の保有方針の定期的な見直し等の中間管理が行われているかを点検する。

- リスクが収益の源泉、リスク／リターンの関係を重視
- 個別投資対象ではなく有価証券ポートフォリオを重視

（出所）　金融庁、日本銀行の資料に基づきANAM作成。

にいうと、ファンドの中身がどのように運用され、ファンドが現状どうなっているのかわかりづらいということである。そのため、「ルックスルー」といって、ファンドの中身が具体的にどのようなリスク・ファクター（収益源泉）で構成されているのかをしっかりとみていくべきだとしている。

「なるほど、それであれば、そういうことがしっかりできる枠組みがあるのだろうか」ということで、図表7－4をご覧いただきたい。

ここでは運用ガバナンスの高度化の枠組みを提案している。

図表7－4　運用ガバナンスの高度化

運用とリスク管理（ダッシュボード／監督当局の視線に合った総合リスク管理表）のすすめ

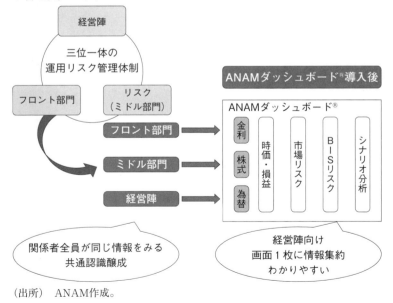

(出所)　ANAM作成。

「ANAMダッシュボード®」と書いてあるが、有価証券ポートフォリオをリスク・ファクター（収益源泉）ごとに整理して、運用全体をみえるようにしたらいいのではないかということである。メガバンクや一部の銀行では「こんなのは当たり前だ」ということですでに実施されていると思うが、弊社がいろいろ話をしている銀行のなかには、このあたりを整理しなければいけないという先もまだあると感じている。要旨はいたって簡単で、フロントもミドルも経営もリスク・ファクター（収益源泉）で整理した有価証券ポートフォリオをみて、今後どうするのか議論できるプラットフォームを皆で共有しようということである。

　本章後段で数字の入ったANAMダッシュボード®のサンプルを示すが、非常にわかりやすくできており、いままで運用に携わったことのない経営層の方にもご理解いただける内容になっている。

　それではまず現在の運用を一度リスク・ファクター別に整理をしてみよう、ということで整理をしたのが図表7－5である。

　図表7－5には「リスク・ファクター図」「有価証券ポートフォリオをリスク・ファクター（収益源泉）で整理する」と書いてある。いちばん左側の列（網掛部分）が「いままでのリスク管理（個別管理のイメージ）」である。ファンドなどはいろいろな投資対象が入っているものの、リスクのとらえ方としては一般的にファンドの基準価額の推移（ボラティリティやVaR）でみたり、外部システムを利用して基準価額の推移を金利や株などのリスク・ファクターで回帰分析をして、どのファクターの影響を受けているというような分析を行っている。しかしそれだけでは銀行全体としてどのリスク・ファクターにウェイトがかけられているのか、リスク・ファクター同士の相関が効いているのかなどを知ることができない。ファ

図表7-5 リスク・ファクター図

有価証券ポートフォリオをリスク・ファクター(収益源泉)で整理する

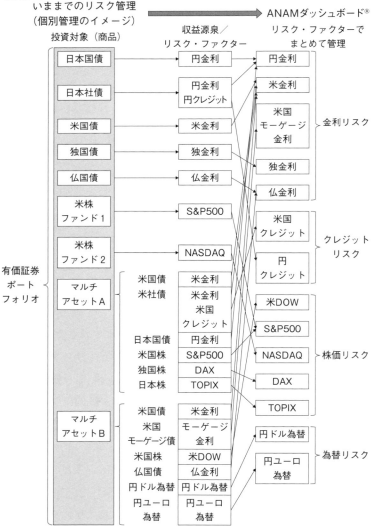

(出所) ANAM作成。

ンドであれば内容をしっかりみて、どのリスク・ファクター、ない
し収益源泉でファンドが構成されているのか、ということを整理し
たほうがよいと思われる。仕組債にも同じことがいえる。

　中央の列の下のほうに「マルチアセットＡ」や「マルチアセット
Ｂ」の中身をリスク・ファクターごとに分解した例が記載されてい
る。これはファンドのルックスルーを前提としている。

　ではルックスルーができない場合はどうするのか。それについて
は本章後段でトレーディングの話をするところで触れたい。

　この先マルチアセットや私募ファンドに投資するのであれば、購
入の前提として、運用会社や販売会社に必ずルックスルー・データ
の提供を約束させることが重要である。

　さて、リスク・ファクターごとにまとめ直したのが右側の列で、
金利リスク、クレジットリスク、株価リスク、為替リスク、それ以
外にもREITというように、どのリスクをとりにいっているのか収
益源泉ごとにまとめたものである。

(2)　ANAMダッシュボード®概観

　図表7－6と図表7－7でANAMダッシュボード®の具体的な事
例をみてみたい。

　弊社では図表7－6と図表7－7をあわせて「ANAMダッシュ
ボード®」と呼んでいる。ANAMダッシュボード®はポジションを
正確に管理するフロント・システムではなく、また精緻にリスクを
管理するシステムでもない。経営陣が、運用とリスク管理の両面を
同時にみることのできるマネジメント・インフォメーション・シス
テムといったほうがわかりやすい。ANAMダッシュボード®は有価
証券運用業務を行っていくうえで機長（経営者）が必要とする計器

第7章　リスク管理ツール／ANAMダッシュボード®　199

図表7−6　ANAMダッシュボード® 5,000億円の仮想ポートフォリオ

基本通貨　JPY　　JPY／USD 112.040　JPY／EUR 129.640　JPY／GBP 150.509　JPY／CAD 87.91　JPY／AUD 80.54
日付　2021／09／30　金曜日　　翌営業 2021／10／01　自己資本 70,000

資産クラス	リスク・ファクター		投資額／想定元本			最適ポートフォリオ					
			オン	オフ	比率	リスク（ANAM推計）	0.1%		リスク（直近1年）	0.1%	
						1.59%	1.69%	1.79%	1.07%	1.17%	1.27%
現金／為替	JPY		9,712	−2,249	1.49%	10.00%	10.00%	10.00%	10.00%	10.00%	10.00%
	USD		0	344	0.07%	0.00%	0.00%	0.00%	0.00%	0.00%	0.00%
	EUR		0	444	0.09%	0.00%	0.00%	0.00%	0.00%	0.00%	0.00%
	GBP		0	118	0.02%	0.00%	0.00%	0.00%	0.00%	0.00%	0.00%
	CAD		0	229	0.05%	0.00%	0.00%	0.00%	0.00%	0.00%	0.00%
	AUD		0	1,085	0.22%	0.00%	0.00%	0.00%	0.00%	0.00%	0.00%
	CNH		0	29	0.01%	0.00%	0.00%	0.00%	0.00%	0.00%	0.00%
	小計		9,712	0	1.94%	10.00%	10.00%	10.00%	10.00%	10.00%	10.00%
金利	国債地方債	円	250,974	0	50.16%	50.00%	50.00%	50.00%	29.36%	27.05%	24.44%
		米	33,167	0	6.63%	5.00%	5.00%	5.00%	5.00%	5.00%	5.00%
		独	3,063	0	0.61%	1.03%	2.40%	3.79%	0.00%	0.00%	0.00%
		仏	4,539	0	0.91%	4.13%	5.00%	5.00%	0.00%	0.00%	0.00%
		欧州周縁	3,222	0	0.64%	0.26%	0.42%	0.63%	5.00%	5.00%	5.00%
		英	178	0	0.04%	0.00%	0.00%	0.00%	0.00%	0.76%	2.15%
		加	774	0	0.15%	0.00%	0.00%	0.00%	0.00%	0.00%	0.00%
		豪	429	0	0.09%	5.00%	5.00%	5.00%	0.00%	0.00%	0.00%
		EM	511	0	0.10%	0.00%	0.00%	0.00%	2.00%	2.00%	2.00%
	クレジット	円	44,827	0	8.96%	5.87%	2.60%	2.00%	10.00%	10.00%	10.00%
		米	20,864	0	4.17%	0.00%	0.00%	1.02%	4.75%	5.00%	5.00%
		欧	972	0	0.19%	5.00%	5.00%	5.00%	5.00%	5.00%	5.00%
		丁	1,081	0	0.22%	0.00%	0.00%	0.00%	5.00%	5.00%	5.00%
	MBS	円	35,387	0	7.07%	0.00%	0.00%	0.00%	10.00%	10.00%	10.00%
		米	47,040	0	9.40%	5.00%	5.00%	2.47%	5.00%	5.00%	5.00%
	インフレリンク	米	2,450	0	0.49%	0.00%	0.00%	0.00%	0.00%	0.00%	0.00%
		欧	60	0	0.01%	0.00%	0.00%	0.00%	0.00%	0.00%	0.00%
	小計		449,537	0	89.84%	81.29%	80.42%	79.91%	81.11%	79.81%	78.60%
株式	日株		29,050	0	5.81%	2.00%	2.00%	2.00%	2.00%	2.00%	2.00%
	米株		4,550	0	0.91%	2.51%	2.82%	3.19%	1.71%	2.29%	2.81%
	欧株		551	0	0.11%	1.60%	1.71%	1.81%	0.16%	0.04%	0.00%
	英株		150	0	0.03%	0.00%	0.00%	0.00%	0.00%	0.00%	0.00%
	加株		392	0	0.08%	1.54%	1.75%	1.66%	1.69%	1.80%	1.87%
	豪株		240	0	0.05%	0.70%	0.83%	0.88%	1.63%	2.01%	2.35%
	EM株		31	0	0.01%	0.36%	0.46%	0.54%	0.15%	0.29%	0.41%
	小計		34,964	0	6.99%	8.71%	9.58%	10.09%	7.34%	8.42%	9.43%
不動産	日本		5,019	0	1.00%	0.00%	0.00%	0.00%	1.55%	1.77%	1.97%
	米国・欧州		1,165	0	0.23%	0.00%	0.00%	0.00%	0.00%	0.00%	0.00%
	小計		6,183	0	1.24%	0.00%	0.00%	0.00%	1.55%	1.77%	1.97%
	合計		500,396	0	100.00%	100.00%	100.00%	100.00%	100.00%	100.00%	100.00%
					1.53%	0.81%	0.88%	0.95%	1.89%	2.10%	2.31%

（注）　前提：2021年9月30日各ファクターの時価総額。ファンド等はルックス

全体像

z　17.31

(単位：百万円)

リターン				リスク			デルタ 金利10bp単位 その他1%単位		リスクバジェット		VaR	期待ショートフォール
期待(年率)ANAM推計	期待(年率)5年平均	実績(年率)2021/4/1~	実績2021/4/1~	完全相関(直近1年)	通常相関(直近1年)	ANAM推計	比率	金額	比率	JGB 10 Year equivalent	99 (10D)	97.5 (10D)
-0.10%	0.00%	0.00%	0.00%	0.00%			0.00%	0	0.00%	0.000	0	0
0.35%	0.07%	2.47%	1.24%	5.41%			100.00%	3	0.15%	0.013	-8	-11
-0.40%	0.79%	-0.34%	-0.17%	5.45%			100.00%	4	0.20%	0.016	-11	-14
0.20%	-0.40%	-2.34%	-1.17%	8.23%			100.00%	1	0.08%	0.007	-4	-6
0.35%	0.94%	0.23%	0.12%	8.21%			100.00%	2	0.16%	0.013	-9	-11
0.20%	0.21%	-8.86%	-4.44%	9.06%			100.00%	11	0.81%	0.066	-45	-56
1.60%	-0.15%	5.32%	2.67%	5.54%			100.00%		0.01%	0.001	-1	-1
0.00%	0.00%	-0.02%	-0.01%	0.03%	0.03%	0.05%	0.00%	22	1.41%	0.115	-78	-97
0.10%	-0.20%	0.16%	0.08%	0.59%			5.15	1,291	12.26%	1.000	-679	-848
1.20%	2.52%	4.90%	2.46%	4.78%			8.10	269	13.08%	1.067	-724	-905
1.14%	1.32%	-1.38%	-0.69%	3.06%			8.22	25	0.77%	0.063	-43	-54
1.50%	1.87%	-1.55%	-0.78%	3.04%			7.89	36	1.14%	0.093	-63	-79
1.72%	3.65%	-0.08%	-0.04%	3.07%			7.61	25	0.82%	0.066	-45	-56
1.25%	2.55%	-1.03%	-0.52%	4.15%			7.92	1	0.06%	0.005	-3	-4
1.03%	1.16%	3.05%	1.53%	4.82%			8.32	6	0.31%	0.025	-17	-21
0.87%	3.84%	5.98%	3.00%	5.40%			7.82	3	0.19%	0.016	-11	-13
0.05%	2.99%	5.97%	2.99%	1.50%			4.39	2	0.06%	0.005	-4	-4
0.21%	0.39%	1.08%	0.54%	0.82%			7.44	334	3.05%	0.249	-169	-211
2.76%	4.98%	7.07%	3.54%	4.72%			8.65	180	8.14%	0.664	-450	-563
1.91%	2.31%	0.75%	0.37%	1.51%			5.25	5	0.12%	0.010	-7	-8
0.43%	0.52%	-0.72%	-0.36%	0.77%			3.97	4	0.07%	0.006	-4	-5
0.18%	0.28%	0.97%	0.49%	0.72%			5.90	209	2.10%	0.171	-116	-145
0.48%	2.25%	-0.04%	-0.02%	1.31%			4.35	205	5.09%	0.415	-281	-352
2.15%	4.18%	11.13%	5.58%	4.71%			8.13	20	0.95%	0.078	-53	-66
0.96%	0.88%	6.49%	3.26%	2.14%			5.39	1	0.01%	0.001	-1	-1
0.37%	0.63%	0.91%	0.46%	1.17%	0.83%	1.42%	0.52%	2,616	48.23%	3.932	-2,669	-3,336
2.99%	11.02%	9.92%	4.97%	15.34%			100.00%	290	36.80%	3.001	-2,037	-2,546
5.97%	16.83%	18.31%	9.18%	13.77%			100.00%	45	5.17%	0.422	-286	-358
6.60%	9.96%	3.35%	1.68%	16.15%			100.00%	6	0.74%	0.060	-41	-51
4.82%	6.95%	15.41%	7.73%	14.42%			100.00%	2	0.18%	0.015	-10	-12
4.95%	10.95%	17.41%	8.73%	14.41%			100.00%	2	0.34%	0.028	-19	-23
5.35%	11.41%	20.22%	10.14%	12.36%			100.00%	2	0.24%	0.020	-14	-17
7.10%	13.08%	-6.50%	-3.26%	15.29%			100.00%	0	0.04%	0.003	-2	-3
0.24%	0.82%	0.77%	0.39%	1.05%	0.94%	1.15%	0.07%	350	43.51%	3.548	-2,408	-3,010
4.28%	7.19%	9.36%	4.69%	13.37%			100.00%	50	5.54%	0.452	-307	-383
8.15%	6.41%	21.07%	10.56%	13.52%			100.00%	12	1.30%	0.106	-72	-90
0.06%	0.09%	0.14%	0.07%	0.17%	0.15%	0.22%	0.01%	62	6.84%	0.558	-379	-473
0.67%	1.53%	1.81%	0.91%	2.42%	1.17%	1.69%	0.61%	3,050	100.00%	8.15	-5,534	-6,916
											-8%	-10%
											-2,673	-3,341
											-4%	-5%

ルーしてファクター別に整理。自己資本は700億円。

図表7－7　ANAMダッシュボード®　続き

資産クラス	リスク・ファクター		Max Draw Down									
			20080829-1028 リーマンショック	20200210-0319 コロナショック	20030613-0902 りそなショック	20130508-0625 バーナンキショック	20060113-0628 ライブドアショック	20011106-0206 米国同時多発テロ	20101006-0315 東日本大震災	20070507-0613 サブプライム危機	20150424-0825 チャイナショック	20180123-0214 VIXショック
現金／為替	JPY		0	0	0	0	0	0	0	0	0	0
	USD		−45	−1	−1	−5	6	35	−7	7	3	−10
	EUR		−115	−8	−43	−7	24	31	−7	0	30	−9
	GBP		−30	−13	−8	−2	5	8	−1	1	6	−4
	CAD		−68	−20	−8	−13	11	23	1	12	−16	−9
	AUD		−409	−160	−43	−115	−17	100	−6	39	−73	−45
	CNH		0	0	0	0	0	0	0	0	0	0
	小計		−668	−202	−102	−142	30	196	−20	59	−49	−76
金利	国債地方債	円	−388	−1,192	−9,679	−1,780	−3,963	−2,034	−2,276	−3,156	−270	73
		米	−77	886	−2,839	−1,917	−1,181	−916	−1,533	−1,134	−303	−695
		独	114	−64	−147	−104	−121	−68	−154	−76	−94	−50
		仏	147	−159	−226	−212	−182	−90	−198	−120	−183	−60
		欧州周縁	73	−152	−159	−185	−127	−52	−160	−79	−132	−33
		英	3	−3	−8	−9	−5	−3	−4	−3	−1	−3
		加	−5	19	−33	−37	−17	−13	−15	−22	11	−7
		豪	21	−8	−24	−18	−7	−15	0	−10	4	1
		EM	−121	4	−18	−7	−20	23	−23	−16	9	2
	クレジット	円	−462	−519	−2,153	−306	−997	−814	−828	−585	−38	49
		米	−2,739	−2,567	−1,266	−1,211	−565	−257	−244	−574	−707	−429
		欧	−59	−79	−24	−27	−23	−8	−18	−13	−25	−9
		丁	40	−10	−52	−22	−43	−24	−60	−27	−10	−3
	MBS	円	−177	−256	−3,120	−428	−738	88	−670	−556	−127	25
		米	−490	−311	−661	−1,907	−880	170	269	−973	−208	−683
	インフレリンク	米	−308	−173	−153	−234	−67	−51	−17	−62	−81	−46
		欧	−2	−3	−2	−1	−2	0	−1	−1	−2	0
	小計		−4,431	−4,588	−20,562	−8,405	−8,939	−4,064	−5,931	−7,407	−2,156	−1,869
株式	日株		−10,750	−7,361	4,883	−2,790	−2,506	−3,850	−2,637	217	−3,295	−3,165
	米株		−1,203	−1,271	170	−111	−109	−128	522	30	−508	−219
	欧株		−137	−199	69	−29	−3	11	33	11	−79	−50
	英株		−45	−45	4	−10	2	−4	2	0	−19	−10
	加株		−130	−122	33	−17	−5	21	37	1	−54	−24
	豪株		−61	−74	12	−23	11	12	−4	−5	−29	−7
	EM株		−15	−9	5	−5	−2	6	0	1	−8	−2
	小計		−12,343	−9,081	5,176	−2,985	−2,611	−3,932	−2,047	254	−3,991	−3,477
不動産	日本		−2,179	−2,404	−82	−934	132	−665	−161	−470	−750	−296
	米国・欧州		−465	−462	56	−157	57	50	54	−60	−123	−82
	小計		−2,644	−2,866	−26	−1,091	189	−615	−107	−530	−873	−378
	合計		−20,085	−16,738	−15,514	−12,624	−11,331	−8,415	−8,104	−7,623	−7,069	−5,799
			−29%	−24%	−22%	−18%	−16%	−12%	−12%	−11%	−10%	−8%

（注）　前提：リスクアセット、IRRBB（ΔEVEとΔNII）もモニタリング。

（単位：百万円）

リスクアセット		IRRBB（ΔEVE）						IRRBB（ΔNII）		IRRBB変動幅		
金額	掛目	平行シフト（上方）	平行シフト（下方）	スティープニング	フラットニング	短期金利上昇	短期金利低下	平行シフト（上方）	平行シフト（下方）	平行シフト	短期	長期
1,493	0.20											
69	0.20											
89	0.20											
24	0.20											
46	0.20											
217	0.20											
6	0.20											
1,942	0.20											
0	0.00	−12,913	12,913	−6,091	2,753	−3,568	3,568	0	0	100	100	100
0	0.00	−5,374	5,374	−2,457	1,248	−1,064	1,064	0	0	200	300	150
0	0.00	−503	503	−145	67	−81	81	0	0	200	250	100
0	0.00	−716	716	−197	85	−125	125	0	0	200	250	100
0	0.00	−491	491	−128	52	−91	91	0	0	200	250	100
0	0.00	−35	35	−13	6	−6	6	0	0	250	300	150
0	0.00	−129	129	−60	31	−24	24	0	0	200	300	150
0	0.00	−101	101	−38	17	−21	21	0	0	300	450	200
0	0.00	−45	45	−6	−5	−22	22	0	0	200	300	150
22,413	0.50	−3,335	3,335	−2,197	1,274	−519	519	0	0	100	100	100
10,432	0.50	−3,610	3,610	−1,752	939	−623	623	0	0	200	300	150
486	0.50	−102	102	−24	1	−41	41	0	0	200	300	150
540	0.50	−86	86	−6	−14	−48	48	0	0	200	300	150
3,539	0.10	−2,088	2,088	−1,139	584	−478	478	0	0	100	100	100
0	0.00	−4,093	4,093	−1,546	525	−1,379	1,379	0	0	200	200	200
0	0.00	−398	398	−183	93	−78	78	0	0	200	300	150
0	0.00	−6	6	−1	0	−2	2	0	0	200	250	100
37,411	0.08	−34,024	34,024	−15,980	7,658	−8,170	8,170	0	0			
29,050	1.00											
4,550	1.00											
551	1.00											
150	1.00											
392	1.00											
240	1.00											
31	1.00											
34,964	1.00											
5,019	1.00											
1,165	1.00											
6,183	1.00											
80,500	0.16	−34,024	34,024	−15,980	7,658	−8,170	8,170	0	0			

類を示しているといえる。

　各項目の詳細は追って説明するが、ANAMダッシュボード®（図表7－6）のいちばん左側の列には「リスク・ファクター」ごとの投資額と比率が記載されており、次の「最適ポートフォリオ」では、銀行のインデックスないし目標となるような運用比率が出ている。そして、「期待リターン」や「実績リターン」「リスク量」、あるいは市場感応度を表す「デルタ」が続く。あまり耳にしない言葉かもしれないが、「リスクバジェット」は、ポートフォリオ全体に占める各リスク・ファクターのリスク量という、非常に役立つリスク指標である。それからVaR、バーゼルⅢで導入される期待ショートフォール。そして、図表7－7のMax Draw Down（マックス・ドローダウン）は、いわゆるポートフォリオ全体の過去からの損益シミュレーションである。さらに、通常は月末にしか報告されないリスクアセット、最後にIRRBBで、これにはNIIも含まれる。そういう有価証券運用に必要な計器類を1枚にしてみようというものである。

(3)　投資額／想定元本

　それでは各項目についてもう少し詳しく解説する。

　図表7－8をご覧いただきたい。

　まずいちばん左の列は①投資額／想定元本である。ここでは2021年9月末現在で時価5,000億円の有価証券運用を行っていて、自己資本の額が700億円の銀行を仮定している。資産クラスが大枠で表記され、そのなかに各種リスク・ファクターが記載されている。為替のJPYは円で、円キャッシュを表す。USD（米ドル）、EUR（ユーロ）、GBP（英ポンド）、CAD（カナダドル）、AUD（オーストラリア

図表7－8　ANAMダッシュボード®①：投資額／想定元本 (単位：百万円)

資産クラス	リスク・ファクター		投資額／想定元本		
			オン	オフ	比率
現金／為替		JPY	9,712	−2,249	1.49%
		USD	0	344	0.07%
		EUR	0	444	0.09%
		GBP	0	118	0.02%
		CAD	0	229	0.05%
		AUD	0	1,085	0.22%
		CNH	0	29	0.01%
	小計		9,712	0	1.94%
金利	国債 地方債	円	250,974	0	50.16%
		米	33,167	0	6.63%
		独	3,063	0	0.61%
		仏	4,539	0	0.91%
		欧州周縁	3,222	0	0.64%
		英	178	0	0.04%
		加	774	0	0.15%
		豪	429	0	0.09%
		EM	511	0	0.10%
	クレジット	円	44,827	0	8.96%
		米	20,864	0	4.17%
		欧	972	0	0.19%
		丁	1,081	0	0.22%
	MBS	円	35,387	0	7.07%
		米	47,040	0	9.40%
	インフレ リンク	米	2,450	0	0.49%
		欧	60	0	0.01%
	小計		449,537	0	89.84%
株式		日株	29,050	0	5.81%
		米株	4,550	0	0.91%
		欧株	551	0	0.11%
		英株	150	0	0.03%
		加株	392	0	0.08%
		豪株	240	0	0.05%
		EM株	31	0	0.01%
	小計		34,964	0	6.99%
不動産		日本	5,019	0	1.00%
		米国・欧州	1,165	0	0.23%
	小計		6,183	0	1.24%
	合計		500,396	0	100.00%

1.53%

> **有価証券ポートフォリオをリスク・ファクターごとに整理
> その時価（注）を記載**
> ☞ 　有価証券全体で5,000億円　（100％）
> ☞ 　債券は約4,500億円　（90％）
> ☞ 　株式が約350億円　（7％）
> ☞ 　REITが62億円　（1.2％）
> ☞ 　キャッシュが97億円　（1.5％）
> ☞ 　ファンド、仕組債・仕組ローン等はルックスルーして
> 　　ファクターごとに整理
>
> 運用において投資ユニバースの範囲をどうするのかがまず基本

（注）　基準日時点（2021年9月30日）残高の時価。

ドル）、そして最近は中国への投資も出てきているのでCNH（オフショア人民元）のポジションが円建てで記載されている。

　金利については国債・地方債ということで、円債、米国債、ドイツ国債、フランス国債があり、欧州周縁はスペイン、イタリア、ポルトガル等である。加えて英国、カナダ、オーストラリアが続き、エマージングは中国を想定している。クレジットも円などが入っており、「丁」と書いてあるのはデンマークである。MBS（モーゲージバックドセキュリティ）は住宅ローン債券で、日米があり、インフレリンク債も米国と欧州がある。株については欧州までカバーしており、一部中国株も入っている。不動産はREITで、ここでは米国と欧州をひとまとめにしている。

　数字はすべて2021年9月末日の時価であり、右側に全体を100％としたときの各比率がある。したがって、5,000億円を100％と考えたときに、この銀行の有価証券ポートフォリオは債券が約90％、株が約7％、その他が少しということになる。

　大事なことは、有価証券運用におけるリスク・ファクター（収益

源泉）を何にするのか、すなわち投資ユニバースをどうしたらよいのかということだ。もちろん期初にすべてが決まるわけではなく、新しいリスク・ファクターが逐次選択されたり、既存のリスク・ファクターが落とされたりする。重要なことは、有価証券運用で何に投資していくのかを経営陣を交えて議論することである。

⑷　リターン

続いて図表7－9をご覧いただきたい。

白地の列は、2021年4月1日の期初から9月末までのリターン、実績の年率と騰落率を示している。小計は資産クラスごとのリターンで、合計はポートフォリオ全体のリターンを示している。

ここではその左側に注目してほしい。投資ユニバースを想定したら、各リスク・ファクターの期待リターンはどの程度見込むのか、収益が実際にどの程度稼げるのかを推計しなければならない。ANAMダッシュボード®ではすべて総合損益ベースで表記しているが、いちばん簡単な推計方法は過去何年間かの平均値を使い、それが今後も続くという前提で考えるという方法である。リターンの2列目は、5年間の実績リターンの平均を使用している。リターンの1列目は、弊社「ANAM推計」とあり、これは過去10年間の均衡リターン、すなわち世界の全資産は最適な配分にあるという前提のもとで、そこから逆算された期待リターンである。

世の中には数多くの運用会社があって、銀行のポートフォリオ分析を手伝ったり、マルチアセット・ファンドを提供したり投資アドバイスを行っている。では、運用会社各社でいったい何が違うのかといえば、投資ユニバースの違いを除くと、実はリスク・ファクターのリターンをどう推計しているのか、という点に集約されるの

図表7－9　ANAMダッシュボード®②：リターン

資産クラス	リスク・ファクター		リターン			
			期待（年率）ANAM推計	期待（年率）5年平均	実績（年率）2021/4/1～	実績 2021/4/1～
現金／為替	JPY		−0.10%	0.00%	0.00%	0.00%
	USD		0.35%	0.07%	2.47%	1.24%
	EUR		−0.40%	0.79%	−0.34%	−0.17%
	GBP		0.20%	−0.40%	−2.34%	−1.17%
	CAD		0.35%	0.94%	0.23%	0.12%
	AUD		0.20%	0.21%	−8.86%	−4.44%
	CNH		1.60%	−0.15%	5.32%	2.67%
小計			0.00%	0.00%	−0.02%	−0.01%
金利	国債地方債	円	0.10%	−0.20%	0.16%	0.08%
		米	1.20%	2.52%	4.90%	2.46%
		独	1.14%	1.32%	−1.38%	−0.69%
		仏	1.50%	1.87%	−1.55%	−0.78%
		欧州周縁	1.72%	3.65%	−0.08%	−0.04%
		英	1.25%	2.55%	−1.03%	−0.52%
		加	1.03%	1.16%	3.05%	1.53%
		豪	0.87%	3.84%	5.98%	3.00%
		EM	0.05%	2.99%	5.97%	2.99%
	クレジット	円	0.21%	0.39%	1.08%	0.54%
		米	2.76%	4.98%	7.07%	3.54%
		欧	1.91%	2.31%	0.75%	0.37%
		丁	0.43%	0.52%	−0.72%	−0.36%
	MBS	円	0.18%	0.28%	0.97%	0.49%
		米	0.48%	2.25%	−0.04%	−0.02%
	インフレリンク	米	2.15%	4.18%	11.13%	5.58%
		欧	0.96%	0.88%	6.49%	3.26%
小計			0.37%	0.63%	0.91%	0.46%
株式	日株		2.99%	11.02%	9.92%	4.97%
	米株		5.97%	16.83%	18.31%	9.18%
	欧株		6.60%	9.96%	3.35%	1.68%
	英株		4.82%	6.95%	15.41%	7.73%
	加株		4.95%	10.95%	17.41%	8.73%
	豪株		5.35%	11.41%	20.22%	10.14%
	EM株		7.10%	13.08%	−6.50%	−3.26%
小計			0.24%	0.82%	0.77%	0.39%
不動産	日本		4.28%	7.19%	9.36%	4.69%
	米国・欧州		8.15%	6.41%	21.07%	10.56%
小計			0.06%	0.09%	0.14%	0.07%
合計			0.67%	1.53%	1.81%	0.91%

リスク・ファクターごとのリターンを記載する

☞　ここでリターンは総合損益ベース

☞　期待（年率）ANAM推計は各ファクターの過去10年間の均衡リ
　　　　ターンをベースとした利回り

☞　期待（年率）は各ファクターの5年平均の年率リターン

☞　実績（年率）は各ファクターの期初（2021年4月1日）からの年
　　　　率リターン

☞　実績は期初からの単純な騰落率（注）

1．有価証券ポートフォリオを構築するうえで、リスク・ファク
　　ターの総合損益をどう推計するのかが非常に重要

2．単純に過去平均を使うのか、それとも運用者の予想を入れて推
　　計するのか、運用会社もここをどう推計するかでそれぞれ特徴
　　が出てくる

3．フロント・ミドル・経営陣が期初に（その後最低3カ月に一度
　　は）議論すべき重要なテーマ

（注）　②損益の実績／①投資額。

ではないかと思う。したがって運用会社を比較するのであれば「リ
ターンはどのように推計されていますか」と質問するのがベターで
あろう。有価証券運用業務を行ううえで、リスク・ファクターにど
ういう収益が期待できるのかを認識することが運用の第一歩とな
る。

⑸　**リスク（vol）**

次に図表7-10をご覧いただきたい。

リターンが決まれば当然リスクという話になる。しかしリスクの
場合、それを推計しろといってもむずかしいので、データとしては
過去の実績値を使うしかない。VaRにしてもシミュレーションにし
ても過去のデータを使用して将来の可能性を推計する以外にリスク

図表7−10　ANAMダッシュボード®③：リスク（Vol）／Volatility

資産クラス	リスク・ファクター		リスク		
			完全相関 （直近1年）	通常相関 （直近1年）	ANAM推計
現金／為替	JPY		0.00%		
	USD		5.41%		
	EUR		5.45%		
	GBP		8.23%		
	CAD		8.21%		
	AUD		9.06%		
	CNH		5.54%		
小計			0.03%	0.03%	0.05%
金利	国債 地方債	円	0.59%		
		米	4.78%		
		独	3.06%		
		仏	3.04%		
		欧州周縁	3.07%		
		英	4.15%		
		加	4.82%		
		豪	5.40%		
		EM	1.50%		
	クレジット	円	0.82%		
		米	4.72%		
		欧	1.51%		
		丁	0.77%		
	MBS	円	0.72%		
		米	1.31%		
	インフレ リンク	米	4.71%		
		欧	2.14%		
小計			1.17%	0.83%	1.42%
株式	日株		15.34%		
	米株		13.77%		
	欧株		16.15%		
	英株		14.42%		
	加株		10.44%		
	豪株		12.36%		
	EM株		15.29%		
小計			1.05%	0.94%	1.15%
不動産	日本		13.37%		
	米国・欧州		13.52%		
小計			0.17%	0.15%	0.22%
合計			2.42%	1.17%	1.69%

リスク・ファクターごとのリスク（Vol／変動率）

☞ リスク（Vol）はリスク・ファクターごとの変動率で、過去１年間の日々の変動率の標準偏差を年率換算した数字　常に実績値が使われる

☞ 小計はポートフォリオ全体に占める各資産クラスの変動率

☞ 合計は各資産クラスの小計の合計、すなわちポートフォリオ全体の変動率

☞ 完全相関は相関係数が１、すなわちファクターすべてが下落する場合が想定され、最大で2.42％のリスクとなる

☞ 通常相関は資産クラス間の過去１年の相関を考慮したリスク

☞ ANAM推計は資産クラス間の過去10年の相関を考慮したリスク

完全相関時のポートフォリオのリスクは2.42％、通常相関時は1.17％で金利と株式の相関が働きリスクを一定量削減している

を表現できない。図表７－10では収益源泉たるリスク・ファクターの過去１年間のボラティリティ（変動率）を入れている。３列記載があるが、１列目は「完全相関」といって、ファクター間すべての相関が１としているので、株も債券もREITも価格がすべて下落するなどポートフォリオすべてがやられるような最悪の事態を視野に入れている。とはいうものの株価が下落するときは債券価格が上昇する場合が一般的で、直近１年間の相関を使用する「通常相関」や、長い目でみたいということであれば「ANAM推計」のように過去10年間の相関を使用したりする。5,000億円の有価証券ポートフォリオは完全相関でみるとリスクは年2.42％、直近１年の通常相関でみると1.17％、ANAM推計でも1.69％である。つまり実際のリスクは完全相関ではなく、ポートフォリオ内で相殺される部分が多いということになる。

第７章　リスク管理ツール／ANAMダッシュボード®　211

⑹　最適ポートフォリオ

次の図表 7 −11をご覧いただきたい。

投資ユニバースとリスク・ファクター、それらの期待リターンを推計し、実績値としてのリスクが用意されれば、それらに基づいて「最適ポートフォリオ」を計算することができる。「最適ポートフォリオ」というのは、希望するリターンを導き出すのに最もリスク量の少ない資産クラス（ここではリスク・ファクター）の組合せ（比率）を計算したものである。リターンに対する最小リスクの点をつなげた曲線が「効率的フロンティア」と呼ばれる。図表 7 −11の次頁に効率的フロンティアの図が描かれている。

いちばん左側にはポートフォリオの各残高の比率が出ていて、過去 5 年平均のリターンを参考にすると、最下部に書かれているように現状は1.53％のリターンが期待できる。次に最適ポートフォリオと書かれたところの列、リスク（直近 1 年）1.17％をみると、下に書かれている期待リターンは2.10％になっている。すなわち同じ1.17％というリスクをとるのであれば、リスク・ファクターのウェイトを変えることで1.53％から2.10％へとリターンが上昇することを期待できるということになる。

現在ポートフォリオ全体のうち金利ファクターが89.84％で、円債中心に債券が 9 割近くある。また株式をみると、日本株を中心に株式が6.99％ある。一方、最適化されたポートフォリオをみると、円債を大きく減らしてその分キャッシュ比率を上げる格好になっている。債券の中身も米国債のウェイトをやや落として、欧州周辺やエマージング（ここでは中国国債）などに分散が図られている。株式についても全体的にウェイトを少し上げつつ、日本株から米国や

図表7−11　ANAMダッシュボード®④：最適ポートフォリオを考える

資産クラス	リスク・ファクター		投資額／想定元本 比率	最適ポートフォリオ					
				リスク（ANAM推計）0.1%			リスク（直近1年）0.1%		
				1.59%	1.69%	1.79%	1.07%	1.17%	1.27%
現金／為替	JPY		1.49%	10.00%	10.00%	10.00%	10.00%	10.00%	10.00%
	USD		0.07%	0.00%	0.00%	0.00%	0.00%	0.00%	0.00%
	EUR		0.09%	0.00%	0.00%	0.00%	0.00%	0.00%	0.00%
	GBP		0.02%	0.00%	0.00%	0.00%	0.00%	0.00%	0.00%
	CAD		0.05%	0.00%	0.00%	0.00%	0.00%	0.00%	0.00%
	AUD		0.22%	0.00%	0.00%	0.00%	0.00%	0.00%	0.00%
	CNH		0.01%	0.00%	0.00%	0.00%	0.00%	0.00%	0.00%
	小計		1.94%	10.00%	10.00%	10.00%	10.00%	10.00%	10.00%
金利	国債地方債	円	50.16%	50.00%	50.00%	50.00%	29.36%	27.05%	24.44%
		米	6.63%	5.00%	5.00%	5.00%	5.00%	5.00%	5.00%
		独	0.61%	1.03%	2.40%	3.79%	0.00%	0.00%	0.00%
		仏	0.91%	4.13%	5.00%	5.00%	0.00%	0.00%	0.00%
		欧州周縁	0.64%	0.26%	0.42%	0.63%	5.00%	5.00%	5.00%
		英	0.04%	0.00%	0.00%	0.00%	0.00%	0.76%	2.15%
		加	0.15%	0.00%	0.00%	0.00%	0.00%	0.00%	0.00%
		豪	0.09%	5.00%	5.00%	5.00%	0.00%	0.00%	0.00%
		EM	0.10%	0.00%	0.00%	0.00%	2.00%	2.00%	2.00%
	クレジット	円	8.96%	5.87%	2.60%	2.00%	10.00%	10.00%	10.00%
		米	4.17%	0.00%	0.00%	1.02%	4.75%	5.00%	5.00%
		欧	0.19%	5.00%	5.00%	5.00%	5.00%	5.00%	5.00%
		丁	0.22%	0.00%	0.00%	0.00%	5.00%	5.00%	5.00%
	MBS	円	7.07%	0.00%	0.00%	0.00%	10.00%	10.00%	10.00%
		米	9.40%	5.00%	5.00%	2.47%	5.00%	5.00%	5.00%
	インフレリンク	米	0.49%	0.00%	0.00%	0.00%	0.00%	0.00%	0.00%
		欧	0.01%	0.00%	0.00%	0.00%	0.00%	0.00%	0.00%
	小計		89.84%	81.29%	80.42%	79.91%	81.11%	79.81%	78.60%
株式	日株		5.81%	2.00%	2.00%	2.00%	2.00%	2.00%	2.00%
	米株		0.91%	2.51%	2.82%	3.19%	1.71%	2.29%	2.81%
	欧株		0.11%	1.60%	1.71%	1.81%	0.16%	0.04%	0.00%
	英株		0.03%	0.00%	0.00%	0.00%	0.00%	0.00%	0.00%
	加株		0.08%	1.54%	1.75%	1.66%	1.69%	1.80%	1.87%
	豪株		0.05%	0.70%	0.83%	0.88%	1.63%	2.01%	2.35%
	EM株		0.01%	0.36%	0.46%	0.54%	0.15%	0.29%	0.41%
	小計		6.99%	8.71%	9.58%	10.09%	7.34%	8.42%	9.43%
不動産	日本		1.00%	0.00%	0.00%	0.00%	1.55%	1.77%	1.97%
	米国・欧州		0.23%	0.00%	0.00%	0.00%	0.00%	0.00%	0.00%
	小計		1.24%	0.00%	0.00%	0.00%	1.55%	1.77%	1.97%
	合計		100.00%	100.00%	100.00%	100.00%	100.00%	100.00%	100.00%
			1.53%	0.81%	0.88%	0.95%	1.89%	2.10%	2.31%

第7章　リスク管理ツール／ANAMダッシュボード®　213

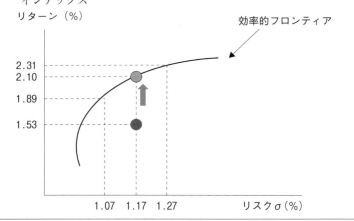

先進国の株式へと分散が図られている。

期待リターンはANAM推計（リスクが過去10年間の相関を使用）がよいのか、それとも直近1年なのか。どちらから導き出される最適化数値を参考にしても問題はない。ポイントは、経営陣としてどの期待リターン推計に賛成できるかである。最適化されたポートフォリオは銀行の有価証券ポートフォリオの「インデックス」あるいは「指標」になる。そうなると、銀行はそのインデックス対比で自分の運用パフォーマンスを評価することが可能になる。いままで

は自らのパフォーマンスをどう評価したらよいのかはっきりしな
かった。もちろん債券であれば野村BPI、株であればTOPIXという
ようにファクターごとのインデックスに対比させることは以前から
可能だった。しかし、地域銀行は資本制約や預金を背景にしている
ところから、運用では過度なリスクがとれない。そうなると個別資
産よりもポートフォリオ全体のインデックスが重要となる。銀行に
よって投資ユニバースや期待リターンの推計が異なり、自己資本の
バッファーにも違いがあるため、地域銀行共通のインデックスには
そもそも無理がある。したがって、銀行は自らの制約条件下で計算
される最適ポートフォリオをインデックスとして運用を管理してい
くことが重要となる。

　テクニカルにはこの最適ポートフォリオも定期的に見直す必要が
ある。運用会社では最低3カ月に1回、データを入れ直し最適化計
算を実施している。したがってインデックスも時間の経過とともに
変わることになる。

⑺　デルタ（Δ）／ファクターの感応度

　続いて図表7-12をご覧いただきたい。

　デルタはよく知られたリスク指標だが、ここではファクターの感
応度であるから、金利なら修正デュレーション、それ以外はリス
ク・ファクターが1％動いたら資産価格も1％動くので100％とい
う表示になっている。実額としてどれくらい動くかも示してある。
金利がこれだけ上がった、あるいは株がこれだけ下がったというと
きに、ポートフォリオ全体の損益がどれだけ動くのかを直感的に理
解できるという意味でデルタは引き続き重要な指標である。

第7章　リスク管理ツール／ANAMダッシュボード®　215

図表7−12　ANAMダッシュボード®⑤：デルタ（Δ）／ファクターの感応度

（単位：百万円）

資産クラス	リスク・ファクター		デルタ 金利10bp単位 その他1単位	
			比率	金額
現金／為替	JPY		0.00%	0
	USD		100.00%	3
	EUR		100.00%	4
	GBP		100.00%	1
	CAD		100.00%	2
	AUD		100.00%	11
	CNH		100.00%	
	小計		0.00%	22
金利	国債 地方債	円	5.15	1,291
		米	8.10	269
		独	8.22	25
		仏	7.89	36
		欧州周縁	7.61	25
		英	7.92	1
		加	8.32	6
		豪	7.82	3
		EM	4.39	2
	クレジット	円	7.44	334
		米	8.65	180
		欧	5.25	5
		丁	3.97	4
	MBS	円	5.90	209
		米	4.35	205
	インフレリンク	米	8.13	20
		欧	5.39	0
	小計		0.52%	2,616
株式	日株		100.00%	290
	米株		100.00%	45
	欧株		100.00%	6
	英株		100.00%	2
	加株		100.00%	4
	豪株		100.00%	2
	EM株		100.00%	0
	小計		0.07%	350
不動産	日本		100.00%	50
	米国・欧州		100.00%	12
	小計		0.01%	62
	合計		0.61%	3,050

リスク・ファクターごとのデルタ（感応度）と実額

☞　金利はデュレーションと10bpvの実額

☞　その他はリスク・ファクターが1％動いたときの実額

金利、株など相場の動きに関して銀行のポートフォリオの損益がどの程度上下するのか理解できる

---

(8)　リスクバジェット

　次の図表7 –13をご覧いただきたい。

　「リスクバジェット」は聞きなれない言葉かもしれない。しかし、運用会社では標準的な指標である。リーマンショック以降、特に「マルチアセット」という幅広い投資ユニバースでリスク・ファクターのリバランスをしながら運用する必要性が高まり、「リスクバジェット」は各リスク・ファクターのバランスをみるうえで重要な指標として使われている。その中身は意外にシンプルである。

　「リスクバジェット」は、ポートフォリオ全体のリスク量を100％としたとき、各リスク・ファクターの残高に応じてどの程度の予算（リスク量ないし資本）を割り当てているかを示している。ルーレットを思い起こしていただきたい。赤黒どちらかに賭ける場合の倍率は2倍、数字1点賭けは36倍（2点賭けは18倍、4点賭けは9倍）の倍率である。5ドルチップ20枚（100ドル）をもってルーレットに賭けるとすると、どこにどれだけ張っているのかがリスクバジェットとなる。赤黒は2倍なので、おおむね50％の確率でチップが倍になる（なお0、00の場合は赤黒どちらに賭けていても賭金は戻ってこない）。数字1点賭けにすると当たれば36倍になるが、チップを失う可能性は赤黒以上に高くなる。有価証券運用は確率ではないので、

第7章　リスク管理ツール／ANAMダッシュボード®　217

図表7－13　ANAMダッシュボード®⑥：リスクバジェット

資産クラス	リスク・ファクター		リスクバジェット	
			比率	JGB 10 Year equivalent
現金／為替	JPY		0.00%	0.000
	USD		0.15%	0.013
	EUR		0.20%	0.016
	GBP		0.08%	0.007
	CAD		0.16%	0.013
	AUD		0.81%	0.066
	CNH		0.01%	0.001
小計			1.41%	0.115
金利	国債 地方債	円	12.26%	1.000
		米	13.08%	1.067
		独	0.77%	0.063
		仏	1.14%	0.093
		欧州周縁	0.82%	0.066
		英	0.06%	0.005
		加	0.31%	0.025
		豪	0.19%	0.016
		EM	0.06%	0.005
	クレジット	円	3.05%	0.249
		米	8.14%	0.664
		欧	0.12%	0.010
		丁	0.07%	0.006
	MBS	円	2.10%	0.171
		米	5.09%	0.415
	インフレリンク	米	0.95%	0.078
		欧	0.01%	0.001
小計			48.23%	3.932
株式	日株		36.80%	3.001
	米株		5.17%	0.422
	欧株		0.74%	0.060
	英株		0.18%	0.015
	加株		0.34%	0.028
	豪株		0.24%	0.020
	EM株		0.04%	0.003
小計			43.51%	3.548
不動産	日本		5.54%	0.452
	米国・欧州		1.30%	0.106
小計			6.84%	0.558
合計			100.000%	8.15

> **リスクバジェットは③でみた各リスク・ファクターのリスクをみやすくするために100分率で示した数字**
>
> ☞ ①でみた各リスク・ファクターの時価に③のリスク（Vol）を乗じた数字を、それらをすべて合計した数字で割った比率
>
> ☞ ③でみたポートフォリオ全体のリスク（Vol）2.42％を100と置きなおした場合の各リスク・ファクターの比率
>
> 各リスク・ファクターのリスク状況を同じ尺度でとらえることができる
>
> あるいは、ポートフォリオ全体からみた各リスク・ファクターのリスク度合いを一瞥できる
>
> したがってリスク・ファクターの残高を調整する際、何をどの程度動かせばポートフォリオがどうなるのか非常にわかりやすい

ルーレットの例がぴったり当てはまるとはいえないが、たとえば、債券投資が赤黒、個別株投資が1点、2点賭けと置き換えてみると理解しやすいかと思う。

　図表7−13のリスクバジェットを使って具体的に説明しよう。金利のところをみると小計48.23％というリスクバジェットが出ている。株式をみていただくと小計43.51％というリスクバジェットが出ている。すなわち、5,000億円のうちの資金的には4,500億円が債券に、350億円が株に投資されているものの、リスクにさらされている資本は債券が48.23％、一方株式が43.51％とおおむね拮抗している。ルーレットのチップでいうと債券に11枚、株式に9枚張っているようなものである。

　したがって、もう少しリスクをとりたいということであれば、投資額でいうと、たとえば株式1に対して債券6なり7を購入すれば、同じウェイトでリスクバジェットを維持することができる。逆に相場が大きく下がったときに、とかく「VaRリミットに抵触した

第7章　リスク管理ツール／ANAMダッシュボード®　219

のでやられたものを売れ」という話になりがちであるが、そうすると大概相場が反転して、「実は底値で切ってしまって……」という話をよく聞く。相場の回復をにらみながら自己資本へのインパクトを軽減するのであれば、債券と株式のバランスをとりながらエクスポージャーを減らすことが可能である。株ないし債券だけを売ってしまって、次になかなかポジションがとれず、戻り相場を享受できないという機会損失リスクも軽減できる。リスクバジェットがすべてではないが、市場全体の動きにあわせてリスク・ファクターのバランスを調整していくのに、とても合理的で判断しやすい材料を提供してくれる。

右側に「JGB10年」というのがあるが、これは10年国債のリスク量に比べてどうかということで、たとえば円金利のところは1.0になっている。円債のリスクを1としたら日本株のリスクは3で、日本株は円債のおおむね3倍の動きをするという意味である。指標は10年国債でなくてもかまわない。

(9) 期待ショートフォール

続いて図表7-14をご覧いただきたい。

VaRはよく知られている指標で、ここではリスク・ファクターごとに保有期間10日、信頼区間99％の数値が示されている。99％の信頼区間でそれぞれのファクターのVaR値を合計すると、5,000億円の有価証券に対して55.3億円になる。期待ショートフォールはバーゼルⅢで求められている。計算方法についてはまだ最終的に定まっていない部分があり、各国規制当局が国内でどのように適用するかも決まっていない。VaR値を超えるテールリスクを示す指標が期待ショートフォールであり、ここでは期待ショートフォールとして、

図表7-14　ANAMダッシュボード®⑦：期待ショートフォール

（単位：百万円）

資産クラス	リスク・ファクター		VaR	期待ショートフォール
			99%（10D）	97.5%（10D）
現金／為替		JPY	0	0
		USD	-8	-11
		EUR	-11	-14
		GBP	-4	-6
		CAD	-9	-11
		AUD	-45	-56
		CNH	-1	-1
小計			-78	-97
金利	国債地方債	円	-679	-848
		米	-724	-905
		独	-43	-54
		仏	-63	-79
		欧州周縁	-45	-56
		英	-3	-4
		加	-17	-21
		豪	-11	-13
		EM	-4	-4
	クレジット	円	-169	-211
		米	-450	-563
		欧	-7	-8
		丁	-4	-5
	MBS	円	-116	-145
		米	-281	-352
	インフレリンク	米	-53	-66
		欧	-1	-1
小計			-2,669	-3,336
株式		日株	-2,037	-2,546
		米株	-286	-358
		欧株	-41	-51
		英株	-10	-12
		加株	-19	-23
		豪株	-14	-17
		EM株	-2	-3
小計			-2,408	-3,010
不動産		日本	-307	-383
		米国・欧州	-72	-90
小計			-379	-473
合計			-5,534	-6,916
			-8%	-10%
			-2,673	-3,341
			-4%	-5%

第7章　リスク管理ツール／ANAMダッシュボード®　221

> **期待ショートフォールは厳しめのVaR**
> **（バーゼルⅢで求められる）**
> ☞　各リスク・ファクターの保有期間10日
> ☞　観測期間 1 年
> ☞　信頼区間97.5％を超える部分の平均値
> ☞　おおむね信頼区間99％のVaRの1.25倍の数値（ANAM概算方法）

　t 分布を使用してVaR値を超える部分の平均的な損失額を算出している（詳細は本章末コラムの「期待ショートフォールに関する補論」を参照）。結果は99％のVaR値のおおむね1.25倍の69.1億円と表示されている。VaRと期待ショートフォールの合計の下に記載された▲8 ％、▲10％は銀行の自己資本700億円に対するそれぞれの比率である。

　最下段の網掛のところは、リスク・ファクター間の通常相関（リスク・ファクター間の過去 1 年の相関）を考慮した数字で、VaR値が26.7億円で期待ショートフォール値が33.4億円で、自己資本に対する比率はそれぞれ▲ 4 ％と▲ 5 ％になっている。

　あくまでも10日間保有の数字だが、逆に10日間という短い期間でも大幅な株安、債券安になると5,000億円の有価証券ポートフォリオで70億円近い損失が発生し、自己資本700億円の 1 割を毀損してしまう可能性がある。

　しかし現実にはもっと規模の大きなショックが何度も起きている。その後マーケットの回復が早いこともあるが、相場の低迷が10日間以上続くこともある。とても大きなショックがどの程度の頻度で起きているか、その後どれくらいの期間でマーケットは回復するのかなどを知るためには、歴史を知る必要がある。大震災、津波、噴火などの自然災害の規模と影響を具体的に知るためにも、過去か

ら学ぶしか方法がないのと同様だ。

⑽　マックス・ドローダウン

　次の図表7-15をご覧いただきたい。

　監督当局から有価証券ポートフォリオのストレステスト、ないし
シミュレーションをしてほしいといわれる。銀行勘定の金利リスク
ということですでにIRRBBのようなストレステストは存在する
が、たとえば米国金利が瞬時に200bpもパラレルで上下することは
現実的だろうか。

　その場合、5,000億円の有価証券ポートフォリオで試算すると
ざっと340億円の評価損が出て、自己資本（700億円）の50％近くが
毀損する格好となる。だからといって金利リスクをとるなという結
論になるだろうか（当該試算につき、図表7-7「ANAMダッシュ
ボード®　続き」のIRRBBの欄を参照）。

　実はストレステストやシミュレーションのシナリオをつくるのは
容易ではない。なぜかというと各国の金利、株、為替などいろいろ
な要素が入ってくるので、単純に米国金利の上げ下げ、日本金利の
上げ下げ、米株の上げ下げ、というわけにはいかないからである。
この複合的なシナリオをどう考えたらよいか、やはり過去からの市
場の動きをとらえる必要がある。

　「マックス・ドローダウン（Max Drawdown／MD）」とは「最大
どれだけやられたか」を意味する。図表7-15には「一種のストレ
ステスト」と書いてあるが、2021年9月末時点で時価5,000億円の
有価証券ポートフォリオをタイムマシーンに乗せて、20年前（デー
タがあれば30年前でもよい）までさかのぼらせる。

　図表7-15には、20年前の時点から矢印が何本も描かれている。

第7章　リスク管理ツール／ANAMダッシュボード®　223

図表7-15　ANAMダッシュボード®⑧：マックス・ドローダウン（MD）

資産クラス	リスク・ファクター		Max Draw Down 20080829-1028リーマンショック
現金／為替	JPY		0
	USD		-45
	EUR		-115
	GBP		-30
	CAD		-68
	AUD		-409
	CNH		0
	小計		-668
金利	国債地方債	円	-388
		米	-77
		独	114
		仏	147
		欧州周縁	73
		英	3
		加	-5
		豪	21
		EM	-121
	クレジット	円	-462
		米	-2,739
		欧	-59
		丁	40
	MBS	円	-177
		米	-490
	インフレリンク	米	-308
		欧	-2
	小計		-4,431
株式	日株		-10,750
	米株		-1,203
	欧株		-137
	英株		-45
	加株		-130
	豪株		-61
	EM株		-15
	小計		-12,343
不動産	日本		-2,179
	米国・欧州		-465
	小計		-2,644
	合計		-20,085
			-29% →リーマンショックでは自己資本の3割が毀損

一種のストレステスト

☞ 現在のポートフォリオを20年前までさかのぼらせ、日々6カ月間の損益状況をムービングウィンドウで観測して、各期最高評価時からの最大評価下落額を計算し、その最大額をマックス・ドローダウンとする

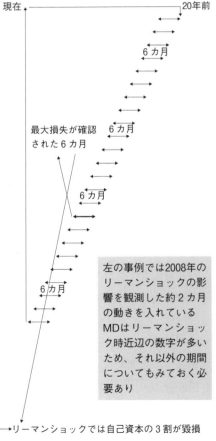

左の事例では2008年のリーマンショックの影響を観測した約2カ月の動きを入れているMDはリーマンショック時近辺の数字が多いため、それ以外の期間についてもみておく必要あり

これは「ムービングウィンドウ（動く窓枠）」といわれている考え方である。6カ月の窓枠を20年前から今日まで1日ごとにずらしていく。各6カ月の窓枠において有価証券ポートフォリオの時価評価が最も高かった値と最も低かった値の差をマックス・ドローダウンとする。

このムービングウィンドウは1年と長くとってもいいし、3カ月と短くしてもいいが、過去の経験則からみると大きなショックが継続するのはおおむね1～2カ月である。その後底を打って、すぐに上昇するかどうかは別であるものの、そこから先は下がらないというケースが多いため、6カ月という窓枠を使ったシミュレーションが適切だと考える。

図表7−15の左側の表では、上のところに小さな字で「Max Draw Down」というタイトルがあり、2008年8月29日から10月28日のほぼ2カ月間、つまり「リーマンショック」で、有価証券ポートフォリオの評価損が200億円となり、自己資本を3割近く毀損していることがわかる。中身をみると日米株や日米債券（国債以外）が大きく評価を下げているが、欧州債は評価を上げた。

しかし、100年に一度の経済危機とも呼ばれたリーマンショックが金融市場にもたらしたインパクトはたしかに大きかったものの、20年前からポートフォリオ全体の評価損を追ってみると、損失が大きくふくらんだのはリーマンショック時だけではない。

図表7−16をご覧いただきたい。

図表7−16ではリーマンショックを筆頭に、過去20年間で評価損が急拡大した上位10のイベントを示している。

リーマンショックの規模に続くのが2020年のコロナショックである。コロナショックでの評価損は1カ月程度で167億円にも達し

第7章　リスク管理ツール／ANAMダッシュボード®　225

図表7－16　ANAMダッシュボード®⑧：マックス・ドローダウン（MD）

資産クラス	リスク・ファクター		Max Draw Down			
			20080829-1028リーマンショック	20200210-0319コロナショック	20030613-0902りそなショック	20130508-0625バーナンキショック
現金／為替	JPY		0	0	0	0
	USD		－45	－1	－1	－5
	EUR		－115	－8	－43	－7
	GBP		－30	－13	－8	－2
	CAD		－68	－20	－8	－13
	AUD		－409	－160	－43	－115
	CNH		0	0	0	0
	小計		－668	－202	－102	－142
金利	国債地方債	円	－388	－1,192	－9,679	－1,780
		米	－77	886	－2,839	－1,917
		独	114	－64	－147	－104
		仏	147	－159	－226	－212
		欧州周縁	73	－152	－159	－185
		英	3	－3	－8	－9
		加	－5	19	－33	－37
		豪	21	－8	－24	－18
		EM	－121	4	－18	－7
	クレジット	円	－462	－519	－2,153	－306
		米	－2,739	－2,567	－1,266	－1,211
		欧	－59	－79	－24	－27
		丁	40	－10	－52	－22
	MBS	円	－177	－256	－3,120	－428
		米	－490	－311	－661	－1,907
	インフレリンク	米	－308	－173	－153	－234
		欧	－2	－3	－1	－2
	小計		－4,431	－4,588	－20,562	－8,405
株式	日株		－10,750	－7,361	4,883	－2,790
	米株		－1,203	－1,271	170	－111
	欧株		－137	－199	69	－29
	英株		－45	－45	4	－10
	加株		－130	－122	33	－17
	豪株		－61	－74	12	－23
	EM株		－15	－9	5	－5
	小計		－12,343	－9,081	5,176	－2,985
不動産	日本		－2,179	－2,404	－82	－934
	米国・欧州		－465	－462	56	－157
	小計		－2,644	－2,866	－26	－1,091
	合計		－20,085	－16,738	－15,514	－12,624
自己資本に対するインパクト→			**－29%**	**－24%**	**－22%**	**－18%**

（出所）　Bloomberg、FTSEラッセルに基づきANAM作成。

歴史的ショックを網羅する⑴

(単位：百万円)

20060113-0628ライブドアショック	20011106-0206米国同時多発テロ	20101006-0315東日本大震災	20070507-0613サブプライム危機	20150424-0825チャイナショック	20180123-0214VIXショック
0	0	0	0	0	0
6	35	−7	7	3	−10
24	31	−7	0	30	−9
5	8	−1	1	6	−4
11	23	1	12	−16	−9
−17	100	−6	39	−73	−45
0	0	0	0	0	0
30	196	−20	59	−49	−76
−3,963	−2,034	−2,276	−3,156	−270	73
−1,181	−916	−1,533	−1,134	−303	−695
−121	−68	−154	−76	−94	−50
−182	−90	−198	−120	−183	−60
−127	−52	−160	−79	−132	−33
−5	−3	−4	−3	−1	−3
−17	−13	−15	−22	11	−7
−7	−15	0	−10	4	1
−20	23	−23	−16	9	2
−997	−814	−828	−585	−38	49
−565	−257	−244	−574	−707	−429
−23	−8	−18	−13	−25	−9
−43	−24	−60	−27	−10	−3
−738	88	−670	−556	−127	25
−880	170	269	−973	−208	−683
−67	−51	−17	−62	−81	−46
−2	0	−1	−1	−2	0
−8,939	−4,064	−5,931	−7,407	−2,156	−1,869
−2,506	−3,850	−2,637	217	−3,295	−3,165
−109	−128	522	30	−508	−219
−3	11	33	11	−79	−50
2	−4	2	0	−19	−10
−5	21	37	1	−54	−24
11	12	−4	−5	−29	−7
−2	6	0	1	−8	−2
−2,611	−3,932	−2,047	254	−3,991	−3,477
132	−665	−161	−470	−750	−296
57	50	54	−60	−123	−82
189	−615	−107	−530	−873	−378
−11,331	−8,415	−8,104	−7,623	−7,069	−5,799
−16%	**−12%**	**−12%**	**−11%**	**−10%**	**−8%**

た。3番目はりそな銀行が2兆円の公的資金を受け入れて国有化された2003年で、3カ月弱で155億円も評価損がふくらんだ。こうみると、実は評価損のふくらむ時期がけっこう多いことに気がつく。上位10ケースには、ほかにもバーナンキショック、ライブドアショック、9.11の米国同時多発テロ、東日本大震災、サブプライム危機、チャイナショック、VIXショックなどが並んでいる。株価下落が先行するケースもあれば金利上昇が先行するケースもある。またその際、各リスク・ファクターがどのように動いたのかもみることができる。マックス・ドローダウンは、今後ショックが起きた場合に、どこまでポジションを維持すべきか、リスクバジェットを考慮してどのリスク・ファクターを調整すべきかという議論を、経営を含めてしやすいので、運用・リスク管理上きわめて有効なツールとなる。

　図表7－17をご覧いただきたい。

　ここでは5,000億円の有価証券ポートフォリオを簿価1万円の投資信託に見立てて、評価損の値動きだけを20年前から現在まで追っている。10個の数字がトップ10の事象発生時の数字を表している。▲408.15を記録したリーマンショックにおいてはマックス・ドローダウンを観測するはるか以前から評価損拡大の動きが始まっていた。また相場の回復にもかなり時間がかかっていることがわかる。一方、▲355.15を記録したコロナショックでは、急激に評価損が増えたが、その後急速に評価損が減っている。

　下に伸びたスパイクをみると、マーケットの大きな下げは5～8年に一度起きている。下げが生じる理由が何であれ、経営としてはその頻度を常に意識しておかなければならない。将来のマックス・ドローダウンをどう乗り切ればよいのか、残念ながら解はない。予

図表7-17 ANAMダッシュボード®⑧:マックス・ドローダウン (MD)
歴史的ショックを網羅する(2)

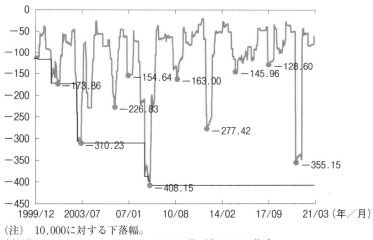

(注) 10,000に対する下落幅。
(出所) Bloomberg、FTSEラッセルに基づきANAM作成。

兆管理はマーケットの風向きが変わったことを察知するには有効であるが、どのリスク・ファクターをどれだけ落とすべきなのかは教えてくれない。歴史的ショックを網羅するマックス・ドローダウンはさまざまなケースでリスク・ファクターの何がどう動いたのかを示してくれる。その意味において、何をすべきなのかを議論するために最も役立つ情報を提供してくれている。

(11) 経営・ミドル・フロント間の情報共有

図表7-18をご覧いただきたい。

有価証券運用業務に関して、「経営によるリスクガバナンスの高度化」がいわれて久しい。しかし、その具体的な内容ははっきりしない。実際にこうだと示された例もないと思われる。

図表7-18 ANAMダッシュボード®はだれもがわかる掲示板

☞ 有価証券ポートフォリオの状況に関する共通認識を提供
☞ 三位一体の運用リスク管理態勢を構築
☞ 運用を持続可能な業務とするには必要なツール（アセットマネジメント業務の援用）

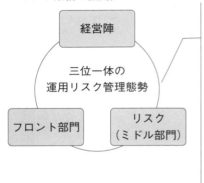

銀行の有価証券ポートフォリオの損益管理
経営サポート（収益達成状況、リスク状況）
フロント部門牽制

リスク量把握、当局規制対応
・自己資本に対する影響
　（VaR、期待ショートフォール、Max Drawdown等）
・リスクアセット（BIS自己資本比率規制）
・レバレッジ（BIS IRRBB）

（出所） ANAM作成。

　運用体制としては、フロントが運用を行い、ミドルがフロントを牽制して、経営が最終責任を負うという「三権分立」がいままでは一般的であった。円債、外債、外株、ファンドなど、どちらかというと商品別の運用を行っていく場合には、それぞれにおいて機動的な売買がポイントとなるため、アラームポイント、リスクリミットなどを通じたミドルの牽制が重要になる。しかしコア業務純益の50％以上が有価証券配当等利息で占められる銀行が7割もある現在、機動的な売買だけで相当規模の収益を継続的にあげていくことは容易ではない。しかも、預金を原資とする投資資金で機動的な売買を繰り返すのは、過度なリスクテイクを助長するのではないか。

　国内の長期的な低金利に加えて国内株も低迷を続けているとすれば、海外での多資産運用は避けて通れない。そうなると運用のあり

方や体制にも転換が必要となる。地域銀行もポートフォリオ運営、すなわちGPIFなどの年金や「アセットマネジメント会社の運用スタイル」を取り入れていく必要がある。投資ユニバースの選択、期待リターンの推計、リスク量や相関関係の決定、有価証券ポートフォリオの最適化、そして、リスクバジェットの張り方において、経営・フロント・ミドルの「三位一体の運用リスク管理態勢」が必須となる。フロントには独自のポジションを管理するシステムがあり、ミドルにはリスク管理システムがある。加えて、両者を経営に有機的に結びつける三位一体の指標が必要だ。ANAMダッシュボード®はまさに「いま、有価証券ポートフォリオがどういう状況にあるのか」を的確に示す指標であり、経営・フロント・ミドルが共通認識をもつために欠かすことのできないプラットフォームである。

　図表7−19をご覧いただきたい。

　ANAMダッシュボード®で有価証券ポートフォリオの損益状況を直感的に把握できる。当初の収益計画からそれていないかがわかる。市場環境の変化にどう対応すればよいのかの情報がある。リスクバジェットがどう張られているのかがわかる。そしてポートフォリオのリスク・リターンの改善が図れる。ほかにも使い道がいろいろ出てくるはずだ。

　市場環境は激変する。飛行機が悪天候により目的地に着陸できずに羽田に引き返すことがよくある。悪天候の際に、高度を下げるのか、迂回するのか、引き返すのか、最終的には機長の判断である。有価証券ポートフォリオでも環境変化にあわせてポジションを増やすのか、落とすのか、そのままにするのかを判断する必要がある。そのために、運用状況全体を可視化したANAMダッシュボード®が

第7章　リスク管理ツール／ANAMダッシュボード®　231

図表7-19　ANAMダッシュボード®は運用状況全体の可視化
☞　全体を直感的に把握できる

(出所)　ANAM作成。

必要となる。経営を含めた全員が同じ土俵で議論できるということは、最終的に経営によるリスクガバナンスの高度化につながる。

⑿　有価証券運用業務へのRAFの適用

図表7-20をご覧いただきたい。

図表7-20は運用主体別の運用スタイルを整理した表だが、地域銀行の場合はポートフォリオ運用が主体となるべきである。一部トレーディングも入るが、機動的な売買を繰り返すだけでは持続可能

図表7-20 地域銀行の有価証券運用スタイルを確認

運用主体	投資期間	資産流動性	運用／リスク管理スタイル	必要な経営資源
GPIFなど年金基金	～中長期・超長期	低くてもOK	ポートフォリオ運用／継続投資	大
生命保険	～中長期・超長期	低くてもOK	ポートフォリオ運用／自己資本対比	大
共同組織金融機関（JA、信用金庫、信用組合）	～短期・中期	高め	農中、信金中金、全信組連など中央金法主導型	小
外国金融機関	～短期	高め	トレーディング主体 VaR	中・大
メガバンク	～短期・中期	高め	トレーディングとポートフォリオ運用併用 VaR、マックス・ドローダウン	大
地域金融機関	～短期・中期	高め	トレーディングとポートフォリオ運用併用 VaR、マックス・ドローダウン	小・中

（出所） ANAM作成。

な運用業務は構築できない。

　そして、この運用スタイルは、有価証券運用業務におけるRAF（Risk Appetite Framework／リスクアペタイトフレームワーク）の議

論に大きく関係してくる。米国のインベストメントバンクなどでは個人の報酬がトレーディングの稼ぎに連動するので、自部門が資本を投下し（良い人の採用など）、ビジネスを拡大するために、当然各部門間で資本の奪い合いが生じるため、そもそもRAFを適用する下地があった。というよりむしろ、その必要性に迫られていた。経営は、各部門がリスク（配賦資本）に見合った収益をあげているのかをモニタリングしなければならない。収益計画の策定、資本配賦、各部門のモニタリング、そしてリスクコントロールを行う際に、組織内で統一的に採用するモノサシがRAFである。そうなると地域銀行の有価証券運用業務が、特にポートフォリオ運営に準拠するとすれば、そこにRAFが適用できるかという疑問が出てくる。

　地域銀行におけるRAFは、たとえば持株会社で傘下企業にどう資本を割り振るのかという問題に適用されうる。銀行が持株会社に複数ぶら下がる場合にも適用される。さらに銀行単体レベルでは、融資、有価証券運用、役務などの業務レベルでの適用がある。各業務内、たとえば融資業務であれば個人、中小企業、中堅企業、大手法人、住宅ローン、あるいは地域別、業種別など部門編成に即してRAFを規定することも有効であろう。では、有価証券運用業務の運営に関してはどうか。

　筆者は当初、各リスク・ファクターについてRAFを適用すべきだと考えていた。しかし、運用がグローバル化し、リスク・ファクターをまたがるコントロールが要となると、個別のファクターごとの収益計画やリスク管理は無駄とはいわないが、あまり意味をなさなくなる。有価証券ポートフォリオ全体で収益・リスク管理を実施する必要性がある。また、地域銀行の運用では期初で益を確保したり、期中に経営から益出し要請があったりするため、地域銀行の担

当者はRAFを有価証券運用業務に適用しにくいと薄々感じていたのではないかと思う。もし運用が欧米の金融機関のようにトレーディング主体、すなわち純粋なディレクション、クライアントサポート（顧客玉）、アービトラージ、クオンツモデルなどそれぞれのセクションに収益目標が張られているのであれば、RAFは必須となる。

　この議論はさらにVaRやVaRを補う期待ショートフォールなどのリスク管理指標の話につながる。もともとVaRはJPモルガン社で生まれた。日々のトレーディング業務で、銀行全体のポジションとリスクがどうなっているのかをトップが把握したいという要望に応えるため、同社のリスク管理部門がリスクメトリックス（Introduction of RiskMetrics 1995 JPMorgan）という資産間の相関関係を考慮したリスク量の算出手法を編み出したことが端緒となった。その後VaRは、金融機関がトレーディングをするうえで、資本配賦とともにリスクリミットなどポジション枠を管理する指標として幅広く活用されるようになった。

　このVaRという指標はトレーディングを主体とする金融機関のRAFときわめて整合的である。これだけの資本配賦でこれだけ稼ぐ、VaRに抵触したらトレードストップ（業務終了）、来期はトレーダーの首をすげ替える。非常にわかりやすい運用体制である。しかし、それをそのまま地域銀行の有価証券運用業務に当てはめるには無理があると思われる。繰り返しになるが、地域銀行の運用の主体はポートフォリオ運営であり、リスクバジェットやマックス・ドローダウンなど運用会社の管理手法が積極的に使用されるべきである。

　もちろん個別リスク・ファクターや資産カテゴリー、あるいは有

価証券ポートフォリオ全体のVaRや期待ショートフォールはそれなりに意味のある数字だ。しかし、VaRや期待ショートフォールはリスク・ファクター間で何をどうすればよいのか教えてくれない。ポートフォリオ全体からみて、当該リスク・ファクターのポジションをどこまで維持すべきなのかも教えてくれない。また、どれだけの収益期待があるのかも教えてくれない。VaRは止める・止めないというきわめてデジタルな判断に向くリスク指標である。したがって、VaRはそのように使用すべきだろう。ポートフォリオ運営には最適化、インデックス対比でのリスク・ファクターのバランス調整、あるいはリスクバジェットの張り方の調整、マックス・ドローダウンを参考としたリスク管理など運用会社がもつ一気通貫の運用リスク管理体制の整備が重要である。

⒀　トレーディングのリスク管理

　図表7-21をご覧いただきたい。

　トレーティングは「ファクターの1つとして考える、ただしVaR管理が重要」ということである。ポートフォリオ運営とは別に、部内のAさんとBさんに枠を与えてトレーディングを行わせるとした場合、それはどのように管理すればよいだろうか。トレーディングは円債でも米国債でもいいし、特定金銭信託を使って多資産運用する場合も考えられる。2人の期待収益を推計するのはむずかしいが、おおよその収益目標を期待値とすれば、時間の経過とともに、それがどの程度達成されているのかがわかる。ポジションをとっていればリスク量もわかる。しかし、最適ポートフォリオの計算やリスクバジェットなどポートフォリオ全体の運用リスク管理に取り込めない部分もある。また、マックス・ドローダウンの計算はあまり

意味をなさないかもしれない。この場合は、リスク・ファクターといってもやはりVaRや期待ショートフォールでしっかり管理すべきであろう。

さらに、ヘッジファンドやマルチアセット・ファンドにおいてファンドマネジャーの裁量でポジションがどんどん変わってしまう場合も、Aさん、Bさん同様にファンドそのものをリスク・ファクターとしてとらえることができる。もしそのファンドが一定のルールに従ってアロケーションを維持したり変更したりするのであれば、予見可能なのでルックスルーを図表7－5「リスク・ファクター図」にあったようにANAMダッシュボード®に取り込めばよいことになる。ルックスルーが常時できない、ないし予見可能でないとすれば、トレーディングと同じ扱いにすべきである。

そうなると、私募ファンドの購入など外部委託を採用するときには、過去のパフォーマンスもさることながら、ポートフォリオの構築方法、リスク・ファクターの分解（ルックスルー）、アロケーションの変更ルール、期待リターン、リスク量に加えて、マックス・ドローダウン等を比較して、ポートフォリオ全体に含めて管理できるのか、トレーディングのように個別管理にするのかを見極めていく必要がある。

本章のここまでの内容はあくまでもANAMが提唱する1つの考え方で、正しいというつもりはない。しかし、ポートフォリオ運営を有価証券運用業務の中心に据えるのであれば、いまある自行の有価証券ポートフォリオが物語るさまざまな情報を、経営・フロント・ミドルが三位一体となって共通認識できる体制と道具立ては絶対に必要である。ANAMダッシュボード®はまさにそのために用意されたツールだ。

第7章　リスク管理ツール／ANAMダッシュボード®　237

図表7-21　トレーディングのとらえ方；ファクターの1つとして考える

資産クラス	リスク・ファクター		投資額／想定元本			リスク（ANAM推計）	
			オン	オフ	比率	1.59%	1.69%
現金／為替	JPY		9,712	-2,249	1.49%	10.00%	10.00%
	USD		0	344	0.07%	0.00%	0.00%
	EUR		0	444	0.09%	0.00%	0.00%
	GBP		0	118	0.02%	0.00%	0.00%
	CAD		0	229	0.05%	0.00%	0.00%
	AUD		0	1,085	0.22%	0.00%	0.00%
	CNH		0	29	0.00%	0.00%	0.00%
小計			9,712	0	1.94%	10.00%	10.00%
金利	国債地方債	円	250,974	0	50.16%	50.00%	50.00%
		米	33,167	0	6.63%	5.00%	5.00%
		独	3,063	0	0.61%	1.03%	2.40%
		仏	4,539	0	0.91%	4.13%	5.00%
		欧州周縁	3,222	0	0.64%	0.26%	0.42%
		英	178	0	0.04%	0.00%	0.00%
		加	774	0	0.15%	0.00%	0.00%
		豪	429	0	0.09%	5.00%	5.00%
		EM	511	0	0.10%	0.00%	0.00%
	クレジット	円	44,827	0	8.96%	5.87%	2.60%
		米	20,864	0	4.17%	0.00%	0.00%
		欧	972	0	0.19%	5.00%	5.00%
		丁	1,081	0	0.22%	0.00%	0.00%
	MBS	円	35,387	0	7.07%	0.00%	0.00%
		米	47,040	0	9.40%	5.00%	5.00%
	インフレリンク	米	2,450	0	0.49%	0.00%	0.00%
		欧	60	0	0.01%	0.00%	0.00%
小計			449,537	0	89.84%	81.29%	80.42%
株式	日株		29,050	0	5.81%	2.00%	2.00%
	米株		4,550	0	0.91%	2.51%	2.82%
	欧株		551	0	0.11%	1.60%	1.71%
	英株		150	0	0.03%	0.00%	0.00%
	加株		392	0	0.08%	1.54%	1.75%
	豪株		240	0	0.05%	0.70%	0.83%
	EM株		31	0	0.01%	0.36%	0.46%
小計			34,964	0	6.99%	8.71%	9.58%
不動産	日本		5,019	0	1.00%	0.00%	0.00%
	米国・欧州		1,165	0	0.23%	0.00%	0.00%
小計			6,183	0	1.24%	0.00%	0.00%
トレーディング	A		0	0	0.00%	0.00%	0.00%
	B		0	0	0.00%	0.00%	0.00%
小計						0.00%	0.00%
合計			500,396	0	100.00%	100.00%	100.00%
					1.53%	0.81%	0.88%

（出所）　ANAM作成。

（単位：百万円）

最適ポートフォリオ				リターン			
0.1%	リスク（直近1年）		0.1%	期待（年率）	期待（年率）	実績（年率）	実績
1.79%	1.07%	1.17%	1.27%	ANAM推計	5年平均	2021/4/1～	2021/4/1～
10.00%	10.00%	10.00%	10.00%	−0.10%	0.00%	0.00%	0.00%
0.00%	0.00%	0.00%	0.00%	0.35%	0.07%	2.47%	1.24%
0.00%	0.00%	0.00%	0.00%	−0.40%	0.79%	−0.34%	−0.17%
0.00%	0.00%	0.00%	0.00%	0.20%	−0.40%	−2.34%	−1.17%
0.00%	0.00%	0.00%	0.00%	0.35%	0.94%	0.23%	0.12%
0.00%	0.00%	0.00%	0.00%	0.20%	0.21%	−8.86%	−4.44%
0.00%	0.00%	0.00%	0.00%	1.60%	−0.15%	5.32%	2.67%
10.00%	10.00%	10.00%	10.00%	0.00%	0.00%	−0.02%	−0.01%
50.00%	29.36%	27.05%	24.44%	0.10%	−0.20%	0.16%	0.08%
5.00%	5.00%	5.00%	5.00%	1.20%	2.52%	4.90%	2.46%
3.79%	0.00%	0.00%	0.00%	1.14%	1.32%	−1.38%	−0.69%
5.00%	0.00%	0.00%	0.00%	1.50%	1.87%	−1.55%	−0.78%
0.63%	5.00%	5.00%	5.00%	1.72%	3.65%	−0.08%	−0.04%
0.00%	0.00%	0.76%	2.15%	1.25%	2.55%	−1.03%	−0.52%
0.00%	0.00%	0.00%	0.00%	1.03%	1.16%	3.05%	1.53%
5.00%	0.00%	0.00%	0.00%	0.87%	3.84%	5.98%	3.00%
0.00%	2.00%	2.00%	2.00%	0.05%	2.99%	5.97%	2.99%
2.00%	10.00%	10.00%	10.00%	0.21%	0.39%	1.08%	0.54%
1.02%	4.75%	5.00%	5.00%	2.76%	4.98%	7.07%	3.54%
5.00%	5.00%	5.00%	5.00%	1.91%	2.31%	0.75%	0.37%
0.00%	5.00%	5.00%	5.00%	0.43%	0.52%	−0.72%	−0.36%
0.00%	10.00%	10.00%	10.00%	0.18%	0.28%	0.97%	0.49%
2.47%	5.00%	5.00%	5.00%	0.48%	2.25%	−0.04%	−0.02%
0.00%	0.00%	0.00%	0.00%	2.15%	4.18%	11.13%	5.58%
0.00%	0.00%	0.00%	0.00%	0.96%	0.88%	6.49%	3.26%
79.91%	81.11%	79.81%	78.60%	0.37%	0.63%	0.91%	0.46%
2.00%	2.00%	2.00%	2.00%	2.99%	11.02%	9.92%	4.97%
3.19%	1.71%	2.29%	2.81%	5.97%	16.83%	18.31%	9.18%
1.81%	0.16%	0.04%	0.00%	6.60%	9.96%	3.35%	1.68%
0.00%	0.00%	0.00%	0.00%	4.82%	6.95%	15.41%	7.73%
1.66%	1.69%	1.80%	1.87%	4.95%	10.95%	17.41%	8.73%
0.88%	1.63%	2.01%	2.35%	5.35%	11.41%	20.22%	10.14%
0.54%	0.15%	0.29%	0.41%	7.10%	13.08%	−6.50%	−3.26%
10.09%	7.34%	8.42%	9.43%	0.24%	0.82%	0.77%	0.39%
0.00%	1.55%	1.77%	1.97%	4.28%	7.19%	9.36%	4.69%
0.00%	0.00%	0.00%	0.00%	8.15%	6.41%	21.07%	10.56%
0.00%	1.55%	1.77%	1.97%	0.06%	0.09%	0.14%	0.07%
0.00%	0.00%	0.00%	0.00%	0.00%	0.00%	0.00%	0.00%
0.00%	0.00%	0.00%	0.00%	0.00%	0.00%	0.00%	0.00%
0.00%	0.00%	0.00%	0.00%	0.00%	0.00%	0.00%	0.00%
100.00%	100.00%	100.00%	100.00%	0.67%	1.53%	1.81%	0.91%
0.95%	**1.89%**	**2.10%**	**2.31%**				

最後になるが、実はわれわれにはもう１つ残された大きな課題がある。それは銀行の決算が有価証券ポートフォリオに与える影響だ。いままでの議論はすべて総合損益ベースであった。しかし地域銀行の場合、どうしても業務純益、コア業務純益、投信売却益を除くなどいろいろと会計上の制約条件が存在する。それらを加味した場合に有価証券ポートフォリオのあり方や運営をどうしたらよいのか、まだ最適解は見つかっていない。もちろん総合損益ベースは最も広い概念なので、大きな枠組みとしては妥当な結果が必ず導かれる。そうはいっても会計上の制約条件を考慮したうえで、銀行として最適な判断ができる材料を提供しなければならないと弊社は考えており、今後の課題として検討していきたい。

［永野　竜樹］

期待ショートフォールに関する補論

　ポートフォリオの日率リターンが平均 0 、分散$\sigma_P{}^2$の正規分布に従うとすると、保有期間 d 営業日、信頼水準 a のVaR (d, a) は、

$$\mathrm{VaR}(d, a) = \sqrt{d}\sigma_P\Phi^{-1}(a)$$

と書ける。ここで、$\Phi^{-1}(a)$ は標準正規分布の累積分布関数の逆関数で、上側100 (a) ％分位点を意味する。一方、期待ショートフォールES (d, a*) は、

$$\mathrm{ES}(d, a^*) = \frac{e^{-\frac{\{\Phi^{-1}(a^*)\}^2}{2}}}{a^*\sqrt{2\pi}} \sqrt{d}\sigma_P$$

と書けるから、

$$ES(d, a^*) = \frac{e^{-\frac{\{\Phi^{-1}(a^*)\}^2}{2}}}{a^*\sqrt{2\pi}}\sqrt{d}\sigma_P = \frac{e^{-\frac{\{\Phi^{-1}(a^*)\}^2}{2}}}{a^*\sqrt{2\pi}\Phi^{-1}(a)}\text{VaR}(d, a)$$

となる。バーゼルⅡ、バーゼルⅢにおいて示されている、VaR、期待ショートフォールのパラメータであるd＝10、a＝0.99、a^*＝0.975を代入すると、

$$ES(d, a^*) \approx 1.005 \cdot \text{VaR}(d, a)$$

となり、正規分布のもとではVaRとほとんど同じ数値になる。そのため、正規分布を前提とした期待ショートフォールを計算することにはあまり意味がないとも考えられる。そこで、裾の部分が正規分布より厚い t 分布をかわりに使って、期待ショートフォールを計算する。t 分布のもとでの期待ショートフォール$ES_t(d, a^*, \nu)$は t 分布の自由度を ν として以下のようになる。

$$ES_t(d, a^*, \nu) = \frac{g_\nu(t_\nu^{-1}(1-a^*))}{a^*} \cdot \frac{\nu + [t_\nu^{-1}(1-a^*)]^2}{\nu - 1}$$

図表 7 －22　標準正規分布と自由度 8 の t 分布

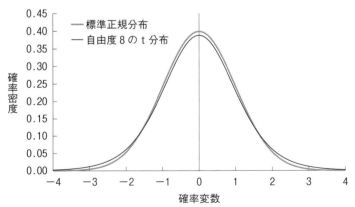

（出所）　ANAM作成。

ここで、$t_v^{-1}(1-a^*)$、$g_v(t_v^{-1}(1-a^*))$ は t 分布の累積分布関数の逆関数、確率密度関数である。いま自由度 8 の t 分布と正規分布を比較すると、図表 7 −22 のようになる。正規分布より t 分布のほうが、裾が厚くなっている。自由度を上げれば裾はさらに厚くなるが、裾を厚くすることが目的ではなく、正規分布の裾の薄さを補正することが目的なので、自由度 8 程度でよいと考える。$v=8$ として期待ショートフォールを計算すると、

$$ES_t(d, a^*, v) \approx 1.239 \cdot VaR(d, a)$$

となる。

[武田　伸一、吉永　彰成]

経営からみる地域銀行の有価証券運用の高度化④ ～ミドル機能のシステム投資と科学的アプローチの重要性

⑴　システム投資の重要性

　人財の数以外で、運用業務が融資業務と対比、後塵を拝している点がもう１つある。それはシステム対応だ。融資業務においては、多くのベンダーが細部にわたり種々多様なシステムを提供している。顧客分析の向上や融資の推進強化を支援するシステム、与信判断の高度化やクレジットスコアリングを実施するシステム、担保管理や債権回収を支援するシステム、採算管理やストレステストを実施するシステム、融資業務のワークフローやペーパーレス化で業務効率を推進するシステムなど枚挙にいとまがない。融資業務にまつわる多元的な情報データの蓄積とそれを基にした各種分析が銀行の融資業務システムの要となっている。一方運用業務をみてみると、業務遂行に十分なシステムを、地域銀行は必ずしも装備しているとはいえない。大量の国債保有と長期にわたる低金利を背景に、人財

にもシステムにも経営資源をあまり投下することなく収益性を維持することができた。しかし今後はどうだろうか。設備投資なくして、リターンを得ることはむずかしい。というよりは逆に損失を被る可能性が高まっていくのではないだろうか。

運用業務のシステムで特に重要なのはリスク管理部門のミドルである。さまざまな投資資産のリスク・ファクター、すなわち収益源泉をリアルタイムで把握できているのか。運用ポートフォリオ全体の時価をつかむことができているか。当たり前のようでいて実は容易ではない。本来証券会社や運用会社の出してくる価格だけでは不十分で、銀行自らが価格を検証できる機能をもたねばならない。たとえそこまでいかなくとも、株式、債券、為替などのリスク・ファクターが1単位動く場合、保有する運用資産やポートフォリオの価値がどれほど動くのかというデルタ管理は必須である。当然ファンドの中身も各リスク要因に分解する必要がある。また時価の動きが把握できなければ価格の変化率で示されるリスク量も把握することはできない。債券、株式など資産間の相関関係もモニタリングする必要がある。これはすべてミドルの役割である。

自行の運用資産とポートフォリオのデータ、マーケットデータ、それを基にした時価の算定、VaRの算出、デルタ管理、シミュレーションを行うためシステム対応が必要となる。市場データの入手やフロント部分における簡便なポートフォリオの管理はBloombergや証券会社の提供するシステムで対応が可能だ。しかしミドルでは手作業による管理を行っている銀行も多く、それこそ簡易的なシステムが属人的であったり、他者による検証がむずかしかったりする。ここは融資業務に見習って、外部の力を借りてでもある程度のシステム対応を行う必要があろう。しかし何をどう準備したらよいのか、ANAMダッシュボード®をぜひ参考にしていただきたい。

(2) 属人的な世界から科学的なアプローチへの転換

融資業務では人をみて貸すかどうか判断するという時代があった。それはいまでも生きている。しかし時代の変遷とともに、融資業務の世界でも事業性評価やクレジットスコアリングなどシステマ

ティックで科学的なアプローチが時間をかけて根づいてきた。運用業務においても、フロントには相場に明るい人財を配するのは大事なことである。しかし単純に債券や株を売買するだけでは収益を確保しにくい時代になった。逆にリスクを被る可能性が大きい時代となったともいえる。海外資産を組み入れたアセットアロケーションという考え方に立脚して最適ポートフォリオを構築し、適切な調整を行いリスクをモニタリングしていく人財、そしてそれをサポートするシステムをもたなければ地域銀行が運用業務で安定的に収益をあげていくことはむずかしくなるであろう。運用業務も属人的な世界からシステマティックで科学的なアプローチを実践する時代へと突入している。

運用の高度化は、運用の才覚ある人を見出す、あるいはフロント人財を育成するということにとどまらない。ポートフォリオ・アプローチを経営マインドの中心に据えて、リスク管理を含め運用業務全般に関する人財を育成し、システム投資も行っていく、この3点がバランスよく実施されてはじめて高度化は前進できるものである。それこそ経営陣は、銀行のなかに運用会社をもつという認識に立つことが肝要だ。

[永野　竜樹]

第**8**章

バーゼル規制／バーゼルⅢ 最終化・日本の対応

　バーゼル規制は、世界各国で銀行監督の標準的な枠組みとして普及している規制である。もともとは銀行の伝統的な業務である貸出などに係る信用リスクに対する自己資本の充実度を計測するものであったが、銀行のトレーディング業務が活発になり、業務範囲が拡大して業務内容も複雑になるにつれて、リスクの計測対象はマーケット・リスク、オペレーショナル・リスクというように増加した。

　金融危機後は、自己資本の充実だけではなく、金融危機を阻止して、金融システムを安定させる目的で、流動性を改善するための枠組みも整備されている。

　本章の前半では、バーゼル規制の導入と発展の歴史を振り返るとともに、バーゼル規制の基本的な考え方と枠組みの全体像を提示する。本章の後半では、国際合意では2023年から実施される、いわゆるバーゼルⅢ最終化の主要な論点について、国内規則の内容を簡単に確認する。

1

バーゼル規制によるリスク管理

　バーゼル規制は、当局の銀行監督における世界共通の枠組み（フレームワーク）であると同時に銀行自身のリスク管理における世界共通の枠組みである。もともとは貸出や1980年頃から取引が拡大していたオフ・バランス取引（貸借対照表に計上されない取引、たとえば、先物、オプション、スワップ、コミットメント・ラインなど）の与信先の倒産による損失リスク（信用リスク）に対して、銀行が必要な経営体力（自己資本）を備えているかどうか（自己資本比率）を測るものであった。しかし、銀行のディーリング業務が拡大し、収益の源泉を短期調達・長期運用という伝統的な金利リスク以外にも短期売買・ヘッジ取引による株式・金利リスク（マーケット・リスク）に求めるようになった結果、銀行が経営体力を超えるリスクを抱え込む可能性が高まった。このため、バーゼル規制は、従来の信用リスクに加えて、マーケット・リスクをとらえて、自己資本比率を測るように改訂された。このように、バーゼル規制は銀行の収益機会（リスクテイク）の拡大にあわせて整備されている。

　バーゼル規制は、日本・米国・欧州などの国・地域の銀行監督当局・中央銀行などで構成されるバーゼル銀行監督委員会が公表している。監督当局・中央銀行の担当者がバーゼル銀行監督委員会で集まって、バーゼル規制の策定・改訂などの作業を行うわけだが、当局が一方的に規則を決めるわけではない。バーゼル銀行監督委員会は最終規則を公表する前に、市中協議文書という規則案を公表し、パブリック・コメント（意見）を募集する。銀行は規則案に対する

コメントをバーゼル銀行監督委員会に提出し、バーゼル銀行監督委員会は銀行からの意見をふまえて議論を進める。パブリック・コメントの結果、公表された規則案よりも高度で銀行が採用しているリスク計測手法が提案されることもある。実際、1993年4月に公表されたマーケット・リスク規制の第一次案では、マーケット・リスクの測定は、バーゼル銀行監督委員会が定めた表に従って各リスク・ファクター（株式・金利など）のポジションを残存期間で分類し、ヘッジ効果をバーゼル銀行監督委員会が定めた掛け目で計算するというものであったが、米国の一部の先進的な銀行では内部のリスク管理モデルとしてバリュー・アット・リスク（VaR）の開発が進んでおり、公表された規則案よりも正確にマーケット・リスクを測定できるようになっていた。こうした銀行に対しては、より正確な内部モデルによる計算のみならず、規則で定められたリスクを計算するという二重投資を強いることになるというコメントがあった。また、規則案でリスクを計算することは、リスク管理手法の高度化を阻害する可能性があるというコメントもあった。このような銀行のコメントをふまえて、バーゼル銀行監督委員会は内部モデルの要件を検討する作業を開始し、各国の銀行が仮想ポートフォリオでVaRの試算を行うなど協力した結果、内部モデルの要件として定量的基準と定性的基準が定められた第二次案が1995年4月に公表された。このように、バーゼル規制は銀行のリスク管理の実状にあわせて策定されている。

　以上で述べたように、バーゼル規制は、監督当局が参加するバーゼル銀行監督委員会によって公表される規則であるが、銀行のリスクテイクとリスク管理の実情にあわせて整備されてきた世界共通の枠組みでもある。バーゼル規制は、各国・地域の銀行当局・中央銀

行によって国際合意された規則であるが、各国・地域で法制化されて実施されるものである。日本の地域金融機関は、特例によってバーゼル規制にのっとったマーケット・リスク計測を求められないところも多いが、内部のリスク管理ではVaRを計算している。今後実施される最終化されたバーゼルⅢ（いわゆるバーゼルⅢ最終化）では、規制上のマーケット・リスクを内部モデルで計算する場合、テールリスクを捕捉するために、従来のVaRのかわりに期待ショートフォール（ES：expected shortfall）の計算が求められる。ESの計算は、バーゼル規制にのっとったマーケット・リスク計測を求められない銀行であっても、内部のリスク管理の高度化のためESを採用するケースが増えることが予想される。

　本章2以降では、バーゼル規制の歴史を概観し、バーゼルⅢ最終化の全体像を提示し、枠組みを構成する自己資本比率規制、流動性比率規制などの各規制項目がバーゼルⅢ最終化でどのように変わるのかを解説する。有価証券運用におけるリスクテイクとリスク管理は表裏一体であるから、バーゼル規制というリスク管理の世界共通の枠組みを提示することで地域金融機関の有価証券運用におけるリスクテイクの高度化に貢献できれば幸いである。本章9では、バーゼルⅢ最終化で対応が必要になる項目を、国際統一基準行なのか国内基準行なのかという基準と商品がどのリスク・ファクターをもつのかという基準で場合分けをし、図表8－5、図表8－6にまとめたので、参考にされたい。

2
バーゼル規制の歴史

　本節では最終化されたバーゼルⅢ（バーゼルⅢ最終化）に至るまでのバーゼル規制の歴史を述べる。本節で述べる規制内容は、過去のバーゼル規制の国際合意の内容であり、バーゼルⅢ最終化の内容と日本での対応については、次節から述べる。

　本章1と2を書くにあたり、次の図書を参考にした。

　参考図書：横山昭雄監修『金融機関のリスク管理と自己資本』（有斐閣）
　　　　　　氷見野良三『検証BIS規制と日本〔第2版〕』（金融財政事情研究会）

　また、本章の執筆にあたり、バーゼル銀行監督委員会と日本銀行のウェブサイトを参考にした。

　参考ウェブサイト：https://www.bis.org/bcbs/
　　　　　　　　　　https://www.boj.or.jp/finsys/intlact_fs/kisei/
　　　　　　　　　　index.htm/

(1)　バーゼル銀行監督委員会（BCBS）の設立

　バーゼル銀行監督委員会（BCBS：Basel Committee on Banking Supervision）は、西ドイツのヘルシュタット銀行とニューヨークのナショナル・フランクリン銀行の破綻に伴う国際金融市場の深刻な混乱の結果、1974年末にG10（10カ国財務大臣・中央銀行総裁会議）によって発足した。

　バーゼル銀行監督委員会の常設事務局は、スイスのバーゼルにある国際決済銀行（BIS：Bank for International Settlements）にあり、次の目的のために発足した。

第8章　バーゼル規制／バーゼルⅢ最終化・日本の対応　249

① 世界的規模で銀行監督の質を改善することで金融システムを安定化させる
② 銀行監督に関して参加国が定期的に協力するための話合いの場を設ける

　バーゼル銀行監督委員会の第1回目の会合は、1975年2月に開催され、最初の成果は1975年9月に採択された、いわゆるバーゼル・コンコルダット（The Basel Concordat）である。これは、銀行の海外拠点に対する監督責任を母国と現地の当局の間で分担するための原則を述べたものである。バーゼル・コンコルダットは、1983年5月の改訂と1990年4月の追補を経て、1992年7月に国際的業務を営む銀行グループおよびその海外拠点の監督のための最低基準という文書で公表された。

The Basel Concordat
（参考ウェブサイト：https://www.bis.org/publ/bcbs00a.htm）

　これまで、バーゼル銀行監督委員会は、バーゼルⅠ、バーゼルⅡ、バーゼルⅢとして知られている銀行規制のための国際基準を制定してきた。現在、バーゼル銀行監督委員会は、28の国と地域の45の銀行監督当局と中央銀行で構成され、日本からは金融庁と日本銀行が参加しており、1年に3、4回定期的に会合が開催されている。

(2)　バーゼルⅠ

　1982年にラテン・アメリカ債務危機が発生した結果、国際的に活動する銀行の自己資本比率が悪化した。米国議会は、米国主要銀行のラテン・アメリカ向け与信の増加を受けて、1983年に国際融資監督法（ILSA：The International Lending Supervision Act）を成立さ

せて、米国の銀行監督当局であるFRB（連邦準備制度理事会）、OCC（通貨監督庁）、FDIC（連邦預金保険公社）に最低自己資本比率を設定する権限と、資本不足の銀行に対する指揮命令権を与えた。同法を受けて、各当局は米国内の自己資本比率規制の統一化に向けて作業を行った。1986年1月には、FRBが新しい自己資本比率規制の案を公表し、それまで規制上の自己資本比率の分母は総資産だったが、新しい案では自己資本比率の分母がリスクアセット（リスク加重資産）に変更された。

ラテン・アメリカ債務危機が発生した1982年にバーゼル銀行監督委員会は、G10に報告書を提出した。この報告書は、銀行の自己資本比率の悪化が著しいので、自己資本比率の悪化の防止と改善の促進が必要という内容だった。翌1983年に米国では国際融資監督法が成立したが、同法は、米国の銀行が外銀との競争で不利にならないように、米国以外の主要国の当局に対しても自己資本の充実に向けて作業するように要求していた。これを受けて、1984年3月のG10会議で当時のFRB議長が自己資本比率規制の国際的な統一を求めた。G10は、バーゼル銀行監督委員会に対して、制度の異なる国の間での自己資本充実度の比較可能性と、各国共通の最低自己資本比率の設定可能性を検討するように指示した。

これを受けて、バーゼル銀行監督委員会は検討を開始して、1984年9月には、分母をリスクアセット（リスク加重資産）とする自己資本比率で比較するのがよいだろうというところまで議論が進んだ。その後の作業は停滞したものの、1986年9月から始まった米英の共同作業の結果、1987年1月に英米共同提案が公表され、この提案をたたき台として日米英で作業が進み、1987年9月に日米英3カ国での合意に至った。そして、この合意内容におおむね沿った報告

書がバーゼル銀行監督委員会からG10会議に付議された。G10会議での意見を反映した改訂版が再びG10に付議されて支持された結果、1987年12月、バーゼル銀行監督委員会は、国際的に活動する銀行の自己資本比率の測定と最低基準の制定に関する草案を公表した。1988年7月、パブリック・コメントを反映した最終報告書がバーゼル銀行監督委員会からG10会議に付議されて支持された。この最終報告書がいわゆるバーゼル合意（The Basel Capital Accord）であり、後にバーゼルⅠと呼ばれるようになった。

The Basel Capital Accord
（参考ウェブサイト：https://www.bis.org/publ/bcbs04a.htm）

1988年のバーゼル合意では、国際的に活動する銀行の自己資本比率の最低基準（最低所要自己資本比率）を1992年末までに8％にすることが要求されていた。バーゼル合意における規制上の自己資本比率は、リスクアセットに対する自己資本の比率である。

$$自己資本比率 = \frac{自己資本}{リスクアセット} \geq 8\%$$

日本では、財政年度が適用されるため、バーゼルⅠは、1992年度末から実施された。

1988年のバーゼル合意では、自己資本比率の分子である自己資本は、Tier 1とTier 2の合計金額から控除項目を引いたものである。

$$自己資本 = Tier\ 1 + Tier\ 2 - 控除項目$$

① Tier 1は、自己資本として最も重視されるべき基本項目であり、すべての国で自己資本として認められている共通の項目であ

る。Tier 1として認められたのは、株主資本のみである。

② Tier 2は、自己資本の構成項目ではあるが、各国の監督規則および会計規則で取扱いが異なるもの、あるいは自己資本としてTier 1より質が劣るものである。Tier 2はTier 1と同額までを上限として自己資本に算入が認められる。Tier 2の各項目については、各国の監督規則および会計規則に従って、各国の銀行監督当局の裁量で算入可否を決定できる。

③ 控除項目は、自己資本から控除される項目であり、営業権相当額や非連結の金融子会社への出資などが該当する。

自己資本比率の分母であるリスクアセットは、貸借対照表上（オン・バランス）の資産とオフ・バランス取引のエクスポージャーを相対的なリスクの度合いに応じて幾つかのカテゴリーに分類して、カテゴリーごとに重みづけしたうえで合計したリスク加重資産である。このときに使うカテゴリーごとの重みをリスクウェイトという。

1988年のバーゼル合意では、信用リスク（与信先倒産による損失リスク）の評価が重視されて、信用リスクに係るリスクアセット（信用リスクアセット）を自己資本比率の分母とすることになった。この合意時点では、信用リスク以外のリスク（たとえば、金利、為替のマーケット・リスク）に係るリスクアセットは、自己資本比率の分母に算入されていなかった。

リスクアセット＝信用リスクアセット

貸借対照表上の資産については、与信先のカテゴリーごとに決まるリスクウェイトを与信額にかけて信用リスクアセットとして算入する。オフ・バランス取引については、想定元本をそのまま与信額

とはしないで、バーゼル合意で決められた方法で与信相当額を算出したうえでリスクウェイトをかけて信用リスクアセットとして算入する。

$$信用リスクアセット = \sum_i リスクウェイト_i × 与信額_i$$
$$+ \sum_i リスクウェイト_i × 与信相当額_i$$

(3) バーゼル I の改訂版

1988年のバーゼル合意では、自己資本比率の分母であるリスクアセットに算入するのは、信用リスクアセットに限られていた。1988年のバーゼル合意の報告書では、「本報告書のフレームワークは主に信用リスク（与信先倒産による損失リスク）との関連でみた自己資本の評価をねらいとしているが、他のリスク、特に金利リスクおよび証券投資リスクも、監督当局が全体としての自己資本充実度を評価する際に考慮する必要がある。当委員会はこうしたリスクに関する可能なアプローチを検討中である」と記述されており、マーケット・リスク（金利、為替、株価などの相場変動による損失リスク）を考慮した自己資本充実度の評価については、今後の作業とされていた。

マーケット・リスクを取り込んだうえで自己資本充実度を評価する枠組みは、1993年 4 月の第一次案の公表、1995年 4 月の第二次案の公表、パブリック・コメントを経て、1996年 1 月に最終案が公表されて、国際合意では1997年末（日本では1997年度末）から実施されることになった。

Amendment to the capital accord to incorporate market risks

（参考ウェブサイト：https://www.bis.org/publ/bcbs119.htm）

　この枠組みでは、自己資本比率の分母は、信用リスクアセットとマーケット・リスクアセット（マーケット・リスクに係るリスクアセット）の合計となった。マーケット・リスクの算出方法としては、枠組みで決められた算式を使って算出する方法と、銀行の内部モデルで計算したバリュー・アット・リスク（VaR）を使って算出する方法の2つの方法が用意された。ただし、後者の内部モデルを使用するためには、枠組みで決められた定量的条件と定性的条件を満たしたうえで銀行監督当局の承認が必要とされた。

$$リスクアセット＝信用リスクアセット$$
$$＋マーケット・リスクアセット$$

　自己資本比率の分子については、マーケット・リスクに対する所要自己資本を満たすために、各国の銀行監督当局の裁量で条件付きで、短期劣後債務をTier 3として自己資本に算入することが認められることになった。

$$自己資本＝Tier 1＋Tier 2＋Tier 3－控除項目$$

⑷　バーゼルⅡ

　1999年6月、バーゼル銀行監督委員会は、1988年のバーゼル合意およびその後の改訂にかわる、自己資本充実度の評価のための新しい枠組みの第一次案を公表し、その後、2001年1月の第二次案の公表、2003年4月の第三次案の公表、パブリック・コメントを経て、2004年6月に最終案が公表されて、国際合意では2006年末（日本で

は2006年度末）から実施が開始されることになった。これが、いわゆるバーゼルⅡである。

Basel Ⅱ：International Convergence of Capital Measurement and Capital Standards：a Revised Framework
（参考ウェブサイト：https://www.bis.org/publ/bcbs107.htm）

バーゼルⅡは3つの柱から構成される。

① 第1の柱：最低所要自己資本比率

② 第2の柱：金融機関の自己管理と監督上の検証

③ 第3の柱：市場規律の活用

第1の柱は、1988年のバーゼル合意で決められた自己資本比率規制を発展させて拡張するものであり、国際的に活動する銀行に要求される自己資本比率の最低基準（最低所要自己資本比率）は、1988年のバーゼル合意と同様に、8％である。

$$自己資本比率 = \frac{自己資本}{リスクアセット} \geq 8\%$$

自己資本比率の分母であるリスクアセットには、オペレーショナル・リスクアセット（オペレーショナル・リスクに係るリスクアセット）を追加することになった。ここで、オペレーショナル・リスクは、事故や不正によって発生するリスクである。

$$リスクアセット = 信用リスクアセット$$
$$+ マーケット・リスクアセット$$
$$+ オペレーショナル・リスクアセット$$

信用リスクおよびオペレーショナル・リスクの算出方法について、3つの算出方法が用意され、これらの算出方法は、各国のオペ

レーションと市場構造に応じて当局の裁量で最適な方法を各銀行が選択できる。

自己資本比率の分子の自己資本については、1996年に改訂されたバーゼル合意と同様に、Tier 1、Tier 2、Tier 3の合計から控除項目を引いたもののままで変更なしとされた。

第2の柱は、銀行の自己資本充実度について、銀行による管理と当局による検証を求める内容である。銀行が自己資本充実度を評価して、当局が銀行による自己資本充実度の評価を検証して、当局が銀行に最低基準を超える自己資本比率を保持させて、自己資本比率が最低基準を下回る銀行は早期に改善させる、という原則が示されている。また、第2の柱には、第1の柱で取扱いが不十分な信用集中リスク（与信の特定業種への集中や大口与信先のリスク）やまったく捕捉されていない銀行勘定の金利リスク（伝統的な銀行業務に係る資産と負債の期間と金利のミスマッチのなかで金利の変動に伴って発生するリスク）の評価が含まれる。

第3の柱は、銀行の自己資本比率について、自己資本の内訳、リスクアセットの内訳、エクスポージャーの内訳などの定量的な項目と評価プロセスなどの定性的な項目の開示を銀行に求めるものである。

(5) バーゼル2.5

2008年9月にリーマン・ブラザーズが破綻する以前からバーゼルⅡの枠組みを抜本的に強化する必要性が高まっていたが、銀行は過剰なレバレッジと不十分な流動性バッファーを維持したままで金融危機に直面した。

当局と銀行の流動性リスク管理が不十分な実態は、以前から指摘

されていたが、2007年からのサブプライムローン問題を発端とする金融危機でこの実態が再び明確になった。これを受けて、バーゼル銀行監督委員会は、リーマン・ブラザーズが破綻した2008年9月に「健全な流動性リスク管理およびその監督のための諸原則」（Principles for sound liquidity risk management and supervision）という文書を公表した。この文書の内容は、後のバーゼルⅢで導入される流動性比率規制の基盤となった。

Principles for sound liquidity risk management and supervision
（参考ウェブサイト：https://www.bis.org/publ/bcbs144.htm）

2009年7月、バーゼル銀行監督委員会は、2007年の金融危機で発生したトレーディングの損失とレバレッジの積上がりについて、その要因となったリスクを補捉するために、バーゼルⅡのマーケット・リスクの枠組みを改訂する次の文書を公表した。

Revisions to the Basel Ⅱ market risk framework
（参考ウェブサイト：https://www.bis.org/publ/bcbs158.htm）
Guidelines for computing capital for incremental risk in the trading book
（参考ウェブサイト：https://www.bis.org/publ/bcbs159.htm）

2009年7月、これら文書の公表と同時に、バーゼルⅡの枠組み全体の強化に関する文書が公表された。この文書では、複雑化した証券化商品の取扱い強化などが含まれた。

Enhancements to the Basel Ⅱ framework
（参考ウェブサイト：https://www.bis.org/publ/bcbs157.htm）

バーゼルⅡの改訂と強化に関するこれら文書は、まとめてバーゼル2.5といわれている。バーゼル2.5は、その公表当初は2010年12月末までに実施される予定だったが、パブリック・コメントを受けた

修正の結果、次のプレス・リリースが公表されて、国際合意では2011年12月末までに（日本でも2011年12月末から）実施されることになった。

Press release：Adjustments to the Basel Ⅱ market risk framework announced by the Basel Committee
（参考ウェブサイト：https://www.bis.org/press/p100618.htm）

⑹　バーゼルⅢ

2010年7月、バーゼル銀行監督委員会の上位機関である中央銀行総裁・銀行監督当局長官グループ（GHOS：Group of Central Bank Governors and Heads of Supervision）は、バーゼル銀行監督委員会による自己資本および流動性に関する規制改革パッケージを検討するために会合を開いた。このパッケージには、自己資本の新しい定義による質の向上、カウンターパーティー信用リスクの捕捉の強化、レバレッジの積上がりを抑制するためのレバレッジ比率の導入、定量的な流動性比率規制（流動性カバレッジ比率と安定調達比率の最低基準）などが含まれていた。中央銀行総裁・銀行監督当局長官グループは、このパッケージについて広い範囲で合意した。また、所要最低自己資本比率の上乗せとなる資本バッファーの水準調整と段階的実施については、同年9月の会合で決定することに合意した。

Press release：The Group of Governors and Heads of Supervision reach broad agreement on Basel Committee capital and liquidity reform package
（参考ウェブサイト：https://www.bis.org/press/p100726.htm）

2010年9月、中央銀行総裁・銀行監督当局長官グループは、資本

バッファーを決定して、同年7月に合意した自己資本および流動性に関する規制改革パッケージを承認した。

Press release：Group of Governors and Heads of Supervision announces higher global minimum capital standards
（参考ウェブサイト：https://www.bis.org/press/p100912.htm）

2010年11月、G20サミットでこのパッケージが承認され、同年12月、バーゼル銀行監督委員会は、このパッケージを明文化した2つの文書をバーゼルⅢとして公表した。

Basel Ⅲ：A global regulatory framework for more resilient banks and banking systems
（参考ウェブサイト：https://www.bis.org/publ/bcbs189_dec2010.htm）
Basel Ⅲ：International framework for liquidity risk measurement, standards and monitoring
（参考ウェブサイト：https://www.bis.org/publ/bcbs188.htm）

2010年12月に公表されたバーゼルⅢの適用は、2013年1月1日から2019年1月1日の間で段階的に実施されることになった。

(7)　バーゼルⅢ最終化

バーゼルⅢの公表に続き、2011年以降、バーゼル銀行監督委員会は、バーゼルⅢの改訂作業に着手した。

2010年12月に公表されたバーゼルⅢでは、マーケット・リスクについて大きな変更はなかった。バーゼル2.5でマーケット・リスクの評価に関する改訂が行われたが、枠組みで決められた算式を使う方法での評価はリスク感応的でなく、内部モデルを使う方法でもテールリスクの捕捉が不十分であり、トレーディング勘定の定義が主観的であるというように、幾つかの問題が残っていた。バーゼル

銀行監督委員会は、それらの問題に対処するために、2013年10月、トレーディング勘定の抜本的見直し（FRTB：Fundamental review of the trading book）という文書でマーケット・リスクの枠組みの改訂案を公表した。この案には、トレーディング勘定と銀行勘定の厳格な定義とマーケット・リスクのまったく新しい算出方法などが含まれる。

Fundamental review of the trading book
（参考ウェブサイト：https://www.bis.org/publ/bcbs265.htm）

このトレーディング勘定の抜本的見直しの内容は、その後の改訂とパブリック・コメントを経て、2016年1月に「マーケット・リスクの最低所要自己資本（Minimum capital requirements for market risk）」という文書でマーケット・リスクの枠組みの最終規則が公表された。

Minimum capital requirements for market risk
（参考ウェブサイト：https://www.bis.org/bcbs/publ/d352.htm）

2016年1月の公表当初は、この文書で示された内容を2019年1月1日から実施する予定だったが、公表後に改訂が行われて、改訂版が2019年1月に公表され、実施時期が2022年1月1日に延期された。2020年3月27日、バーゼル銀行監督委員会の上位機関である中央銀行総裁・銀行監督当局長官グループは、新型コロナウイルス感染症の影響を受けて、次のプレス・リリースを公表して、2022年1月1日からの実施を予定していた規制の実施時期を2023年1月1日に再延期した。

Press release：Governors and Heads of Supervision announce deferral of Basel Ⅲ implementation to increase operational capacity of banks and supervisors to respond to Covid-19

（参考ウェブサイト：https://www.bis.org/press/p200327.htm）

　信用リスク、オペレーショナル・リスク、レバレッジ比率について
も改訂が行われ、これらの改訂版の最終規則は2017年12月に公表
された。改訂版の公表当初の実施時期は2022年１月１日だったが、
2023年１月１日に延期された。

　信用リスク、マーケット・リスク、オペレーショナル・リスク、
レバレッジ比率について、国際合意では2023年１月１日から実施さ
れる改訂版がいわゆるバーゼルⅢ最終化である。なお、日本では１
年延期されて財政年度が適用されるため、国際統一基準行と内部モ
デルを用いる国内基準行に対して2024年３月末から実施される予定
である。ただし、内部モデルを用いない国内基準行に対しては、
2025年３月末から実施される予定である。内部モデルを用いない国
内基準行は金融庁の告示改正案の附則で定義されている。

　2019年12月、バーゼル銀行監督委員会は、バーゼル枠組み（The
Basel Framework）を公開した。このバーゼル枠組みは、これまで
別々の文書で公開されていた各規則（自己資本比率規制や流動性比率
規制など）を統合して、１つの枠組み（フレームワーク）として統合
したものである。バーゼル枠組みのウェブサイトでは、バーゼル枠
組みの各規制について、１つ前のバージョンや１つ後のバージョン
の内容を確認できる。また、年月日を指定して、その時点において
有効なバーゼル枠組みの内容を表示したり、枠組み全体をPDF
ファイルとしてダウンロードしたりすることも可能である。

The Basel Framework
（参考ウェブサイト：https://www.bis.org/basel_framework/index.
htm）

3 バーゼルⅢ最終化の枠組み

本節では、バーゼルⅢ最終化の枠組みについて、国際合意の内容と日本で実施される国内規則の内容について述べる。

(1) 国際合意

バーゼルⅢ最終化は、国際合意では、2023年1月1日から段階的に適用されて、2028年1月1日に完全に実施される。図表8－1は、2028年1月1日のバーゼル枠組み（The Basel Framework）の章立てを木構造で示したものである。このバーゼル枠組みの文書は、バーゼル枠組みのウェブサイトで「Time traveller」に「01/01/2028」を入力することで確認することができる。そのページのいちばん下の「Full version of the Basel Framework」をク

図表8－1　バーゼル枠組みの章

（出所）　The Basel Framework（Effective as of：01 Jan 2028）よりANAM作成。

リックするとPDF形式で保存することができる。図表8－1は、そのPDFファイルの各章の見出しを英語から日本語に翻訳したものである。

The Basel Framework
（参考ウェブサイト：https://www.bis.org/basel_framework/index.htm）

　図表8－2、図表8－3は、各章の各節の見出しを表示したものである。

　図表8－1のSCO、CAPなどのアルファベット3文字は、バーゼル枠組みのなかで使われている略語である。たとえば、SCOは「Scope and definitions」の先頭3文字を拾ったもので、図表8－1では「適用範囲と定義」と翻訳している。図表8－2のSCO10、SCO30などは、バーゼル枠組みの各節に割り当てられている番号である。各節は、幾つかの項目に分かれており、各項目に番号が割り当てられている。たとえば、SCO10にはSCO10.1からSCO10.5の5つの項目がある。最初の項目であるSCO10.1には、バーゼル枠組みは国際的に活動する銀行に連結ベースで適用されることが記載されている。

(2)　全　体　像

　最終化されたバーゼルⅢ（バーゼルⅢ最終化）の枠組みの見出しは図表8－1、図表8－2、図表8－3のとおりだが、主要な規制を整理して全体像を示すと、図表8－4のようになる。

　バーゼルⅢ最終化は、バーゼルⅠで導入されてバーゼルⅡで3本の柱として再構築された自己資本比率規制（図表8－2のRBC）と、バーゼルⅢで導入された流動性比率規制（図表8－3のLCRと

NSF）という２つの主要な規制パッケージで構成される。また、図表8－4には載せていないが、大口エクスポージャー規制（大口信用供与等規制）（図表8－3のLEX）と、証拠金規制（図表8－3のMGN）という、その他の規制もバーゼル規制に含まれる。これらの規制について、定量的な指標を計算して規制上の最低基準を満たすことが要求されるのがいわゆる第1の柱である。第1の柱で扱われないリスクも含めた金融機関自身のリスク管理と当局の監督上の検証プロセスを定めたのが第2の柱（図表8－3のSRP）であり、金融機関の情報開示の要件を定めたのが第3の柱（図表8－3のDIS）である。

自己資本比率の分子は自己資本（図表8－2のCAP）であり、分母はリスクアセットである。リスクアセットは、信用リスクアセット（図表8－2のCRE）、マーケット・リスクアセット（図表8－2のMAR）、オペレーショナル・リスクアセット（図表8－2のOPE）の合計である。レバレッジ比率規制（図表8－3のLEV）は自己資本比率規制の補完的指標として導入された。

流動性比率規制は、流動性カバレッジ比率規制（図表8－3のLCR）と安定調達比率規制（図表8－3のNSF）で構成される。

バーゼル規制は、国際的に活動する銀行（図表8－2のSCO）に適用されており、実効的な銀行監督のための最低基準（図表8－3のBCP）が定められている。

(3)　国内規則

バーゼル規制は、国際合意に基づいて各国で法制化されて実施されている。日本では、銀行法などの法令に基づく国内規則が金融庁の告示で示されており、バーゼルⅢに関する告示は次のウェブサイ

図表 8 - 2 バーゼル枠組みの節

SCO 適用範囲と定義
- SCO10 導入
- SCO30 銀行、証券、その他金融子会社
- SCO40 グローバルなシステム上重要な銀行
- SCO50 国内のシステム上重要な銀行
- SCO95 用語と略語

CAP 自己資本の定義
- CAP10 適格自己資本の定義
- CAP30 規制上の調整
- CAP50 慎重な価値評価に関するガイダンス
- CAP90 経過措置
- CAP99 適用ガイダンス

RBC リスク・ベースの所要自己資本
- RBC20 リスク・ベースの最低所要自己資本の計算
- RBC25 銀行勘定（バンキング勘定）とトレーディング勘定の境界
- RBC30 規制上の最低値を超えるバッファー
- RBC40 システム上重要な銀行のバッファー

CRE 信用リスクに係るリスクアセットの計算
- **CRE2x 標準的手法**
  - CRE20 個別のエクスポージャー
  - CRE21 外部格付の使用
  - CRE22 信用リスクの削減
- **CRE3x 内部格付手法**
  - CRE30 全体像と資産クラスの定義
  - CRE31 リスク・ウェイト関数
  - CRE32 リスク要素
  - CRE33 特定貸付債権に対する規制上のスロッティング方式
  - CRE34 購入債権のリスクアセット
  - CRE35 期待損失と引当金の取扱い
  - CRE36 内部格付手法を使うための最低要件
- **CRE4x 証券化**
  - CRE40 総則
  - CRE41 標準的手法準拠方式
  - CRE42 外部格付準拠方式
  - CRE43 内部評価方式
  - CRE44 内部格付手法準拠方式
  - CRE45 不良債権の証券化
- **CRE5x カウンターパーティー信用リスク**
  - CRE50 カウンターパーティー信用リスクの定義と用語
  - CRE51 カウンターパーティー信用リスクの全体像
  - CRE52 カウンターパーティー信用リスクに対する標準的方式
  - CRE53 カウンターパーティー信用リスクに対する内部モデル方式
  - CRE54 銀行の中央清算機関へのエクスポージャーに対する所要自己資本
  - CRE55 トレーディング勘定のカウンターパーティー信用リスク
  - CRE56 証券金融取引に対する最低ヘアカット
- CRE60 ファンドにおけるエクイティ投資
- CRE70 未決済取引とフェイル取引の自己資本規制上の取扱い
- CRE90 経過措置
- CRE99 適用ガイダンス

MAR マーケット・リスクに係るリスクアセットの計算
- MAR10 マーケット・リスクの用語
- MAR11 マーケット・リスクの定義と適用
- MAR12 トレーディング・デスクの定義
- **MAR2x 標準的方式**
  - MAR20 一般的規定と構造
  - MAR21 感応度方式
  - MAR22 デフォルト・リスクの所要自己資本
  - MAR23 残余リスク・アドオン
- **MAR3x 内部モデル方式**
  - MAR30 一般的規定
  - MAR31 モデルの要件
  - MAR32 バック・テスティングと損益要因分析テストの要件
  - MAR33 所要自己資本の計算
- MAR40 簡易的方式
- MAR50 CVA（信用評価調整）の枠組み
- MAR90 経過措置
- MAR99 内部モデル方式の使用についてのガイダンス

OPE オペレーショナル・リスクに係るリスクアセットの計算
- OPE10 定義と適用
- OPE25 標準的計測手法

（出所） The Basel Framework（Effective as of：01 Jan 2028）より ANAM作成。

266

図表 8 - 3　バーゼル枠組みの節　続き

LEV　レバレッジ比率
- LEV10　定義と適用
- LEV20　計算
- LEV30　エクスポージャーの計測
- LEV40　グローバルなシステム上重要な銀行に対する所要レバレッジ比率
- LEV90　経過措置

LCR　流動性カバレッジ比率
- LCR10　定義と適用
- LCR20　計算
- LCR30　高品質な流動資産
- LCR31　代替的な流動性手法
- LCR40　資本流入額と資本流出額
- LCR90　経過措置
- LCR99　適用ガイダンス

NSF　安定調達比率
- NSF10　定義と適用
- NSF20　計算と報告
- NSF30　利用可能安定調達額と所要安定調達額
- NSF99　定義と適用

LEX　大口エクスポージャー
- LEX10　定義と適用
- LEX20　要件
- LEX30　エクスポージャーの測定
- LEX40　グローバルなシステム上重要な銀行に対する大口エクスポージャー規制

MGN　証拠金規制
- MGN10　定義と適用
- MGN20　要件
- MGN90　経過措置

SRP　監督上の検証プロセス
- SRP10　監督上の検証の重要性
- SRP20　四大原則
- SRP30　リスク管理
- SRP31　銀行勘定（バンキング勘定）の金利リスク
- SRP32　信用リスク
- SRP33　マーケット・リスク
- SRP35　報酬実務
- SRP36　リスク・データ集計とリスク報告
- SRP50　流動性モニタリング指標
- SRP90　経過措置
- SRP98　銀行勘定（バンキング勘定）の金利リスクの適用ガイダンス
- SRP99　適用ガイダンス

DIS　開示要件
- DIS10　定義と適用
- DIS20　リスク管理と主要な健全性指標とリスクアセットの全体像
- DIS21　モデルのリスクアセットと標準的なリスクアセットの比較
- DIS25　自己資本とTALCの構成
- DIS26　自己資本流出規制
- DIS30　財務諸表と規制上のエクスポージャーの関係
- DIS31　担保差入れ資産
- DIS35　報酬
- DIS40　信用リスク
- DIS42　カウンターパーティー信用リスク
- DIS43　証券化
- DIS50　マーケット・リスク
- DIS51　CVA（信用評価調整）リスク
- DIS60　オペレーショナル・リスク
- DIS70　銀行勘定（バンキング勘定）の金利リスク
- DIS75　マクロ・プルーデンス監督指標
- DIS80　レバレッジ比率
- DIS85　流動性
- DIS99　範例

BCP　実効的な銀行監督のためのコアとなる諸原則
- BCP01　コアとなる諸原則

（出所）　The Basel Framework（Effective as of：01 Jan 2028）よりANAM作成。

図表 8 − 4　バーゼル規制の全体像

バーゼル規制

第 1 の柱	第 2 の柱	第 3 の柱

自己資本比率規制

　自己資本比率

　　信用リスク

　　マーケット・リスク

　　オペレーショナル・リスク

　レバレッジ比率

流動性比率規制

　流動性カバレッジ比率

　安定調達比率

（出所）　ANAM作成。

トに掲載されている。また、そのページ下部「過去の履歴（告示）」
には、バーゼルⅢ最終化に係る告示改正案へのリンクが掲載されて
いる。

　自己資本比率規制等（バーゼル 2 〜バーゼル2.5〜バーゼル 3 ）につい
　て
（参考ウェブサイト：https://www.fsa.go.jp/policy/basel_ii/index.html）

268

4
自己資本比率規制

　本節では、まず、バーゼル規制における自己資本比率規制の基本的な考え方を述べる。次にバーゼル規制を日本に適用するための国内規則である国際統一基準と国内基準について述べる。最後に自己資本比率規制の国際統一基準と国内基準について述べる。

(1) 自己資本比率とリスクアセット

　バーゼル規制の自己資本比率規制では、国際合意上、自己資本比率が8％以上になることが要求される。

$$自己資本比率 = \frac{自己資本}{リスクアセット} \geq 8\%$$

　自己資本比率の分子の自己資本は、国際統一基準と国内基準で定義が異なる。自己資本比率の分母のリスクアセットは、信用リスク、マーケット・リスク、オペレーショナル・リスクに係るリスクアセットの合計である。

$$リスクアセット＝信用リスクアセット$$
$$＋マーケット・リスクアセット$$
$$＋オペレーショナル・リスクアセット$$

　これらの式について補足すると、もともとバーゼルＩで自己資本比率規制が導入された時点では、リスクアセットは、オン・バランスの資産の与信額とオフ・バランス取引の与信相当額にリスクに応

第8章　バーゼル規制／バーゼルⅢ最終化・日本の対応　269

じた重みをかけたものであり、そのリスクアセットに対して、自己資本が8％以上になることが要求されていた。そのリスクアセットは、信用リスクのみを考慮したリスク量なので、信用リスクアセットといわれる。

$$自己資本比率 = \frac{自己資本}{信用リスクアセット} \geq 8\％$$

この式の分母の信用リスクアセットを右辺に移項すると、自己資本が信用リスクアセットの8％以上という式になる。8％は規制上の最低所要水準である。信用リスクアセットに規制上の最低所要水準を乗じたものを信用リスク相当額という。信用リスク相当額は、信用リスクに対する所要自己資本である。

自己資本 ≧ 信用リスクアセット×8％ = 信用リスク相当額

バーゼルⅠの改訂では、マーケット・リスクに対する所要自己資本が追加で要求されることになった。マーケット・リスクに対する所要自己資本をマーケット・リスク相当額という。自己資本が信用リスク相当額とマーケット・リスク相当額の合計以上になるという式を変更していくと次のようになる。

自己資本 ≧ 信用リスク相当額 + マーケット・リスク相当額
自己資本 ≧ 信用リスクアセット×8％ + マーケット・リスク相当額
自己資本 ≧ （信用リスクアセット + マーケット・リスク相当額×12.5）×8％

$$\frac{自己資本}{信用リスクアセット + マーケット・リスク相当額×12.5} \geq 8\％$$

この最後の式の分母が改訂後のバーゼルⅠにおけるリスクアセッ

トである。マーケット・リスク相当額に12.5を乗じたもの（8％で
割ったもの）をマーケット・リスクアセットという。マーケット・
リスクアセットは、マーケット・リスク相当額を8％で割ってマー
ケット・リスクに係るリスクアセットを逆算したものということが
できる。

　バーゼルⅡでは、オペレーショナル・リスクに対する所要自己資
本が追加で要求されるようになった。オペレーショナル・リスクに
対する所要自己資本をオペレーショナル・リスク相当額という。自
己資本が信用リスク相当額とマーケット・リスク相当額とオペレー
ショナル・リスク相当額の合計以上になるという式を変更していく
と次のようになる。

$$自己資本 \geq 信用リスク相当額 + マーケット・リスク相当額$$
$$+ オペレーショナル・リスク相当額$$

$$自己資本 \geq 信用リスクアセット \times 8\% + マーケット・リスク相$$
$$当額 + オペレーショナル・リスク相当額$$

$$自己資本 \geq (信用リスクアセット + マーケット・リスク相当額$$
$$\times 12.5 + オペレーショナル・リスク相当額 \times 12.5) \times 8\%$$

$$\frac{自己資本}{信用リスクアセット + マーケット・リスク相当額 \times 12.5 + オペレーショナル・リスク相当額 \times 12.5} \geq 8\%$$

　この最後の式の分母がバーゼルⅡにおけるリスクアセットであ
る。

$$リスクアセット = 信用リスクアセット$$
$$+ マーケット・リスク相当額 \times 12.5$$
$$+ オペレーショナル・リスク相当額 \times 12.5$$

第8章　バーゼル規制／バーゼルⅢ最終化・日本の対応　271

オペレーショナル・リスク相当額に12.5を乗じたもの（8％で割ったもの）をオペレーショナル・リスクアセットという。オペレーショナル・リスクアセットは、オペレーショナル・リスク相当額を8％で割ってオペレーショナル・リスクに係るリスクアセットを逆算したものということができる。

$$\frac{\text{自己資本}}{\text{リスクアセット}} \geq 8\%$$

(2) 国際統一基準と国内基準

バーゼル規制の適用について、国内規則では、国際統一基準と国内基準の2つの基準が存在する。国際統一基準は、海外営業拠点（海外支店または海外現地法人）を有する預貯金取扱機関に適用される。国内基準は、海外営業拠点を有しない預貯金取扱機関に適用される。海外駐在員事務所は、海外営業拠点に該当しない。したがって、海外に駐在員事務所のみを有する預貯金取扱機関には、国際統一基準は適用されない。

国際統一基準は、国際的に活動している日本の銀行に対してバーゼル合意に基づく規制を適用する国内規則である。国際統一基準を適用する銀行を国際統一基準行という。

国内基準は、駐在員事務所を除いて日本国内で活動している日本の銀行に対して日本独自の規制を適用する国内規則である。国内基準を適用する銀行を国内基準行という。

(3) 国際統一基準における自己資本比率規制

国際統一基準における自己資本比率について述べる。国際統一基

準では、バーゼルⅢの国際合意に基づいて、自己資本比率の分子の自己資本は、普通株式等Tier 1、その他Tier 1、Tier 2で構成される。

自己資本＝普通株式等Tier 1＋その他Tier 1＋Tier 2

自己資本比率は、最低所要水準8％と資本バッファーの合計以上になることが要求されている。

$$自己資本比率＝\frac{自己資本}{リスクアセット} ≧ 8％＋資本バッファー$$

資本バッファーは、資本保全バッファー、カウンター・シクリカル・バッファー、G-SIB/D-SIBバッファーの合計である。資本保全バッファーは2.5％である。カウンター・シクリカル・バッファーは日本では0％である。G-SIB/D-SIBバッファーは日本ではG-SIBs/D-SIBs（Global Systemically Important Banks/Domestic Systemically Important Banks）といわれる特定の金融機関に対して課されている。

資本バッファー＝資本保全バッファー
　　　　　　　　＋カウンター・シクリカル・バッファー
　　　　　　　　＋G-SIB/D-SIBバッファー

国際統一基準では、国際合意に基づいて、Tier 1比率が最低所要水準6％と資本バッファーの合計以上になることと、普通株式等Tier 1比率が最低所要水準4.5％と資本バッファーの合計以上になることが求められている。

第8章　バーゼル規制／バーゼルⅢ最終化・日本の対応　273

$$\text{Tier 1 比率} = \frac{\text{普通株式等Tier 1} + \text{その他Tier 1}}{\text{リスクアセット}}$$

$$\geq 6\% + \text{資本バッファー}$$

$$\text{普通株式等Tier 1 比率} = \frac{\text{普通株式等Tier 1}}{\text{リスクアセット}}$$

$$\geq 4.5\% + \text{資本バッファー}$$

資本バッファーは、最低所要水準に追加で要求される比率である。普通株式等Tier 1 比率が最低所要水準4.5％と資本バッファーの合計に満たない場合、その程度に応じて、配当、自社株買い、役員報酬等による資本流出が抑制される。

(4) 国内基準における自己資本比率規制

国内基準における自己資本比率について述べる。国内基準では、自己資本比率の分子の自己資本は、国内規則で独自に定義されたコア資本になる。リスクアセットに対するコア資本の比率が4％以上になることが求められている。

$$\text{自己資本比率} = \frac{\text{コア資本}}{\text{リスクアセット}} \geq 4\%$$

(5) マーケット・リスク相当額不算入の特例

日本の国内規則では、国際統一基準と国内基準で、条件を満たした場合、マーケット・リスク相当額不算入の特例が認められている。この場合、リスクアセットは、次のようになる。

リスクアセット＝信用リスクアセット

　　　　　　　＋オペレーショナル・リスク相当額×12.5

　マーケット・リスク相当額不算入の特例を満たすための条件については、本章6で述べる。

5

信用リスク

　信用リスクアセットを求める方法は、標準的手法と内部格付手法に分かれる。

(1)　標準的手法

　標準的手法は、バーゼルⅠにおける信用リスクアセットの算出のように、エクスポージャーを分類して、リスクウェイトを乗じて、それらの合計を求めて信用リスクアセットを算出する方法である。リスクウェイトは、バーゼルⅡ、バーゼルⅢ、バーゼルⅢ最終化と段階を経て、細分化されてリスク感応度の向上が図られている。バーゼルⅢからバーゼルⅢ最終化での変更点としては、格付なしの売上高50億円以下の企業に対する債権のリスクウェイトが100％から85％になることと、株式のリスクウェイトが100％から段階的に引き上げられることである。投機的な非上場株式は、適用初年度のリスクウェイトは100％で、2年目以降60％ずつ引き上げられ、完全実施後には400％になる。それ以外の株式は、適用初年度のリスクウェイトは100％で、2年目以降30％ずつ引き上げられ、完全実施後には250％になる。バーゼルⅢ最終化の標準的手法の詳細は、告示改正案と次の資料も参考にされたい。

　「信用リスク（標準的手法）」の概要
　（参考ウェブサイト：https://www.fsa.go.jp/inter/bis/20171208-1/03.pdf）

(2) 内部格付手法

　内部格付手法は、銀行の内部モデルを使って信用リスク相当額（信用リスクに対する所要自己資本）を求める方法である。信用リスクアセットは、内部格付手法で求めた信用リスク相当額に12.5を乗じる（8％で割ること）によって求められる。内部格付手法では、銀行が内部格付制度を整備して与信先に格付を付与したうえで、デフォルト確率（PD：Probability of default）、デフォルト時損失率（LGD：Loss given default）、デフォルト時エクスポージャー（EAD：Exposure at default）を推計して、所定の関数式に入力して信用リスク相当額を求める。この所定の関数式は、バーゼル枠組みおよび告示で定められている。内部格付手法は、バーゼルⅡで信用リスク計測の精緻化のために導入された方法だが、枠組みの複雑さの削減と計算結果の銀行間での比較可能性の向上のため、また、整合性評価プログラム（RCAP：Regulatory Consistency Assessment Program）でみられた銀行間の信用リスクアセットの過度なばらつきへの対処のために、バーゼルⅢ最終化では内部格付手法の利用が制限されることになった。内部格付手法を利用する銀行の株式エクスポージャーについては、適用初年度から標準的手法において段階的に引き上げられるリスクウェイトと内部格付手法に基づいて計算されるリスクウェイトのいずれか高いほうを使い、完全実施後には標準的手法のリスクウェイトを適用することになった。また、入力するパラメータであるPD、LGD、EADの下限が設定される。さらに資本フロアが設定される。資本フロアは、信用リスクの内部格付手法やマーケット・リスクの内部モデル方式などの内部モデルを用いる手法で計算するリスクアセット全体が、信用リスクの標準的手

第8章　バーゼル規制／バーゼルⅢ最終化・日本の対応　277

法やマーケット・リスクの標準的方式など、内部モデルを用いない手法で計算するリスクアセット全体の72.5%（適用初年度の50%から完全実施後の72.5%に段階的に引上げ）を下回らないことを要求するものである。内部格付手法と資本フロアについては、告示改正案と次の資料も参考にされたい。

「信用リスクに係る内部格付手法（IRB）」の概要
（参考ウェブサイト：https://www.fsa.go.jp/inter/bis/20171208-1/04.pdf）

⑶　カウンターパーティー信用リスク

　デリバティブおよびレポ形式取引などの相手方に対する信用リスクをカウンターパーティー信用リスクという。標準的手法におけるデリバティブおよびレポ形式取引などの与信相当額と内部格付手法におけるEADの算出では、カウンターパーティー信用リスクの算出手法を使用する。カウンターパーティー信用リスクの算出手法は、カレント・エクスポージャー方式（CEM：Current Exposure Method）、SA-CCR（Standardised Approach for Counterparty Credit Risk）、期待エクスポージャー方式の3つがある。国際合意ではSA-CCRの導入に伴いCEMは廃止されたが、日本の国内規則では国際統一基準と国内基準で当分の間CEMは使用可能とされている。

⑷　CVAリスク

　CVAリスクは、デリバティブについて、相手方の信用リスクを勘案しない場合における価値と相手方の信用リスクを勘案する場合における価値との差額である。CVAリスクについては、CVAリスク相当額（CVAリスクに対する所要自己資本）を算出して、それを

8％で割ってCVAリスクに係るリスクアセットを算出する。CVAリスクは、国際合意ではマーケット・リスクの枠組みの一部であるが、国内規則では信用リスクの一部であり、信用リスクアセットに算入する。最終化前のバーゼルⅢでは、CVAリスク相当額の算出方法として、標準的リスク測定方式、先進的リスク測定方式、簡便的リスク測定方式の3つが存在する。しかし、これらの方法はリスク感応的でないなどの問題があったため、バーゼルⅢ最終化では、マーケット・リスクの算出方法の変更にあわせて、CVAリスク相当額の算出方法は、標準的方式（SA-CVA）、基礎的方式（BA－CVA）、簡便法に変更される。国際統一基準では簡便法の選択は認められないが、国内基準ではCVAリスク計測の対象となるデリバティブ取引の合計想定元本額が10兆円以下である場合は簡便法の選択が認められる。簡便法では、簡便的リスク測定方式と同様に、デリバティブ取引の信用リスクアセットの額に12％を乗じて得た額がCVAリスク相当額になる。CVAリスク相当額の算出方法については、告示改正案と次の資料も参考にされたい。簡便法について詳細は、告示改正案を参照されたい。

　「信用評価調整（CVA）リスクの最低所要自己資本」の概要

　（参考ウェブサイト：https://www.fsa.go.jp/inter/bis/20171208-1/05.pdf）

6

マーケット・リスク

バーゼル規制では、銀行は保有する商品を分類するためにトレーディング勘定と銀行勘定（バンキング勘定）を設置する。トレーディング勘定はトレーディング目的の商品を分類するものであり、銀行勘定はそれ以外の商品を分類するものである。この分類は、商品がマーケット・リスク相当額の算出対象になるかどうかを判断するために使われる。

マーケット・リスク相当額の算出対象になるのは次のものである。

① トレーディング勘定の商品に係るデフォルト・リスク、金利リスク、信用スプレッド・リスク、株式リスク、外国為替リスクおよびコモディティ・リスク

② 銀行勘定の商品に係る外国為替リスクおよびコモディティ・リスク

③ これらのリスクに類似するリスク

マーケット・リスク相当額を算出しており、マーケット・リスク相当額に算入したリスクは、信用リスクアセットに算入する必要はない。また、トレーディング勘定に分類された商品のリスクも、信用リスクアセットに算入する必要はない。

(1) トレーディング勘定の抜本的見直し

最終化される前のバーゼルⅢでは、トレーディング目的かどうかの判断が主観的なために、トレーディング勘定と銀行勘定の分類を

恣意的に変更して、リスクアセットをより少ない額で算出する規制裁定が行われる可能性が指摘されていた。バーゼルⅢ最終化では、トレーディング勘定と銀行勘定の厳格な分類が定められている。トレーディングの目的は、以下のいずれかが該当することになった。

① 短期間の再売却目的

② 市場における相場その他の指標に係る短期の価格変動からの利益の獲得目的

③ 市場間の裁定取引による利益の獲得目的

④ 上記３つのいずれかで保有している商品から生じるリスクのヘッジ目的

　また、必ずトレーディング勘定に該当しない商品（つまり、銀行勘定に該当する商品）も列挙されている。トレーディング勘定の抜本的見直しとマーケット・リスク相当額の算出方法についての詳細は、次の２つの資料と2021年９月28日公表の告示改正案を参照されたい。

「マーケット・リスクの最低所要自己資本」の概要
（参考ウェブサイト：https://www.fsa.go.jp/inter/bis/20160119-1/02.pdf）
「マーケット・リスクの最低所要自己資本」の概要
（参考ウェブサイト：https://www.fsa.go.jp/inter/bis/20190115/20190206.pdf）

(2)　マーケット・リスク相当額不算入の特例

　国内規則では、条件を満たした場合、マーケット・リスク相当額に12.5を乗じたもの（８％で割ったもの）をリスクアセットに算入しなくてよいという特例（マーケット・リスク相当額の不算入特例）が認められていた。2021年９月28日公表の告示改正案によれば、

バーゼルⅢ最終化後の国内規則においても、次の条件をすべて満たした場合、マーケット・リスク相当額の不算入特例が認められる。詳細は2021年9月28日公表の告示改正案を参照されたい。

① 特定取引資産・負債（トレーディング勘定（特定取引勘定）に計上される資産・負債）の合計額が1,000億円未満であり、かつ、総資産の10%未満であること

② 外国為替の全体のネット・ポジションが1,000億円未満であり、かつ、「外国為替の全体のネット・ポジションを信用リスクアセットとオペレーショナル・リスクアセット（オペレーショナル・リスク相当額×12.5）に加えた額」に対する外国為替の全体のネット・ポジションが10%未満であること

「マーケット・リスクの最低所要自己資本」の概要
（参考ウェブサイト：https://www.fsa.go.jp/inter/bis/20190115/20190206.pdf）

7

オペレーショナル・リスク

　最終化前のバーゼルⅢでは、オペレーショナル・リスク相当額の算出方法として、基礎的手法（Basic indicator approach）、粗利益配分手法（Standardised approach）、先進的計測手法（Advanced measurement approaches）の3つが存在する。しかし、最終化後のバーゼルⅢでは、オペレーショナル・リスク相当額の算出方法は、標準的計測手法（Standardised approach）のみになる。標準的計測手法は、最終化前の3つの算出方法とはまったく異なる新しい算出方法である。標準的計測手法は、国際統一基準行と国内基準行の両方に対して実施される。国際統一基準行と内部モデルを用いる国内基準行に対しては2024年3月末から実施される。ただし、内部モデルを用いない国内基準行に対しては2025年3月末から実施される予定である。内部モデルを用いない国内基準行は告示改正案の附則で定義されている。

　最終化前の基礎的手法と粗利益配分手法は、銀行の粗利益から算出する方法であるが、粗利益は景気に左右されやすく、必ずしもオペレーショナル・リスクも反映したものではないという欠点があった。また、最終化前の先進的計測手法は銀行の内部モデルを使う方法であるが、モデルの自由度が高く、計算結果が銀行間でばらつきやすいという欠点があった。最終化後の標準的計測手法は、ビジネス規模部分（BIC：Business Indicator Component）と損失実績部分（ILM：Internal Loss Multiplier）の積でオペレーショナル・リスクを算出する方法である。

第8章　バーゼル規制／バーゼルⅢ最終化・日本の対応　283

$$\text{オペレーショナル・リスク相当額} = \text{BIC} \times \text{ILM}$$

　BICとILMの算出方法については、2021年3月31日公表の告示改正案と次の資料も参考にされたい。

「オペレーショナル・リスクに係る最低所要自己資本」の概要
（参考ウェブサイト:https://www.fsa.go.jp/inter/bis/20171208-1/06.pdf）

8

レバレッジ比率規制と流動性比率規制

(1) レバレッジ比率規制

レバレッジ比率規制は、レバレッジの積上がりの抑制のために、自己資本比率規制の補完的指標として導入された。レバレッジ比率の最低基準は３％である。この規制は、日本では、国際統一基準行に適用されているが、国内基準行には適用されていない。

$$レバレッジ比率 = \frac{Tier\ 1}{エクスポージャーの合計額} \geq 3\%$$

バーゼルⅢ最終化では、レバレッジ比率の分母に算入するデリバティブのエクスポージャーの評価方法が修正カレント・エクスポージャー方式（修正CEM）から修正SA-CCRに変更される。修正CEMと修正SA-CCRは、それぞれ、カウンターパーティー信用リスクの算出方法であるCEMとSA-CCRをベースとした算出方法である。修正SA-CCRの適用は、国際合意では2023年１月１日から適用になっているが、日本ではすでに告示で修正SA-CCRが2019年３月31日から適用されている。しかし、告示によれば、当分の間、修正CEMでも算出することができる。詳細は告示と次の資料を参照されたい。

「レバレッジ比率の枠組みの見直し」の概要
（参考ウェブサイト：https://www.fsa.go.jp/inter/bis/20171208-1/07.pdf）

第8章　バーゼル規制／バーゼルⅢ最終化・日本の対応　285

(2) 流動性比率規制

　流動性比率規制は、流動性カバレッジ比率規制と安定調達比率規制からなる枠組みである。2007年から始まった金融危機では、多くの銀行が、適切な自己資本比率を維持しているにもかかわらず、銀行と当局の流動性リスク管理が不十分なために、流動性が極端に枯渇するという困難に陥った。流動性比率規制は、2008年9月に公表された「健全な流動性リスク管理およびその監督のための諸原則」（Principles for sound liquidity risk management and supervision）を補完する目的で導入された枠組みである。

　流動性カバレッジ比率規制は、30日間の流動性ストレス時の資金流出に耐えうる流動性資産の最低基準を定めるものである。

$$
流動性カバレッジ比率 = \frac{算入可能適格流動資産の合計額}{純資金流出額} \geq 100\%
$$

　流動性カバレッジ比率規制は、日本では、国際統一基準で2015年3月31日から（国際合意では2015年1月1日から）段階的に適用されて2019年1月1日から完全実施になっているが、国内基準では適用されていない。詳細は告示と次の資料を参照されたい。

　流動性規制（流動性カバレッジ比率）に関するバーゼルⅢテキスト公表
（参考ウェブサイト：https://www.fsa.go.jp/inter/bis/20130108-2/02.pdf）

　安定調達比率規制は、調達と運用のミスマッチを減らすために導入される。

$$\text{安定調達比率} = \frac{\text{利用可能安定調達額}}{\text{所要安定調達額}} \geq 100\%$$

　安定調達比率規制は、国際合意では、2018年1月1日から実施されている。日本では、2018年6月29日に告示改正案が公表されて2019年3月31日から実施される予定になっていたが、2019年3月22日、諸外国における流動性比率規制の実施状況をふまえて実施時期を見直すことが公表された。最終的には、2021年3月31日にパブリック・コメントをふまえた告示改正案が公表されて、2021年9月30日から実施開始となった。安定調達比率規制は、国際統一基準行に対して適用されるが、国内基準行には適用されない。詳細は告示改正案および次の資料を参照されたい。

　安定調達比率（Net Stable Funding Ratio：NSFR）最終規則の概要
（参考ウェブサイト：https://www.fsa.go.jp/inter/bis/20141105-1/02.pdf）

9

バーゼルⅢ最終化のまとめ

　バーゼルⅢの最終化について、G-SIBs/D-SIBsに指定されている国際統一基準行、G-SIBs/D-SIBsに指定されていない国際統一基準行、国内基準行に分類して、それぞれどの規制項目で対応が必要になるのかを図表8－5に示した。G-SIBs/D-SIBsとは、本章4で述べたG-SIB/D-SIBバッファーが課されている特定の金融機関のことである。図表8－5で対応が必要なものには○、対応が不要なものには×、条件によって対応が必要になるものは△で示し、（注）で示した注釈で条件を記載している。本章5で述べたように、信用リスクの内部格付手法やマーケット・リスクの内部モデル方式のような内部モデルを用いる銀行に対しては資本フロアが設定されるため、信用リスクの標準的手法やマーケット・リスクの標準的方式による計算が必要になる。マーケット・リスクについては、マーケット・リスク相当額不算入の特例を採用する銀行については、本章4で述べたように、マーケット・リスクアセットを算入しないので計算する必要はない。バーゼルⅢ最終化は、本章2(7)で述べたように、国際統一基準行と内部モデルを用いる国内基準行に対しては2024年3月末から実施されるが、内部モデルを用いない国内基準行に対しては2025年3月末から実施される予定である。

　図表8－6では、トレーディング勘定に分類された商品と銀行勘定に分類された商品について、リスク・ファクター（株式、金利、外国為替、コモディティ）ごとに、信用リスク（標準的手法／内部格付手法で計算するもの）、カウンターパーティー信用リスク（カレン

288

図表8－5　バーゼルⅢ最終化のまとめ1

			国際統一基準行		国内基準行
			G-SIBs/ D-SIBs 指定	G-SIBs/ D-SIBs 未指定	
自己資本比率規制	自己資本比率	資本バッファー	資本保全バッファー	○	○	×
			カウンター・シクリカル・バッファー	○	○	×
			G-SIB/D-SIBバッファー	○	×	×
		信用リスク	標準的手法	○	○	○
			内部格付手法	△（注1）	△（注1）	△（注1）
		マーケット・リスク	標準的方式	△（注2）	△（注2）	△（注2）
			内部モデル方式	△（注3）	△（注3）	△（注3）
		オペレーショナル・リスク	標準的手法	○	○	○
	レバレッジ比率			○	○	×
流動性カバレッジ比率				○	○	×
安定調達比率				○	○	×

（注1）　信用リスクアセットの計算において内部格付手法を採用する銀行のみ。
（注2）　マーケット・リスクアセットをリスクアセットに算入する銀行のみ。
（注3）　マーケット・リスクアセットをリスクアセットに算入する銀行であって、内部モデル方式を採用する銀行のみ。
（出所）　ANAM作成。

図表8-6　バーゼルⅢ最終化のまとめ2

勘定	リスク・ファクター	第1の柱			第2の柱
		信用リスク	カウンターパーティー信用リスク	マーケット・リスク	銀行勘定の金利リスク
銀行勘定（バンキング勘定）	株式	○	○		
	金利	○	○		○
	外国為替	○	○	○	
	コモディティ	○	○	○	
トレーディング勘定（特定取引勘定）	株式		○	○	
	金利		○	○	
	外国為替		○	○	
	コモディティ		○	○	

（出所）　ANAM作成。

ト・エクスポージャー方式／SA-CCR／期待エクスポージャー方式で計算するもの）、マーケット・リスク（標準的方式／内部モデル方式で計算するもの）の算出対象になるかどうかを明示した。マーケット・リスクについては、マーケット・リスク相当額不算入の特例によってバーゼル規制上のマーケット・リスクをリスクアセットに算入していない地域銀行も少なくない。また、最終化前のバーゼルⅢでは、標準的方式によるマーケット・リスクの算出方法はリスク感応的ではないし、内部モデル方式はテールリスクを捕捉できていないという問題があった。しかし、最終化後のバーゼルⅢでは、標準的

方式はポジションのリスク・ファクターへの感応度を考慮した計算方法になり、内部モデル方式はリスク感応的でリスクテイクも捕捉できるようになり、より精微にマーケット・リスクを計測できるようになった。バーゼル規制は監督当局と銀行が協力して発展させてきた世界共通のリスク管理の枠組みであり、リスクテイクとリスク管理は表裏一体であるから、第7章でご紹介したANAMダッシュボード®によるリスク・ファクターごとのポートフォリオ管理とあわせて、バーゼル規制の枠組みによるマーケット・リスク管理も活用して、リスク管理の高度化を進めていくのはいかがだろうか。

[吉永　彰成]

第 9 章

デジタル／暗号資産

　近年、暗号資産の取引が活発に行われており、その基盤の1つであるブロックチェーンを活用した金融商品やサービスが増えている。また、各国において、中央銀行デジタル通貨（CBDC）の議論や研究開発が進んでいる。このような状況であるので、ブロックチェーンあるいは分散型台帳技術といわれるような技術がどのようなものか、おおまかなイメージをもつことが重要だと考える。

　そこで、本章の前半では、暗号資産やCBDCに関連した用語と議論を整理する。ブロックチェーン関連で実施が検討されているバーゼル規制の内容についても簡単に触れる。

　本章の後半では、代表的な暗号資産であるビットコインのブロックチェーンの仕組みを解説し、ブロックチェーンの基本的な考え方が理解できることを目標とする。最後に、ビットコインの金融商品の例をいくつかあげる。

1

ブロックチェーンによる金融のデジタル化

　2009年のビットコイン（Bitcoin）の誕生以来、その基盤技術であるブロックチェーン（blockchain）を使った暗号資産（cryptoasset）やセキュリティ・トークン（security token）といったような、伝統的な株式や債券などの有価証券とは仕組みがまったく異なる新しい金融資産が登場している。

　暗号資産では、ビットコインのように裏付資産が存在しないにもかかわらず価値の保存や決済の手段や投資の対象として使われるもの、イーサリアム（Ethereum）のように契約を自動的に実行するスマート・コントラクト（smart contract）という機能をもつもの、米ドルなどの法定通貨を裏付資産とするようなステーブルコイン（stablecoin）といわれるものなど、それぞれブロックチェーン上で動作するという点では共通しているが、技術的な点や経済的な点では異なるものが多く存在する。

　セキュリティ・トークンとは、おおまかには、デジタル化された有価証券のことであるが、より正確には、従来の証券保管振替機構（ほふり）による管理とは異なる仕組みで構築されたシステムで電子的に管理される有価証券をいう。一般的に、セキュリティ・トークンでは、ブロックチェーンを使ってシステムが構築される。ブロックチェーンを利用することで低コストで高い流動性を実現することが期待されている。

　グローバル・ステーブルコイン（global stablecoin）とは、クロスボーダーで決済手段として使われる可能性があるステーブルコイン

のことをいう。2022年5月の執筆時点では、グローバル・ステーブルコインといわれるものは存在しないが、グローバル・ステーブルコインに関する議論によって、中央銀行デジタル通貨（CBDC：Central Bank Digital Currency）の議論が加速することになった。

このように、ビットコインとその基盤技術であるブロックチェーンが登場したことで、さまざまな金融資産が誕生し、セキュリティ・トークンのように、ブロックチェーンで管理される有価証券も誕生することになった。

2021年末、クロスボーダーの銀行間決済・送金ネットワークである国際銀行間通信協会（SWIFT：Society for Worldwide Interbank Financial Telecommunication）は、株式、債券、コモディティ、不動産、美術品などもブロックチェーンで管理できるようにしたものをトークン化資産（tokenised asset）といい、異なるシステム上で動作するトークン化資産をまとめて運用する実証実験を行うと発表した。SWIFTによれば、伝統的な金融資産（株式、債券）だけでなく、新しい金融資産クラスについても即時で摩擦のない取引を目指しているとのことである。

（参考ウェブサイト：https://www.swift.com/news-events/news/exploring-tokenised-assets-collaborative-innovation-action）

暗号資産自体は有価証券ではないが、暗号資産の基盤技術であるブロックチェーンは、セキュリティ・トークンという新しいかたちの有価証券で使われている。ブロックチェーンは、契約・投資・決済にてさまざまなイノベーションを生み出している。

ブロックチェーンは、低コストでシステムを構築でき、改ざんに強いという特徴をもつ。このため、近年、ブロックチェーンとスマート・コントラクトを使った電子契約の実証実験が活発に行われ

ている。地域金融機関では、青森銀行、秋田銀行、岩手銀行、山梨中央銀行の4行が出資する株式会社フィッティング・ハブがシステム・ベンダーと共同でブロックチェーンとスマート・コントラクトを利用した電子契約の実証実験を開始したと発表した。

（参考ウェブサイト：https://portal.fitting-hub.com/news/news/docs/201113_news_iwate.pdf）

投資においては、国内の信託銀行や証券会社などで、不動産、社債などの金融商品を、ブロックチェーンを使ったシステムによりセキュリティ・トークン化して、個人投資家が少額でも投資できる環境づくりが進んでいる。従来では、大口で購入できる機関投資家のみを対象としていた金融商品についても、セキュリティ・トークンというかたちで小口化することで、個人投資家の投資機会が増えることが期待される。地域金融機関が、地域の個人・企業からのESG・SDGsを含めたさまざまな資金需要・投資機会をとらえ、地域通貨やセキュリティ・トークンなどの発行体として顧客に少額でも投資機会を提供するなどして、地方創生の一役を担うことも考えられる。

決済においては、幾つかの地域にてブロックチェーンを利用したデジタル地域通貨の実証実験が行われており、実際にそのようなデジタル地域通貨の発行が開始されている地域もある。

今後、地域金融機関の契約・決済分野において、ブロックチェーンが活用されることが期待される。このため、ブロックチェーンの現状を整理し、その仕組みを理解しておくことは重要であると考える。

そこで、本章2では、ブロックチェーンに関する現状を整理するとともに、本節で述べた用語のより正確な定義についても述べる。

また、暗号資産に関連した規制と中央銀行デジタル通貨についても述べる。

さらに本章3では、ビットコインのブロックチェーンについて、その仕組みを図表を使って解説する。技術的な詳細については専門書に譲り、ここでは、おおまかな仕組みを理解することを目的にする。

そして本章4では、ビットコインの金融商品について述べる。ビットコイン自体は有価証券ではないが、ビットコイン先物とビットコイン先物ETFは、それぞれ当局の規制を受けた金融商品である。

最後に、本章5では、ANAMが調査・研究目的で行った暗号資産のマイニングについて述べる。

2

暗号資産と中央銀行デジタル通貨

本節では、暗号資産、ブロックチェーン、分散型台帳技術、中央銀行デジタル通貨といった用語を整理する。

(1) 暗号資産

暗号資産は、「資金決済に関する法律」（資金決済法）において、次の性質をもつものと定義されている。

（参考ウェブサイト：https://www.boj.or.jp/announcements/education/oshiete/money/c27.htm/）

① 不特定の者に対して、代金の支払等に使用でき、かつ、法定通貨（日本円や米ドル等）と相互に交換できる

② 電子的に記録され、移転できる

③ 法定通貨または法定通貨建ての資産（プリペイドカード等）ではない

日本の法的な暗号資産の定義は上記のとおりだが、一般的には、分散型台帳技術、ブロックチェーン、または類似の技術を使用して価値・権利の移転・保存が可能なデジタル化された情報を表すことが多い。このようなものは「トークン」と呼ばれることもある。

ビットコイン（Bitcoin）は、独自のブロックチェーンをもつ代表的な暗号資産である。

また、イーサリアム（Ethereum）は、独自のブロックチェーンをもつソフトウエアである。イーサリアムのなかでは、複数の種類の暗号資産が取引されたり、複数のプログラムが実行されており、

そこで中心的な役割をもつ暗号資産がイーサ（ETH）である。

　暗号資産や関連の用語（分散型台帳技術、ブロックチェーン、トークン等）は、文脈によって意味が異なるので注意が必要である。分散型台帳技術、ブロックチェーン、トークンの明確な定義はなく、文献によって分散型台帳技術はブロックチェーンを含む技術を表すこともあり、まったく別の技術を表すこともある。暗号資産（cryptoasset）についていえば、日本には法令上の定義があり、当該定義によれば電磁的に記録・移転が可能であれば分散型台帳技術やブロックチェーンを使わなくても暗号資産に該当しうる。しかし、金融安定理事会（FSB：Financial Stability Board）やバーゼル銀行監督委員会（BCBS：Basel Committee on Banking Supervision）の報告書や市中協議文書では、分散型台帳技術または類似の技術を使って電子的に移転・価値保存される価値・権利をデジタルに表章したものを暗号資産といい、ブロックチェーンを含む分散型台帳技術や類似の技術を使うことが暗号資産の要件となっている。

　「暗号資産」は、かつては「仮想通貨」といわれていたが、2020年5月1日施行の資金決済法の改正によって、「仮想通貨」から「暗号資産」へ呼称が変更された。日本では「仮想通貨」という呼称が広く一般的に使用されていたが、国際的な場では「暗号資産」（cryptoasset）という表現が使用されつつあるというような国際的な動向等をふまえて、法令上の呼称は「仮想通貨」から「暗号資産」に変更されたのである。

　暗号資産エクスポージャーのバーゼル規制（自己資本比率規制、レバレッジ比率規制、流動性規制、大口信用供与等規制、監督、開示）上の取扱いについて、2021年6月10日、バーゼル銀行監督委員会は、「暗号資産エクスポージャーに係るプルデンシャルな取扱い」

(Prudential treatment of cryptoasset exposures）という市中協議文書
を公表した。

バーゼル銀行監督委員会による市中協議文書
「暗号資産エクスポージャーに係るプルデンシャルな取扱い」の公表に
ついて
（参考ウェブサイト：https://www.fsa.go.jp/inter/bis/20210615/
20210615.html）

　この市中協議文書では、暗号資産を3つのグループ（トークン化
された伝統資産、価格安定メカニズムを有する暗号資産、それ以外）に
分けて、規制（信用リスク、カウンターパーティー信用リスク、CVA
リスク、マーケット・リスク、レバレッジ比率、流動性、大口信用供与
等）、監督、開示を取り扱う案が提案されている。

(2)　ステーブルコイン

　いわゆるステーブルコイン（stablecoin）は、暗号資産の一種であ
り、特定の資産の価値に連動するように設計されたものである。連
動する資産の種類としては、法定通貨、コモディティ、暗号資産が
ある。法定通貨と連動するステーブルコインは、さらに次の2種類
に分類される。
① 　法定通貨と連動した価格（例：1円＝1コイン）で発行され
　て、発行価格と同額で償還を約束するもの
② 　アルゴリズムで価値の安定を試みるもの
　このうち①は、資金決済法上は「通貨建資産」であり「暗号資
産」から除外されることと、①の発行・移転が為替取引に該当しう
ることをふまえて、銀行業免許・資金移動業登録を受けなければ、
発行することができないと解されることが次の資料に述べられてい
る。

「デジタル・分散型金融への対応のあり方等に関する研究会」（第3回）
議事次第
（参考ウェブサイト：https://www.fsa.go.jp/singi/digital/siryou/
20211006.html）

　また、②は法定通貨や暗号資産を裏付資産としない（無担保）も
のの、何かしらのアルゴリズムによって需要と供給を調節して、新
規発行または焼却（使えなくすること）することで価格の安定を目
指す暗号資産である。欧州委員会が2020年9月に公表したステーブ
ルコインを含む暗号資産の規制法案では、②のように裏付資産がな
い暗号資産はステーブルコインに該当しない。

(3)　グローバル・ステーブルコイン

　いわゆるグローバル・ステーブルコイン（GSC：global stablecoin）
は、複数の法域にまたがって取引され、かつ取引量が相当量に達す
る可能性があるステーブルコインである。GSCは金融システムの安
定性に対するリスク・脆弱性があることが次の資料に述べられてい
る。
「デジタル・分散型金融への対応のあり方等に関する研究会」（第2回）
議事次第
（参考ウェブサイト：https://www.fsa.go.jp/singi/digital/siryou/
20210915.html）

　金融安定理事会は、2021年10月7日、「「グローバル・ステーブル
コイン」の規制・監督・監視―金融安定理事会のハイレベルな勧告
の実施に係る進捗報告書」（Regulation, Supervision and Oversight of
"Global Stablecoin" Arrangements—Progress Report on the implemen-
tation of the FSB High-Level Recommendations）を公表した。この

第9章　デジタル／暗号資産　301

報告書は、ステーブルコインについて最近の市場や規制の動向とともに、2020年10月13日に金融安定理事会が公表した「「グローバル・ステーブルコイン」の規制・監督・監視─最終報告とハイレベルな勧告」について、同勧告の各国での実施状況と今後の課題、作業について述べたものである。この報告書によれば、いわゆるステーブルコインは、まだ大規模に利用される主流の決済手段でないが、2020年から2021年の間で脆弱性が増大していることと、各国での監督実施がまだ初期段階であることが述べられている。

Regulation, Supervision and Oversight of "Global Stablecoin" Arrangements─Progress Report on the implementation of the FSB High-Level Recommendations
（参考ウェブサイト：https://www.fsb.org/wp-content/uploads/P071021.pdf）

Facebook（現メタ・プラットフォームズ）が2019年6月に発表したリブラ（libra）構想は、複数の法定通貨バスケットを裏付けとするステーブルコインを発行する計画であり、もしリブラ構想が実現すればグローバル・ステーブルコインとして普及する可能性があったが、リブラ構想は頓挫し、2020年12月に名称がディエム（Diem）に変更され、2021年5月に米ドルに連動するステーブルコインを発行する計画が発表された。さらに、ディエムの運営団体ディエム協会は2022年1月31日、保有資産を売却し、計画から撤退することを発表した。

⑷　中央銀行デジタル通貨（CBDC）

一般に中央銀行デジタル通貨（CBDC：Central Bank Digital Currency）は、次の3つを満たすものである。

① デジタル化されていること、すなわち、紙幣のようにアナログ

に表章したものではなく、デジタル情報で表章されたもの
② 円などの法定通貨建てであること
③ 中央銀行の債務として発行されていること

①のデジタル化についていえば、CBDCでは、デジタル化の方法として、必ずしも分散型台帳技術やブロックチェーン、それと類似した技術が使われるわけではない。

図表9－1は、銀行券、銀行預金、CBDCの位置づけを示すものである。CBDCは、一般利用型CBDCとホールセール型CBDCに分かれる。一般利用型CBDCは、個人や一般企業の利用を目的とするCBDCであり、図表9－1では、利用対象の楕円の内側（一般利

図表9－1 通貨の分類

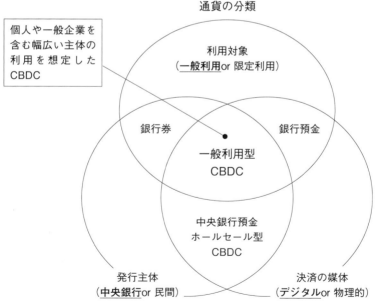

（出所） 日本銀行「中央銀行デジタル通貨に関する日本銀行の取り組み方針」。

用）、発行主体の楕円の内側（中央銀行）、決済の媒体の楕円の内側（デジタル）に位置している。ホールセール型CBDCは、中央銀行が民間銀行に大口の決済のために提供するCBDCであり、利用対象の楕円の外側（限定利用）、発行主体の楕円の内側（中央銀行）、決済の媒体の楕円の内側（デジタル）に位置している。

CBDCについて「中央銀行デジタル通貨に関する日本銀行の取り組み方針」が日本銀行のウェブサイトで公開されている。

中央銀行デジタル通貨：日本銀行
（参考ウェブサイト：https://www.boj.or.jp/paym/digital/index.htm/）

日本銀行は、CBDCに関する技術的な実現可能性を検証するために、実証実験を段階的・計画的に進めている。実証実験は、概念実証フェーズ１、概念実証フェーズ２、パイロット実験の３つの段階で行われる。概念実証フェーズ１は、2021年４月から開始され、2022年３月までの１年間で計画されており、この段階では、システムの実験環境を構築してCBDCの決済手段としての基本的な機能（発行、払出し、移転、受入れ、還収等）の実現可否を検証する。実験環境は３つのパターンで構築される。実証実験の内容について詳細は、次の日本銀行の資料を参照されたい。

中央銀行デジタル通貨に関する日本銀行の取り組み
（参考ウェブサイト：https://www.boj.or.jp/announcements/release_2021/rel211015c.pdf）

3

ビットコインとブロックチェーン

　本節では代表的な暗号資産であるビットコイン（Bitcoin）について述べる。また、ビットコインのブロックチェーンを例として、ブロックチェーンの仕組みを述べる。

(1)　ビットコインの歴史

　2008年8月18日にbitcoin.orgというドメインが登録された。同年10月31日に、サトシ・ナカモトは、*Bitcoin: A Peer-to-Peer Electronic Cash System*という論文を発表した。この論文では、以前から知られていた複数の暗号技術や通信技術を組み合わせてビットコインを実装する方法が述べられている。サトシ・ナカモトは、協力者と共同で初期のビットコインの実装を行い、日本時間の2009年1月4日にビットコインが稼働し始めた。

(2)　ビットコインの全体像

　ビットコインは、銀行などの金融機関による仲介を必要とせず、オンラインで、ある主体から別の主体に直接支払を行うための電子現金として設計された。簡単な例で、銀行送金と比較して、ビットコインによる支払がどのように行われるのかを述べる。

　図表9-2は、銀行送金の例である。図表9-2は、後で述べるビットコインによる支払と比較しやすいように、銀行送金の仕組みを単純化している。Alice、Bob、Charlie、Davidの4つの主体がある銀行に口座をもっているとする。銀行には管理者が存在し、4つ

第9章　デジタル／暗号資産　305

図表 9 − 2　銀行送金

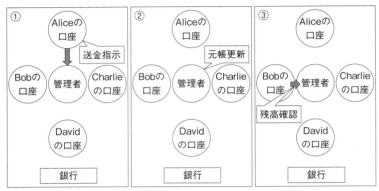

（出所）　ANAM作成。

の銀行口座の間の資金移動を記録する台帳をもつとする。AliceがBobに送金する場合、図表 9 − 2 の①に示すようにAliceはBobに送金を指示する。次に図表 9 − 2 の②のように、管理者がもつ台帳にAliceからBobへの資金移動が記録される。最後に図表 9 − 2 の③のように、Bobが残高を問い合わせて、入金を確認する。

図表 9 − 3 は、ビットコインによる支払の例である。この図も、これから述べるビットコインの移動の説明もかなり単純化している。ビットコインの動作について詳しくは、次の図書を参照されたい。

参考図書：Andreas M. Antonopoulos『コンサイス版ビットコインとブロックチェーン：暗号通貨を支える技術』（NTT出版）
Kalle Rosenbaum『詳解ビットコイン―ゼロから設計する過程で学ぶデジタル通貨システム』（オライリージャパン）

Alice、Bob、Charlie、Davidは、それぞれコンピュータをもち、それぞれビットコインのシステムをインストールずみである。ビッ

図表 9 − 3　ビットコイン送付

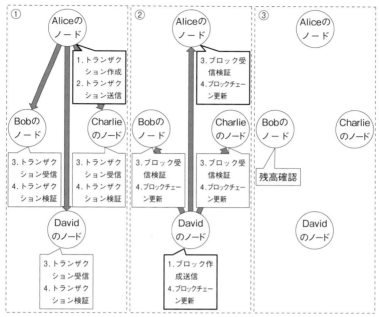

(出所)　ANAM作成。

トコインのシステムをインストールしているコンピュータをノードという。AliceはBobにビットコインを送付するとする。この場合、最初にAliceは、図表 9 − 3 の①で示すように、トランザクションというものを作成する。トランザクションは、AliceからBobへのビットコインの移動を示すものである。Aliceが作成したトランザクションは、ほかのすべてのノード（Bob、Charlie、David）に送信される。Alice以外のノードは、受信したトランザクションを検証する。検証の結果、何も問題なければ、そのトランザクションを各ノードで保持する。

ビットコインのシステムでは、短時間でこのようなトランザクションが多く作成されており、トランザクションの作成とほかのノードへの送信は、ビットコイン送付元のノードが行う。

　AliceからBobへのビットコイン送付のトランザクション以外にも、BobからCharlieへの送付やCharlieからDavidへの送付のトランザクションも作成されているとする。

　各ノードは、保持されている検証ずみの複数のトランザクションをまとめてブロックというものを作成する作業を行う。このブロックを作成する作業が、いわゆるマイニングである。マイニングは、約10分間に1回だけだれかが成功するような非常にむずかしい作業で、運よくマイニングに成功したノードは、作成したブロックを自分のブロックチェーンに追加する。そして、作成したブロックをほかのノードに送信、各ノードは、受信したブロックを検証する。検証の結果、何も問題なければ、そのブロックを各ノードで保持しているブロックチェーンに追加する。ブロックチェーンは、だれかからだれかへのビットコインの移動を記録したトランザクションをまとめたブロックを連結したものであり、ビットコインの取引をまとめた台帳といえる。

　図表9－3②では、Davidがマイニングに成功したとしている。Davidは作成したブロックを他のすべてのノード（Alice、Bob、Charlie）に送信する。David以外のノードは、受信したブロックを検証する。検証の結果、何も問題なければ、そのブロックを各ノードで保持しているブロックチェーンに追加する。この時点で、AliceからBobへのビットコインの移動を示すトランザクションを含むブロックがすべてのノードのブロックチェーンに追加されたことになる。ブロックチェーンは台帳であるから、すべてのビットコ

イン利用者の台帳にAliceからBobへのビットコインの移動が記録されたことになる。

　図表9−3③では、Bobは自分のブロックチェーンを参照してBobがもつビットコインの残高を確認している。Bob以外のノード（Alice、Charlie、David）もBobと同じブロックチェーンをもつので、Bobのビットコインの残高を確認することができる。

　以上のようにして、各ノードは、他のノードと通信を行うことで同じ台帳を共有している。このように、物理的に分散している（同じ場所にいない）参加者がある同じ台帳を共有する技術がいわゆる分散型台帳技術（DLT：Distributed Ledger Technology）である。ブロックチェーンは、分散型台帳技術を実現する1つの方法ということもできる。分散型台帳技術もブロックチェーンも明確な定義があるわけではないが、このような意味で使われることが多い。

　この例では、話を単純にするために、すべてのノードがトランザクションの作成が可能で、すべてのノードがブロックチェーンをもち、すべてのノードがマイニングするための機能をもち、すべてのノードがお互いに直接通信可能だとした。しかし、現実のビットコインでは、すべてのノードがトランザクションを作成するわけではなく、ブロックチェーンをもたないノードもあり、マイニングするための機能をもつノードは一部であり、あるノードと別のノードが通信するために別の第3のノードが仲介することが多い。現実のビットコインでは、1万以上のノードが稼働しており、各ノードは最大で約100のノードと直接接続している。すべてのノードは網のようにつながり1つのネットワークを形成している。あるノードによって作成されたトランザクションやブロックは、まずそのノードが直接接続しているノードに送信される。それらを受け取った各

ノードは、検証後、各ノードが直接接続している別のノードに送信する。作成されたトランザクションやブロックは、伝言ゲームのように、ビットコインのネットワーク全体に伝搬するのである。

(3)　ビットコインのトランザクション

　トランザクションは、あるノードから別のノードへのビットコインの移動を示すものである。トランザクションは、入力（インプット）と出力（アウトプット）の２つで構成される。トランザクションの入力は、どのビットコインを使うかを示すものである。言い換えれば、使うビットコインの出所を示すものが、トランザクションの入力である。トランザクションの出力は、だれにビットコインを送付するかを示すものである。

　例としてブロックチェーン上で次のようなビットコインの移動が行われたとする。ビットコインの数量を表すのにBTCという表記が使われることがある。本章では、１ビットコインを１BTCと表す。

① 　CharlieがAliceに１BTCを送付
② 　AliceがBobに0.05BTCを送付
③ 　BobがDavidに0.01BTCを送付

　この場合、図表９－４に示すようなトランザクションが作成される。

　図表９－４で破線で囲んだものがトランザクションである。図表９－４は、①のトランザクションが作成されて、次に②のトランザクションが作成されて、最後に③のトランザクションが作成されるという状態遷移を表す。図表９－４の①は、「CharlieがAliceに１BTCを送付」するときに送付者のCharlieが作成するトランザク

図表 9 − 4　トランザクションの遷移

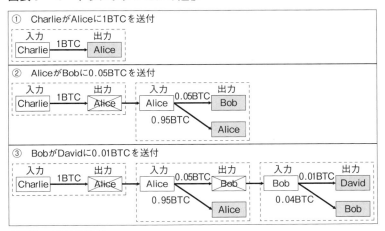

（出所）　ANAM作成。

ションを示したものである。このトランザクションの入力は「Charlieがだれかから受け取った1BTC」である。出力は「Aliceに1BTC」である。この状態ではAliceはCharlieから1BTCを受け取ったばかりなので、Aliceの1BTCは未使用である。このような未使用のトランザクションの出力を未使用トランザクション出力（UTXO：Unused Transaction Output）という。図表9−4の①の状態ではUTXOはAliceの1BTCだけである。図表9−4では、UTXOを網掛けにしている。

図表9−4の②は、「AliceがBobに0.05BTCを送付」するときに送付者のAliceが作成するトランザクションを示したものである。このトランザクションの入力は「AliceがCharlieから受け取った1BTC」である。出力は「Bobに0.05BTC、Aliceに0.95BTC」である。そうすると、①ではUTXOだった、言い換えれば、未使用

だったAliceの１BTCは使用ずみになる。図表９－４では使用ずみのトランザクションの出力を×で示す。ビットコインでは、使用済トランザクション出力をもう一度使うこと（２重支払）はできない。使おうとしても、Alice以外のほかのノードがトランザクションを検証するときに、２重支払が確認されて、無効なトランザクションだと判断される。無効なトランザクションは破棄されるので、台帳であるブロックチェーンに追加されることはない。

　ビットコインの新規トランザクション作成における基本的なルールは、その入力に指定可能なものは、以前自分宛てに送付されたUTXOだけであることと、入力に指定したUTXOのビットコインはすべて使われるということである。UTXOのビットコインのうち一部をほかのだれかに送付したい場合は、入力をそのUTXO、出力を「一部をほかのだれか、残りを自分」というように自分も出力に追加しなければならない。そのため、図表９－４の②の中央のトランザクションの入力は、①でUTXOだった「AliceがCharlieから受け取った１BTC」、出力は「Bobに0.05BTC、Aliceに0.95BTC」としている。もし出力に「Bobに0.05BTC」のみすると、出力に指定していない残りの0.95BTCは取引手数料として扱われ、AliceはCharlieから受け取った１BTCすべてを失ってしまう。この取引手数料は、そのトランザクションを含むブロックの作成に成功したノード、言い換えれば、マイニングに成功したノードに支払われる。ところで、多くのビットコインの管理アプリでは、ビットコインの残高が表示されて、一部のビットコインを送付すると、送付したビットコインと取引手数料のビットコインを引いた残りのビットコインが表示される説明になっている。この場合、実際の内部の処理では、一部は送付先に、残りは取引手数料を引いた分

を自分宛てに送るトランザクションが作成されているのである。

　図表9－4の③は、「BobがDavidに0.01BTCを送付」するとき
に送付者のBobが作成するトランザクションを示したものである。
このトランザクションの入力は「BobがAliceから受け取った
0.05BTC」、出力は「Davidに0.01BTC、Bobに0.04BTC」であ
る。そうすると、②ではUTXOだったBobの0.05BTCは使用ずみに
なる。③の時点におけるUTXOは、中央の「Aliceが自分で受け
取った0.95BTC」、右の「DavidがBobから受け取った0.01BTC」
「Bobが自分で受け取った0.04BTC」である。各ノードのビットコ
インの残高は、各ノードが使えるUTXOのビットコインの合計で
ある。ビットコインの残高を表示するアプリは、内部で保存してい
るか外部から取得したUTXOのリストのうち、自分が使える
UTXOのビットコインの合計を算出して表示している。

　技術的な補足をすると、実際にトランザクションを作成するため
には、入力にはUTXOを使うためにトランザクション作成者の秘
密鍵でつくったデジタル署名と公開鍵が必要で、出力には送付先の
公開鍵のハッシュが必要になる。それらはビットコイン独自のスク
リプト言語で記述されるなど、技術的に細かい要素は多いが、その
説明にはかなりの紙数が必要であるし、理解がむずかしいので、こ
こでは細部にこだわらずに簡単に述べた。

(4)　ビットコインのブロックチェーン

　新規作成されたトランザクションが複数まとめられてブロックと
いうものがつくられる。

　ブロックチェーンは、ブロックが直線状に連結したものである。
ビットコインのブロックチェーンは、ビットコインの利用者で共有

されている。既存のブロックチェーンに追加する新しいブロックを作成する作業がマイニングであるが、ビットコインのマイニングは難易度の高い作業である。ビットコインのブロックチェーンは、ビットコインの移動を示すトランザクションがブロックとしてまとめられて複数のブロックが連結したものであるので、ビットコインの台帳ということができる。台帳であるブロックチェーンのなかのブロックにトランザクションが取り込まれることで、はじめてそのトランザクションが示すビットコインの移動が事実として記録されたことになるのである。

　マイニングは、約10分間に1回だけ1つのノードが成功するむずかしい作業である。マイニングに成功すると、新規発行されたビットコインを受け取ることができる。新規発行されるビットコインは、ほかのビットコイン利用者から受け取るものではなく、マイニングの成功報酬として受け取るものであり、ビットコインの総発行量が増えるのは、だれかがビットコインのマイニングに成功したときだけである。現実のビットコインで最初にマイニングを行ったのは、ビットコイン開発者のサトシ・ナカモトであり、最初に行われた日本時間2009年1月4日のマイニングで新規発行されたビットコインは、50BTCである。ビットコインの新規発行量には半減期というものがあり、21万ブロックの作成ごとに新規発行されるビットコインの数量が半分になる。ビットコインの最小取引単位は、0.00000001BTCである。半減期は、新規発行されるビットコインがこの最小取引単位になるまで続いて、最小取引単位のビットコインが21万回発行されると、それ以降ビットコインは発行されなくなる。最終的には、発行済ビットコインの総量は、約2,100万BTC、正確には、20,999,999.9769BTCになる。参考までに、これを計算

する数式は次のとおりである。この数式で［数］は数の整数部分を表す。この数式のΣ記号（総和記号）を展開したときに最後の項に現れる2^{32}は、4,294,967,296であり、4,294,967,296分の5,000,000,000の整数部分は1である。

$$\text{ビットコインの総発行量} = \sum_{i=0}^{32} \left[\frac{5{,}000{,}000{,}000}{2^i} \right] \times \frac{210{,}000}{100{,}000{,}000}$$

　マイニングは約10分間に1回だけ成功するように設定されているため、21万ブロックごとにビットコインの新規発行量が半減するということは、約4年ごとに半減するということである。日本時間2021年5月12日午前4時23分に630,001番目のブロックのマイニングで3回目の半減期を迎えて、2022年5月の執筆時点でのビットコインの新規発行量は、6.25BTCとなっている。

　図表9−5は説明のための例としてあげた仮想的なビットコインのブロックチェーンである。100番目に作成されたブロックには、「CharlieからAliceに1BTC」というトランザクションが含まれている。このブロックには、「EからFに2BTC」のようなその他のトランザクションなども記録されているとする。現実のビットコインのブロックチェーンには、1つのブロックに1,000個前後のトランザクションが含まれている。

　101番目に作成されたブロックには、「AliceからBobに0.05BTC、Aliceが自分0.95BTC」というトランザクションとその他のトランザクションが含まれているとする。

　図表9−5の各ブロックにはブロックヘッダーというものが含まれている。ブロックヘッダーは、そのブロックに含まれるすべてのトランザクションを既定の方法で圧縮したものを含んでいる。ま

図表9-5　ブロックチェーン

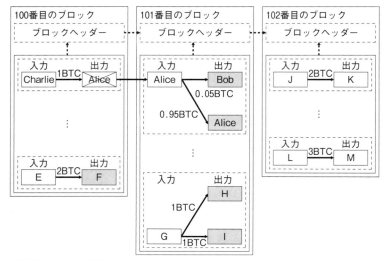

(出所)　ANAM作成。

た、ブロックヘッダーには、前のブロックのブロックヘッダーを既定の方法で圧縮したものも含んでいる。つまり、ブロックヘッダーは、そのブロックとそれ以前のすべてのブロックに含まれるすべてのトランザクションを圧縮したものを含んでいるのである。図表9-5のトランザクションのグループからブロックヘッダーへの上向きの矢印の破線は、ブロックヘッダーがそのブロックに含まれるすべてのトランザクションを圧縮したものを含むことを表す。また、図表9-5のブロックヘッダーからブロックヘッダーへの右向きの矢印の破線は、ブロックヘッダーが前のブロックのブロックヘッダーを圧縮して含むことを表す。

　図表9-5のブロックチェーンがどのようにつくられるのかを述べる。ブロックチェーンに100個のブロックが存在するとする。図

図表 9 － 6　100番目のブロックまでつくられたブロックチェーン

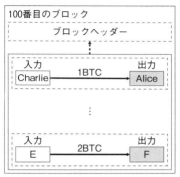

（出所）　ANAM作成。

表 9 － 6 は100番目のブロックを示している。100番目のブロックのブロックヘッダーは、100番目のブロックに含まれるすべてのトランザクションを既定の方法で圧縮したものを含む。また、図表 9 － 6 には破線の矢印で明示していないが、100番目のブロックのブロックヘッダーは、直前の99番目のブロックヘッダーを既定の方法で圧縮したものも含む。

また、図表 9 － 5 のCharlieやEやGのように、それらへの矢印を明示していないものは、既存のブロックチェーンのブロックのなかにCharlieやEやGを送付先とするUTXOがあって、それらを入力しているとする。

Aliceは、100番目のブロックに含まれるトランザクションでCharlieから受け取った 1 BTCを入力としてBobに0.05BTCと自分に残りの0.95BTCを送付するトランザクションを作成したとする。Aliceが作成したトランザクションは、ほかのノードによって検証される。

マイニングを行うノードは、トランザクション・プールという場所にAliceが作成したトランザクションを格納する。トランザクション・プールは、マイニングを行う各ノードによって作成されて、各ノードが検証し終わったトランザクションが随時格納されている。また、トランザクション・プールの内容は、各ノードがトランザクションを受け取る順番によるし、マイニングを開始した時点にもよるので、一般に各ノードで共通ではない。

　図表9－7は、トランザクション・プールにAliceが作成したトランザクションやそのほかの検証し終わったトランザクションが格納されていることを示す。マイニングを行うノードは、トランザクション・プールから幾つかトランザクションを選び、選ばれたトランザクションは作成中の候補のブロックのなかに含まれる。取引手数料は、マイニングに成功したノードが報酬として受け取るため、通常は、取引手数料の多いトランザクションが優先的に選ばれる。

図表9－7　トランザクション・プール

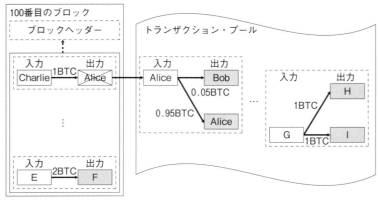

（出所）　ANAM作成。

取引手数料は、入力に指定したビットコインと出力に指定した
ビットコインの合計の差額である。Aliceが作成したトランザク
ションは入力は 1 BTC、出力はBobへの0.05BTCとAlice自身への
0.95BTCであり、入力と出力の合計の差額から取引手数料は、
1 BTC −（0.05BTC＋0.95BTC）＝ 0 BTCである。このように取引
手数料が 0 BTCのトランザクションは選ばれにくいため、通常は
いくらかの取引手数料が設定されるが、ここではわかりやすく取引
手数料を 0 BTCとしている。

　マイニング成功時に受け取ることができるのは、ブロックに含ま
れるトランザクションの取引手数料の合計とマイニングで新規発行
されるビットコインの合計である。仮にマイニング時点での新規発
行量が6.25BTCであり、ブロックに含まれるトランザクションの
数が1,000個で各トランザクションの取引手数料が0.0004BTCだと
すると、マイニング成功で得られる報酬は、6.25BTC＋1,000×
0.0004BTC＝6.65BTCである。

　マイニングの報酬をマイニング成功者に送付するトランザクショ
ンは、コインベース・トランザクションといわれる。コインベー
ス・トランザクションは、マイニングを行うノードが、マイニング
作業時点でビットコインの新規発行量とブロックのなかのトランザ
クションの取引手数料の合計を計算して、自分で作成してブロック
に含める。図表 9 − 5 とそれ以降の図では、コインベース・トラン
ザクションの記載を省略して、通常のだれかからだれかへビットコ
インを送付するトランザクションのみを記載している。

　図表 9 − 8 は、マイニングを行うノードが、101番目の候補のブ
ロックを作成中であることを示す。101番目のブロック候補のブ
ロックヘッダーには、そのブロック候補に含まれるすべてのトラン

第 9 章　デジタル／暗号資産　319

図表 9 – 8　101番目のブロック候補

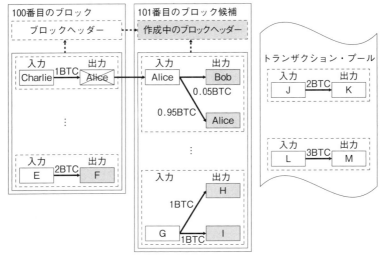

(出所)　ANAM作成。

ザクションを既定の方法で圧縮したものと、直前の100番目のブロックのブロックヘッダーを既定の方法で圧縮したものを含む。ブロックの作成を完了するためには、ブロックヘッダーにナンスと呼ばれるもう1つデータを入れなければならない。

　ナンスは、0から4,294,967,295までの任意の数値を入れることができる変数である。ナンスに数値を入れて、ブロックヘッダー全体を既定の方法で圧縮した結果のデータが既定の条件を満たしたときに、マイニングが成功する。マイニングが成功したら、作成したブロックを自分のブロックチェーンに追加して、ほかのノードに送信する。ほかのノードは、受信したブロックが既定の条件を満たしているのかと、ブロックに含まれるすべてのトランザクションに問題がないかどうかを検証する。問題がない場合、そのブロックを各

ノードのブロックチェーンに追加する。

　図表9-9は、完成した101番目のブロックを追加したブロックチェーンである。上記の過程を経て、このブロックチェーンがビットコインのネットワーク全体に共有される。

　101番目のブロック完成時点で次の102番目のブロック作成の競争が始まっている。図表9-9のいちばん右は、トランザクション・プールから幾つかトランザクションを選び、102番目のブロックを作成中であるようすを示している。

　マイニングは、膨大な計算を必要とする大変な作業である。変数であるナンスを0から4,294,967,295まですべて試しても、既定の条件を満たすブロックを作成できるとは限らない。それでもブロックを作成できない場合、ブロックに含めるトランザクションの順番

図表9-9　101番目のブロック完成

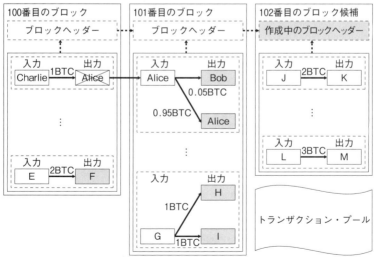

（出所）　ANAM作成。

第9章　デジタル／暗号資産　321

や数を変更したり、ブロックヘッダーのなかでほかに自由に変更できるデータ領域があるので、それを変更したりしたうえで、ナンスを 0 から再度試すことになる。

マイニングは、時間を要する難易度の高い作業なので、マイニングを行うノードは、不正や無駄なことを行わないようにする。不正なことをしても、ほかのノードの検証時に不正が検出されて、マイニングの計算やそのために消費した電力が無駄になる。

(5)　ビットコインのブロックチェーンのフォーク

ブロックチェーンは、通常は、図表 9 – 9 のように、あるブロックヘッダーを圧縮したものを含むのは、1 つのブロックヘッダーだけだが、図表 9 – 10 のように、一時的に 2 つの異なるブロックヘッダーに含まれることがある。この場合、101 番目のブロックから分岐した 2 本のブロックチェーンが存在することになる。この時点では 2 本とも有効なブロックチェーンである。そして、あるノードは、図表 9 – 10 の 101 番目の上のブロックに連結するブロックをマイニングする作業を始めて、別のノードは、101 番目の下のブロックに連結するブロックをマイニングする作業を始める。

図表 9 – 11 のように 101 番目の下のブロックに連結するブロックが先に作成されて、ネットワーク全体に共有されたとする。ビットコインでは、ブロックチェーンが分岐している場合、ブロックの数がいちばん多い、言い換えれば、いちばん長いブロックチェーンのみが有効になり、それ以外のブロックチェーンは無効になるというルールがある。そのため、図表 9 – 11 の下に伸びるブロックチェーンが有効になり、上に伸びるブロックチェーンのみに含まれるブロックは無効になる。図表 9 – 11 では、有効なブロックチェーンの

322

図表9−10　フォークしたブロックチェーン

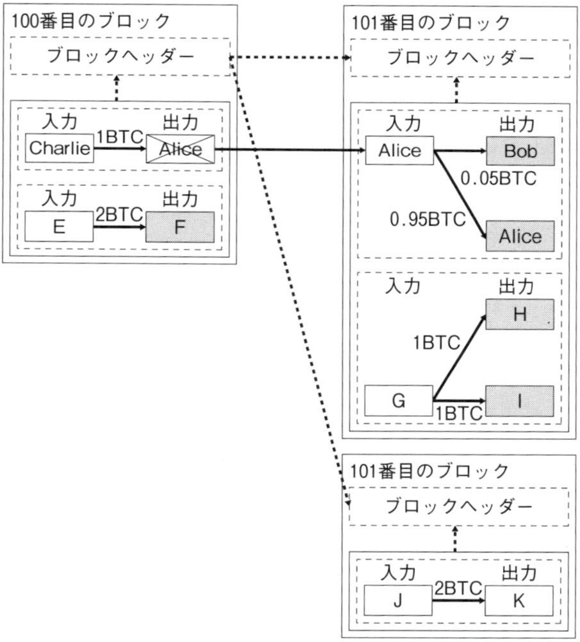

（出所）　ANAM作成。

ブロックを太線で囲み、短いほうのブロックチェーンのみに含まれるために無効になってしまったブロックを一点鎖線で囲んでいる。無効になったブロックは、オーファン・ブロック、または、孤立ブロックといわれる。オーファン・ブロックに含まれるトランザクションは、有効なブロックチェーン上にないことになるため、マイニングを行う各ノードのトランザクション・プールに再び入って、再び有効なブロックチェーンに取り込まれるのを待つことになる。

　ブロックチェーンの改ざんはむずかしいといわれることの理由は幾つかあるが、その理由としてあげられるのが、マイニングが膨大

第9章　デジタル／暗号資産　323

図表 9 −11　オーファン・ブロック

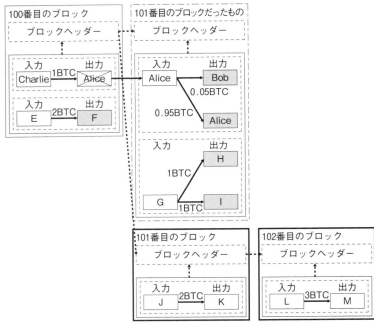

(出所)　ANAM作成。

な計算を必要とする難易度の高い作業であり、いちばん長いブロックチェーンのみが有効になるということである。

たとえば、図表 9 −12のブロックチェーンがあるとする。

ある悪意をもったノードが自分のブロックチェーンの101番目のブロックに含まれる一部のトランザクションを改ざんしたとする。101番目のブロックヘッダーは改ざん後のトランザクションを既定の方法で圧縮したものを含むので、改ざん後のブロックヘッダーは変更される。マイニング完了後のブロックヘッダーを変更すると、一般にマイニングの既定の条件を満たさなくなる。つまり、改ざん

図表9−12　ブロックチェーン

（出所）　ANAM作成。

後のブロックは無効になり、無効なブロックをほかのノードに共有しても検証時に破棄される。有効なブロックにするためには、悪意をもつノードが自分でマイニングを行う必要がある。マイニングの難易度が高いために、これは時間を要する作業である。

また、改ざん後の101番目のブロックのマイニングに成功したとしても、102番目のブロックヘッダーは改ざん前の101番目のブロックヘッダーを既定の方法で圧縮したものを含んでおり、これと改ざん後の101番目のブロックヘッダーを既定の方法で圧縮したものは一致しない。これが一致しないと、ほかのノードが検証したときに無効なブロックとされて、ほかのノードのブロックチェーンに追加されない。悪意のあるノードは、改ざんを有効にするために、101番目のブロックヘッダーを既定の方法で圧縮したものを含む102番目のブロックのマイニングを自分で行う必要がある。いちばん長いブロックチェーンのみが有効になるというルールのために、悪意のあるノードは、改ざんしたブロックを含むブロックチェーンがいちばん長くなるまで、101番目のブロックのマイニング、102番目のブロックのマイニング、103番目のブロックのマイニングというように、改ざんしたブロック以降のすべてのブロックを自分でマイニングしなければならない。図表9−13は、101番目のブロックから分岐したブロックチェーンがあって、上はもともとあったブロック

図表 9 –13 ブロックチェーンの改ざん

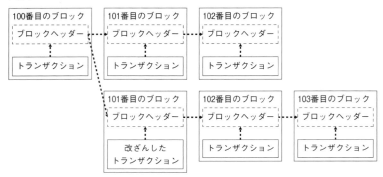

(出所) ANAM作成。

チェーンであり、下は101番目のブロックを改ざんして新しくできたブロックチェーンの例である。図表 9 –13のように、改ざんを含むブロックチェーンをほかのチェーンより長くしないと改ざんは有効にならない。1つのブロックの作成でさえ時間を要する作業なのに、複数のブロックの作成をほかのノードよりも早くしないといけないのである。このため、ブロックチェーンは、過去に記録されたデータになるほど改ざんがむずかしい。

4

ビットコインの金融商品

　本節では、ブロックチェーンを使った金融商品の例として、ビットコインの金融商品をいくつかあげる。

(1)　ビットコイン現物

　現在ビットコインの現物は、複数の暗号資産交換業者から現金との交換で入手することができる。また、入手したビットコインを暗号資産交換業者で現金に換金することができる。また、ビットコインの価格は、暗号資産交換業者の利用者の需要と供給などさまざまな要因で変動し、裏付資産もないことから、変動幅が大きい傾向にある。

　もともとビットコインは、利用者同士が他者の仲介なしに直接取引することを想定して設計されたが、現金との交換が可能になり、利用者が増えたことから、暗号資産交換業者が仲介するようになった。利用者同士が直接取引する場合は、各利用者がそれぞれビットコインを管理するために必要な情報（具体的には、秘密鍵）を管理するが、暗号資産交換業者を介して入手・換金する場合は、暗号資産交換業者が内部で管理する秘密鍵が使われる。注意が必要なのは、暗号資産交換業者から入手したビットコインは、暗号資産交換業者が内部で管理する秘密鍵に紐づいていることである。暗号資産交換業者がサイバー攻撃を受けて秘密鍵が流出してしまうと、その秘密鍵に紐づくビットコインが他者に勝手に使われてしまい、もとの所有者が二度と使うことができなくなる可能性がある。

第9章　デジタル／暗号資産　327

すなわち、暗号資産交換業者は「取引所」といわれることが多いが、単にビットコインを入手・換金するだけではなく、ビットコインを保管するカストディアンという側面もあるのだ。

暗号資産交換業者から入手したビットコインをいちばん安全に管理する方法は、暗号資産交換業者の手の届かないところでユーザー自身が管理するウォレットというものにビットコインを移管することである。ウォレットは秘密鍵を保管するためのものであり、インターネットから完全に遮断されたウォレットをコールド・ウォレットという。コールド・ウォレットとしては、秘密鍵を紙に印刷したものであるペーパー・ウォレットや秘密鍵を専用のハードウエアに記録したものであるハードウエア・ウォレットなどがある。

(2) ビットコイン先物

シカゴ・オプション取引所（CBOE：Chicago Board Options Exchange）は、2017年12月10日に米国初のビットコイン先物取引を開始したが、2019年6月に同取引を停止した。

シカゴ商品取引所（CME：Chicago Mercantile Exchange）の親会社CME Groupは、2017年12月18日に現金決済（cash settlement）のビットコイン先物取引を開始した。これはCMEに上場し、CMEで清算される。清算時は複数のビットコイン取引所のスポット価格を集計して算出されるCME CF Bitcoin Reference Rate（BRR）を参照する。

また、ニューヨーク証券取引所（NYSE：New York Stock Exchange）の親会社インターコンチネンタル取引所（ICE：Intercontinental Exchange）の子会社に当たるBakktが2019年9月にビットコインのカストディアンであるBakkt Warehouseと現物引渡し（physical delivery）のビットコイン先物取引を開始した。これはICE Futures U.S.に上場し、ICE Clear U.S.で清算され、引き渡されたビットコインはBakkt Warehouseで保管される。さらに同社は同年11月に現金決済のビットコイン先物取引も開始した。これはICE Futures Singaporeに上場し、ICE Clear Singaporeで清算され、清算時は同社の現物引渡しのビットコイン先物取引の価格を参照する。

なお、CME GroupとBakktはビットコイン先物のオプション取引も行っている。

(3)　ビットコイン先物ETF

ProSharesは2021年10月に米国初のビットコイン先物のETF（上場投資信託）を設定した。このビットコイン先物ETFはNYSE Arcaに上場し、CMEで取引されているビットコイン先物の価格に連動する。

5

暗号資産マイニングの実践と総括

　本節では、暗号資産のマイニングを行う一般的な方法とANAM が実践したマイニングについて述べる。技術的な箇所があるが、そのような箇所は読み飛ばしていただいて問題ない。

(1) 一般的なマイニングの方法

　本章3でビットコインのマイニングは約10分間に1回だけだれかが成功するような非常にむずかしい作業だと述べた。一般的にマイニングには大きく分けて3つの方法がある。

　1つ目は「ソロ・マイニング」といわれる方法である。ソロ・マイニングは個人のハードウエアを使って個人でマイニングを行う方法である。典型的なソロ・マイニングの方法は、個人が所有するPCに目的の暗号資産のブロックチェーンを構築するソフトウエアとその暗号資産のマイニングを行うソフトウエアをインストールし、ブロックチェーンの構築後にマイニングを開始する方法である。あるいはマイニング用に製造された特別なハードウエアを使ってソロ・マイニングを行う方法もある。

　2つ目は「プール・マイニング」といわれる方法である。ビットコインのマイニングにPCで参加している個人も多いが、実際にビットコインのネットワーク全体の計算量で多く占めるのは、マイニング用に製造されたハードウエアを大量に使って計算を行う企業である。マイニングを1回成功させるだけでも膨大な計算が必要なので、個人がPCという限られた計算資源でマイニングを行って

も、マイニング専用の施設で特別な機器を使ってマイニングを行う
マイニング業者には太刀打ちできない。そのため、個人はマイニン
グ・プールといわれるサーバーに参加してほかの個人と協力してマ
イニングを行うのが現実的である。マイニング・プールに参加して
マイニングを行う方法をプール・マイニングという。マイニング・
プールでは、マイニングの難易度が本来の難易度よりも低めに設定
されている。個人はソロ・マイニングのときと同じ計算をPCで行
い、プール内の低めに設定された難易度でマイニングの成功回数を
競う。プールの参加者のうちだれかが本来の難易度でマイニングに
成功したとき、その成功報酬をプールの運営者が参加者に分配す
る。このとき、個人に分配される報酬の割合は、その個人がプール
内の低めの難易度でマイニングに成功した回数で決まり、成功回数
が多いほど多くの報酬が分配される。

　3つ目は「クラウド・マイニング」といわれる方法である。これ
はインターネット経由でほかのハードウエアを借りてマイニングを
行う方法である。個人のPCが計算能力の観点からマイニングに適
していない、あるいは、マイニング用のハードウエアを調達するこ
とがむずかしいといったケースでは、クラウド・マイニングでマイ
ニングを行う。

⑵　ANAMがマイニングで使用したハードウエアとOS

　ANAMではマイニングを行うために、個人のマイニング目的で
よく利用されるマザーボードを調達した。CPUはIntel® Core™ i
3 -10100を使用した。GPUはNVIDIA® GEFORCE® GTX 1660 SU-
PER™を 6 枚使用した。

　OSは、最初Ubuntu 20.04 LTSを使用していたが、Ubuntuにプ

リインストールされているグラフィックスドライバーとNVIDIAの
グラフィックスドライバーが競合するなどの問題が発生したため、
途中からMicrosoft Windows 10 Pro 64ビットに変更した。

(3)　ビットコインのソロ・マイニングの実行

　ANAMでは、まずビットコインのソロ・マイニングに挑戦し
た。ビットコインのマイニングでは、ビットコインのブロック
チェーンを構築するために、Bitcoin Coreといわれるソフトウエア
をインストールした。Bitcoin Coreは、ビットコインの開発者であ
るサトシ・ナカモトが初期実装を行い、いまも有志によって開発が
続けられている。Bitcoin Coreの最新の64ビットWindows用のリ
リースビルドは、Bitcoin CoreのGitHubのReleasesを経由してbit-
coincore.orgからダウンロードすることができる。

　Bitcoin CoreのGitHubのReleases
　（参考ウェブサイト：https://github.com/bitcoin/bitcoin/releases）

　このウェブサイトでいちばん上にあるバージョンが最新版であ
る。2022年5月の執筆時点での最新版は22.0であり、「Bitcoin
Core version 22.0 is now available from：」の次に表示されてい
るリンクから最新のリリースビルドの配布ページに遷移できる。
2022年5月の執筆時点では次のリンクが表示されている。

　Bitcoin Core 22.0のダウンロードページ
　（参考ウェブサイト：https://bitcoincore.org/bin/bitcoin-core-22.0/）

　次にマイニングを実行するためのソフトウエアをいくつか試した
が、どのマイニングのソフトウエアを実行してもビットコインのソ
ロ・マイニングが開始されることはなかった。幾つかのインター
ネット上の情報源を調べた結果、昔はビットコインのソロ・マイニ

ングを実行できたが、現在では実行不可能になったという結論に至った。なお、仮にビットコインのソロ・マイニングを実行できたとしても、現実的にマイニングに成功する可能性はゼロであることは、現在のビットコインのマイニング難易度（difficultyといわれる）と使用するハードウエアの計算能力（マイニングのソフトウエアを実行したときに表示される）から理論的な考察でわかる。詳しい計算過程は省略するが、現在のビットコインのマイニング難易度でANAMが使用したハードウエアを使用してマイニングを行うと、仮にほかにマイニングを行う競合がないと仮定しても、マイニング1回の成功までに宇宙年齢を超える時間が必要である。つまり、個人がビットコインのソロ・マイニングを行うのは現実的に不可能である。

(4) イーサのソロ・マイニングの実行

イーサは本章1で述べたように、イーサリアムのなかで中心的な役割をもつ暗号資産であると同時に、ビットコインと並んで人気があって活発に取引されている暗号資産である。イーサリアムのブロックチェーンを構築するために、まずGo Ethereumをインストールした。Go Ethereumはイーサリアムのオリジナルの実装の1つであり、Go言語で実装されている。イーサリアムのオリジナルの実装は、Ｃ＋＋による実装とPythonによる実装があるが、Go言語による実装がよく利用されていてインターネット上の情報源が豊富である。Go Ethereumの最新の64ビットWindows用のリリースビルドは、geth.ethereum.orgからダウンロードすることができる。

Go Ethereumのダウンロードページ
（参考ウェブサイト：https://geth.ethereum.org/downloads/）

第9章　デジタル／暗号資産　333

イーサのマイニングを行うソフトウエアはEthminerを使用した。EthminerはEthminerのGitHubからダウンロードが可能である。

EtheminerのGitHubのReleases
（参考ウェブサイト：https://github.com/ethereum-mining/ethminer/releases）

　Go Ethereumで構築したブロックチェーンにてEtheminerを使ってマイニングを実行したところ、途中でハードウエアの再起動のためにGo Ethereumを停止してハードウエアの再起動後にGo Ethereumを再開すると、ブロックチェーンの同期に失敗して最初からブロックチェーンを再構築し直すという問題がたびたび発生した。また実際にはマイニングに成功しておらず報酬が発生していないのにイーサの残高が増えたようにみえる（実際のイーサの残高はゼロ）という原因不明の事象が発生した。そのため、別のEthereumの実装を使うことを決め、OpenEthereumという後発のEthereumの実装を採用した。その結果、上記のような問題は解消された。OpenEthereumはOpenEthereumのGitHubからダウンロードが可能である。

OpenEthereumのGitHubのReleases
（参考ウェブサイト：https://github.com/openethereum/openethereum/releases）

　OpenEthereumとEthminerを使って１カ月間マイニングを続けたが、マイニングに成功することはなかった。インターネット上にはProfitability Calculatorといわれるウェブサイトがいくつか存在し、そこでマイニングを実行するコインを選択して使用する機器の計算能力（ハッシュ・パワーあるはハッシュ・レートといわれる）と消

費電力を入力すると、概算のマイニング利益が表示される。ある Profitability Calculatorで計算すると利益が出る見込みであったが、実際にはマイニングに成功しなかったため、報酬が発生しなかった。理由としては、単純に計算能力が不足していたことがあげられる。よって、ビットコインやイーサのような比較的人気があって取引量の多い暗号資産のソロ・マイニングによって利益を得るのは現実的でないといわざるをえない。

⑸　NiceHashによるプール・マイニングの実行

　ソロ・マイニングを断念して、プール・マイニングを実行した。プール・マイニングでよく利用されるマイニング・プールは幾つかあるが、よく利用されていて情報源が多いのはNiceHashである。NiceHashではイーサをプール・マイニングして、マイニングの成功報酬としてビットコインを受け取ることができる。NiceHashの参加者はイーサのマイニングを行い、マイニング成功時にプール運営者が報酬をイーサで受け取り、プール運営者はその報酬をビットコインに交換してプール参加者に分配する。本節を執筆している2022年2月3日午後7時における1日当りの報酬はおよそ0.0001275BTC、日本円にしておよそ536円である。マイニングにかかる1日当りの消費電力をコンセントで測定し、それから推計した1日当りの電気代がおよそ530円なので、ほとんど利益は出ていないといえる。たとえビットコインの相場が下落基調であったとしてもビットコインのマイニング難易度は下がりにくい。この理由はビットコインのネットワーク全体の計算量はマイニングを専業で行う企業が占めており、ビットコインの相場があまりよくなくてもマイニング業者のハードウエアは専用の施設でマイニングを続けてお

第9章　デジタル／暗号資産　　335

り、その施設を閉鎖でもしない限りネットワーク全体の計算量が大きく下がることはないためと考えられる。マイニング業者は事業としてマイニングを行っているため、施設を1つ閉鎖してネットワーク全体の計算量が下がるようなことは頻繁に起きない。ネットワーク全体の計算量が大きく下がらない限りマイニング難易度が大きく下がることはない。つまり、プール・マイニングを含めたマイニングの成功回数が大きく上がることはあまり期待できない。よって、ANAMが調達したハードウエアによるマイニングの報酬を円換算で上げるためには、ビットコインの価格の上昇を期待するしかないといえる。

(6) 総括と補足

ANAMは暗号資産のマイニングを事業としてではなく研究目的で実施した。ビットコインやイーサリアムに関する技術者向けの書籍や資料に目を通し、マイニング目的のハードウエアを構成して必要なソフトウエアを導入してビットコインとイーサリアムのブロックチェーンを構築し、マイニングを実施した。その結果、ソロ・マイニングは成功しなかったが、書籍などでは得られないブロックチェーンとマイニングに関する実践的な知見を得ることができた。また、プール・マイニングを行い、インターネット上の情報から期待できるような利益を得ることはむずかしいことを確かめた。

マイニングでは膨大な計算を行うため膨大な電力が消費される。そのためマイニングはESGの観点からあまり好ましいとはいえない。ビットコインでは一部のネットワーク参加者がマイニングを行い、マイニング成功者が作成したブロックをほかのネットワーク参加者が検証するという方法（Proof of Workといわれる）で合意形成

が行われて、ブロックがブロックチェーンに追加される。執筆時点の2022年2月3日ではイーサリアムでもマイニングが可能でProof of Workによる合意形成が行われているが、2022年の第2四半期までに予定されているThe Mergeといわれるアップデートの後はProof of WorkにかわってProof of Stakeという合意形成が導入される。Proof of StakeはProof of Workと異なり、マイニングという電力を大量に消費する計算を必要としない。The Mergeの後、イーサリアムではProof of Workは廃止され、マイニングは不可能になる。2022年5月の執筆時点では多くのマイニング・プールではイーサをマイニングすることで報酬を得ているが、The Mergeの後では不可能になるため、個人がマイニングで報酬を得るためには、ビットコインとイーサ以外の暗号資産（アルトコインといわれる）をマイニングすることが必要になると考えられる。The Mergeについて詳細は、イーサリアムの公式ウェブサイトから確認することができる。

The Merge
（参考ウェブサイト：https://ethereum.org/en/upgrades/merge/）

　このように暗号資産のソフトウエアはESGなどさまざまな観点から持続可能なようにアップデートされている。ビットコインやイーサリアム以外にもさまざまな暗号資産が存在するが、どれもほかの暗号資産にはない特徴をもっている。暗号資産のシステムを理解するためには、経済と技術の双方の観点が必要である。ANAMでは引き続き暗号資産やブロックチェーンなどの最先端のデジタル技術・金融システムの調査・研究を続けていき、地域金融機関による地方創生に貢献したいと考えている。

[吉永　彰成]

第**10**章

平均－分散アプローチのおさらい

　前章までの議論では、有価証券のリスク管理はポートフォリオ・アプローチを用いるべきであると述べた。ポートフォリオ・アプローチは、平均－分散アプローチ（モダンポートフォリオ理論）を援用したものである。ここでは平均－分散アプローチに焦点を当てて、数学的には厳密ではないが、論理構成を時系列に説明する。

1

黎明期の平均－分散アプローチ

　ノーベル経済学賞を受賞したマーコビッツは1952年の論文で、ポートフォリオ選択に関する画期的な投資理論の枠組みを提案した。その枠組みでは、リスクを金融資産のボラティリティ[1]と定義し、2次元平面上の横軸とした。縦軸としては金融資産の期待リターンをとり、リターンが観測可能な、あらゆる金融資産をリスク・リターンの2次元平面上に布置することによって、ポートフォリオ選択に関する分析を行うことができる（図表10-1参照）。これを平均－分散アプローチと呼ぶ。最終的には与件の期待リターンをもち、かつリスクが最小となるポートフォリオを選択することが理論的に可能になった。

　マーコビッツのポートフォリオ選択理論では、期待リターン・ベクトル $\mathbf{r}$、分散共分散行列 $\mathbf{\Sigma}$ を使えば、最適ポートフォリオの投資比率 $\mathbf{w}$ は次の問題、

$$\max_{\mathbf{w}} \{\mathbf{w}'\mathbf{r} - \lambda\frac{1}{2}\mathbf{w}'\mathbf{\Sigma}\mathbf{w}\}$$

を解くことにより得られる（式中 ' はベクトル・行列の転置を意味する）。これを解けば、

$$\mathbf{w}^* = (\lambda\mathbf{\Sigma})^{-1}\mathbf{r} \tag{1式}$$

1　金融資産のリターンデータから計算した標準偏差をいう。

図表10−1　資産の布置

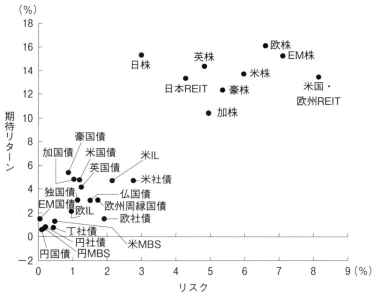

（出所）　ANAM作成。

となる。ここで、λはリスク回避度と呼ばれるパラメータである。このパラメータを変化させると、それに応じた最適ポートフォリオが得られる。それぞれのポートフォリオについて期待リターンとリスクを求めて、リスク・リターン平面上にプロットしたものが図表10−2である。この曲線は一般に効率的フロンティアと呼ばれる。

ところで、マーコビッツが論文を発表したのと同じ年に、IBMが商用の科学技術計算用につくられたプログラム内蔵式コンピュータIBM 701を発売した。このコンピュータは非常に高価で、かつ現代のコンピュータに比較すれば扱えるデータ量に制約があり、マーコビッツが提案した理論を用いて実際にポートフォリオ選択を行うこ

図表10−2　効率的フロンティア

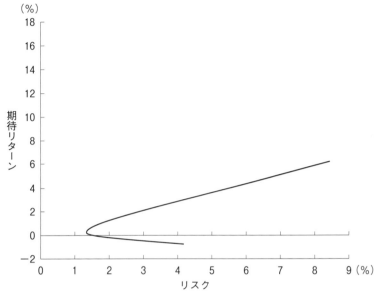

(出所)　ANAM作成。

とは現実的ではなかった。それが可能になったのは1980年に入ってからである。

2

期待効用最大化原理

　黎明期の平均－分散アプローチでは、投資家が効率的フロンティア上のどのポートフォリオを選択するかという問題に対する答えが用意されていない。そこで、経済学でよく用いられる効用関数の考え方を拡張した期待効用仮説を採用し、期待効用最大化原理[2]を用いることにより、投資家が効率的フロンティア上の1つのポートフォリオを選好することを導出することができる。

　ここで、期待効用仮説とは、不確実性のある選択肢の選好関係を、状態に依存しない効用関数の期待値を用いて表現できるという仮説である。効用とは一般に消費者が財やサービスを消費することによって得ることができる主観的な満足の度合いを意味し、期待効用は文字どおり期待される効用である。期待効用最大化原理とは、投資家は期待効用を最大化するように決断し行動することを意味する。図表10－3は期待効用関数（無差別曲線）と効率的フロンティアの間の関係を概念的に表示したものである。

　無差別曲線は、同一の期待効用をもつ点を結んだ曲線であり、下に凸になっていて、ほかの無差別曲線と交わることがない。また、上方に存在するほど期待効用が高い。それゆえ、無差別曲線が効率的フロンティアと接する、無差別曲線2が最も高い期待効用を与える。無差別曲線2と効率的フロンティアが交わる接点に該当するポートフォリオを接点ポートフォリオと呼ぶ。この無差別曲線2を

2　期待効用最大化原理はノイマンとモルゲンシュテルンにより創始された「ゲームの理論」で採用されたものである。

図表10-3 期待効用関数と効率的フロンティア

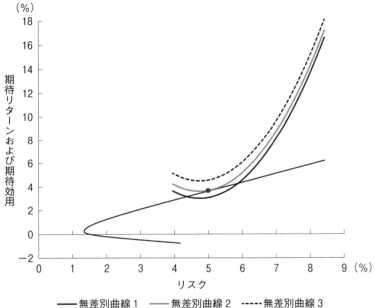

(出所) ANAM作成。

もつ投資家にとっては、この接点ポートフォリオがその期待効用を最大化する。

3

トービンの分離定理

　トービン[3]は、投資家は接点ポートフォリオ（リスク資産）とリスクフリー資産の配分比率のみを選好に応じて決定することを示した。つまり、投資家がそれぞれ異なる期待効用関数をもつとき、期待効用最大化原理により、それぞれの投資家にとって最適なリスク資産（個別の接点ポートフォリオ）が選択され、それ以外のリスク資産が選択されることはない。そうすると、残された選択はリスク資産（個別の接点ポートフォリオ）とリスクフリー資産の比率のみとなる。

　図表10-4において、リスク資産とリスクフリー資産の組入比率がリスクフリーレート（縦軸上の点）から引かれた効率的フロンティアの接線上にあることを示す。ところで、図表10-4において、リスクフリーレートの点を通って効率的フロンティアに接する直線は、1つしか存在しないことがわかる。つまり、すべての市場参加者にとって接線は1つしか存在しえない。それゆえ、各投資家がそれぞれ異なる期待効用関数をもっていたとしても、接点ポートフォリオは1つしか存在しないから、接点ポートフォリオの構成比率は投資家の選好とは無関係に決定される。そのため、投資家の選好は接線上のポートフォリオの選択において勘案される。つまり、投資家はリスク資産とリスクフリー資産の比率を選好に応じて選択することになる。図表10-4では、2つの異なる期待効用関数に対

3　1981年にノーベル経済学賞を受賞している。

第10章　平均-分散アプローチのおさらい　345

図表10-4 接線と効率的フロンティア

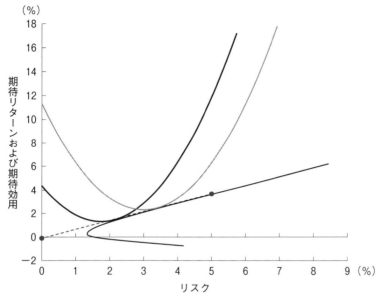

── 無差別曲線(期待効用関数1)   ── 無差別曲線(期待効用関数2)
(出所) ANAM作成。

する無差別曲線を示している。それぞれの投資家がもつ期待効用関数に応じて、リスクフリー資産とリスク資産の組合せ比率は異なる。

4

CAPM

　1960年代にシャープ[4]らがCAPM（Capital Asset Pricing Model）
と呼ばれる金融資産価格に関する理論を提案した。CAPMは平
均－分散アプローチを前提としたうえで市場ポートフォリオを定義
する。それは世界に存在する、すべての金融資産をその組入資産と
するポートフォリオである。CAPMが成立する世界では、ある金
融資産の期待リターンr_i $(i = 1, \cdots, n)$ は、市場ポートフォリオの期
待リターンr_Mの一次式として表現可能である。つまり、

$$r_i = \beta_i(r_M - r_f) + r_f \, (i = 1, \cdots, n)$$

である。ここで、r_fはリスクフリーレートで、β_iはベータと呼ば
れ、資産ごとに固有の値である。CAPMが成立する世界では、市
場ポートフォリオは接点ポートフォリオに一致する。なぜなら本章
3の議論から、すべての投資家はリスク資産として接点ポートフォ
リオのみをもつ。それをすべて足し上げた全リスク資産は市場ポー
トフォリオそのものである。それゆえ、各資産への投資比率に関し
て、接点ポートフォリオと市場ポートフォリオは一致しなければな
らない。すなわち、すべての投資家は市場ポートフォリオと同じ投
資比率でリスク資産をもつことがわかる。

　なお、CAPMの登場により、市場ポートフォリオをS&P500指数
と読み替えて、株の各銘柄からベータを計算し、より高いベータを

4　シャープも1990年にマーコビッツとともにノーベル経済学賞を受賞した。

第10章　平均－分散アプローチのおさらい　347

もつ銘柄への投資を行うことにより、高いリターンを獲得しようとする手法が登場した。これは計算が容易であったため、広く行われたが、結果は必ずしもよくない。しかし、その一方でCAPM理論の広がりによりETFが生まれたことも事実であろう。

5
ポートフォリオ・アプローチ

　前節までの議論では、個別の金融資産を直接扱っている。しかし、市場インデックスを理論どおりに計算することはむずかしい。そこで資産クラスを代表する指数を作成し、それらの指数を資産クラスごとの資産総額による加重合算値として市場インデックスを合成する。このとき資産クラスを代表する指数および為替レートをリスク・ファクターとみなすことにする。つまり、リスク・ファクターを市場インデックスを動かす主要な変数とみなす。このような見方に立つとき、リスク・ファクターも期待リターンとリスクをもち、かつ独立した変数として振る舞い、市場インデックスがすべてのリスク・ファクターの従属変数と考える。このように個別金融資産をリスク・ファクターと読み替えても、一連のファイナンスの議論（モダンポートフォリオ理論）が成立するという立場を採用することをポートフォリオ・アプローチという。

6

均衡リターンから期待リターンの推計

　マーコビッツのポートフォリオ選択理論では、各資産の期待リターンおよびリスク（分散共分散行列）は与件であった。実際にポートフォリオの最適化を行うには、期待リターンおよびリスクを推計する必要がある。ところで、リスクの推計値をいわゆる標本標準偏差とみなすと、標本数Nが大きいとき標本標準偏差の標準偏差は、母分散を σ^2 とすれば、統計的な性質として、

$$\frac{\sigma}{\sqrt{2N}}$$

程度になる。一方、期待リターンを標本平均とみなすと、その標準偏差は、

$$\frac{\sigma}{\sqrt{N}}$$

となるから、$\frac{\sigma}{\sqrt{2N}} < \frac{\sigma}{\sqrt{N}}$ であり、期待リターンの標準偏差はリスクの標準より大きい、すなわちリスクに対して期待リターンの推定精度が悪いことがわかる。この意味で期待リターンの推定はむずかしい。また、マーコビッツのポートフォリオ選択理論は期待リターンに対する感度が非常に高いため、それを実際に使おうとすれば、期待リターンの推定精度の問題を避けることはできない。

　しかし、CAPMの議論を用いれば、接点ポートフォリオの投資比率は市場ポートフォリオのそれに一致するから、市場ポートフォ

リオの投資比率が推計できれば、各資産の期待リターンを逆算することができる。以下ではその方法について解説する（以下の内容は逆算の手続に興味がない場合、読み飛ばしてもさしつかえない）。

各資産に対する期待リターンをベクトルで表示して、

$$\mathbf{r} = (r_1, \cdots, r_n)'$$

とする。CAPMによれば、期待リターン・ベクトル $\mathbf{r}$ は、市場ポートフォリオのリターン r_m の従属変数となっている。すなわち、

$$\mathbf{r} = (r_m - r_f)\boldsymbol{\beta} + r_f\mathbf{1}_n \qquad (2)式$$

である。ここで、$\boldsymbol{\beta} = (\beta_1, \cdots, \beta_n)'$ であり、本章4で述べたベータを意味する。仮に r_m が推定されたとしても、$\boldsymbol{\beta}$ を推定する必要がある。$\boldsymbol{\beta}$ は回帰係数と類似の数値であるが、その推定精度はあまりよくない。そのため、(2)式から期待リターン・ベクトル $\mathbf{r}$ を推計することはむずかしい。

そこで、本章1の(1)式が、

$$\mathbf{r} = \lambda\boldsymbol{\Sigma}\mathbf{w}^*$$

と変形できるから、市場ポートフォリオの投資比率を $\mathbf{w}_M$、全投資家の平均的なリスク回避度を λ_M として代入して整理すると、

$$\mathbf{r} = \lambda_M\boldsymbol{\Sigma}\mathbf{w}_M \qquad (3)式$$

と書き換えられる。これにより、市場ポートフォリオの投資比率 $\mathbf{w}_M$、リスク回避度 λ_M がわかれば、期待リターン・ベクトル $\mathbf{r}$ が推定できる。

インターネットの普及により、各種データベースが利用できるよ

第10章　平均−分散アプローチのおさらい　351

うになり、それらを利用して、金融資産に関するデータを集積でき
るようになったため、市場ポートフォリオの投資比率の推定値$\hat{w}_M$
を得る。同様に、リスク回避度λ_MはCAPMから、

$$\lambda_m = \frac{r_m - r_f}{\sigma_m{}^2} \qquad \text{(4)式}$$

と定義される。ここで、$\sigma_m{}^2$は市場ポートフォリオの分散である。
いま、(2)式のベータを市場ポートフォリオの投資比率w_Mを使って
表現すると、

$$\beta = \frac{1}{\sigma_m{}^2}\Sigma w_M$$

であるから、

$$r = \frac{1}{\sigma_m{}^2}\Sigma w_M(r_m - r_f) + r_f 1_n = \lambda_M \Sigma w_M + r_f 1_n$$

となる。市場ポートフォリオに関する推計値$\hat{r}_m$と$\hat{\sigma}_m$を使えばリス
ク回避度λ_Mの推計値は、

$$\hat{\lambda}_m = \frac{\hat{r}_m - r_f}{\hat{\sigma}_m{}^2} \qquad \text{(5)式}$$

となる。したがって、(3)式から期待リターン・ベクトルの推定値
は、

$$\hat{r} = \hat{\lambda}_M \hat{\Sigma} \hat{w}_M + r_f 1_n \qquad \text{(6)式}$$

となる。ここで、$\hat{\Sigma}$は分散共分散行列の推定値である。一般に$\hat{r}$を

352

均衡リターンあるいはインプライド・リターンと呼ぶ。マーコビッツのポートフォリオ選択におけるリスク・リターン平面では、リスクフリー金利を意識せずに議論を展開した。しかし、CAPMの議論との整合性を考えると、マーコビッツのポートフォリオ選択における期待リターンを超過期待リターンと読み替える必要がある。

7

ブラック・リッターマンモデル

　前節の議論により、均衡リターン$\hat{r}$を用いて有効フロンティアを導出することは、統計的な推定による期待リターンの推定に比べて、推定に関する合理性を高めたといえるだろう。さらにブラックとリッターマンは、ファンドマネジャーのビューを有効フロンティアの導出に組み込む方法を開発した。以下ではその方法について解説する（以下の内容はファンドマネジャーのビューを有効フロンティアの導出に組み込む手続に興味がない場合、読み飛ばしてもさしつかえない）。

　マーコビッツによる平均−分散アプローチでは、各資産のリターンをn次元ベクトル$\mathbf{x}$で表すとき、

$$\mathbf{x} \sim MVN(\mathbf{r}^*, \mathbf{\Sigma}^*) \tag{7式}$$

多変量正規分布MVNに従うと仮定する。

　ブラック・リッターマンモデルでは、投資家は必ずしも市場均衡仮説を信じていないことを想定して、$\mathbf{v}$を投資家の特定資産のリターンに関する見通しを意味するk次元ベクトルとするとき、

$$\mathbf{r} = \mathbf{I}_n \mathbf{\mu} + \mathbf{\epsilon}_1 , \, \mathbf{\epsilon}_1 \sim MVN(0, \mathbf{\Sigma}_1) \tag{8式}$$

$$\mathbf{v} = \mathbf{P} \mathbf{\mu} + \mathbf{\epsilon}_2 , \, \mathbf{\epsilon}_2 \sim MVN(0, \mathbf{\Lambda}) \tag{9式}$$

と置く。ここで、$\mathbf{I}_n$はn次元単位行列、$\mathbf{\Lambda}$をk次元対角行列とする。この2つのベクトルを同時に表現すると、

$$\begin{pmatrix} \mathbf{r} \\ \mathbf{v} \end{pmatrix} = \begin{pmatrix} \mathbf{I}_n \\ \mathbf{P} \end{pmatrix} \boldsymbol{\mu} + \begin{pmatrix} \boldsymbol{\epsilon}_1 \\ \boldsymbol{\epsilon}_2 \end{pmatrix}, \ \begin{pmatrix} \boldsymbol{\epsilon}_1 \\ \boldsymbol{\epsilon}_2 \end{pmatrix} \sim \text{MVN}\left(0, \ \begin{bmatrix} \boldsymbol{\Sigma}_1 & \mathbf{O} \\ \mathbf{O} & \boldsymbol{\Lambda} \end{bmatrix}\right) \tag{(10)式}$$

となる。多変量正規分布は $n+k$ 次元である。いま、$\boldsymbol{\mu}$ をベータとみなして、一般化最小二乗解を求め、その期待値と分散共分散行列を求めると、

$$\begin{aligned} \boldsymbol{\mu} \sim \text{MVN}\Big(&\left(\boldsymbol{\Sigma}_1{}^{-1} + \mathbf{P}'\boldsymbol{\Lambda}^{-1}\mathbf{P}\right)^{-1}\left(\boldsymbol{\Sigma}_1{}^{-1}\mathbf{r} + \mathbf{P}'\boldsymbol{\Lambda}^{-1}\mathbf{v}\right), \\ &\left(\boldsymbol{\Sigma}_1{}^{-1} + \mathbf{P}'\boldsymbol{\Lambda}^{-1}\mathbf{P}\right)^{-1} \Big) \end{aligned} \tag{(11)式}$$

となる[5]。ところで、(7)式および(8)式から、

$$\begin{aligned} \mathbf{x} \sim \text{MVN}\Big(&\left(\boldsymbol{\Sigma}_1{}^{-1} + \mathbf{P}'\boldsymbol{\Lambda}^{-1}\mathbf{P}\right)^{-1}\left(\boldsymbol{\Sigma}_1{}^{-1}\mathbf{r} + \mathbf{P}'\boldsymbol{\Lambda}^{-1}\mathbf{v}\right), \\ &\boldsymbol{\Sigma} + \left(\boldsymbol{\Sigma}_1{}^{-1} + \mathbf{P}'\boldsymbol{\Lambda}^{-1}\mathbf{P}\right)^{-1} \Big) \end{aligned} \tag{(12)式}$$

となる。なお、(12)式の期待リターンにおける $\left(\boldsymbol{\Sigma}_1{}^{-1} + \mathbf{P}'\boldsymbol{\Lambda}^{-1}\mathbf{P}\right)^{-1}$ の部分は、逆二項定理（Binomial inverse theorem）を使って、

$$\left(\boldsymbol{\Sigma}_1{}^{-1} + \mathbf{P}'\boldsymbol{\Lambda}^{-1}\mathbf{P}\right)^{-1} = \boldsymbol{\Sigma}_1 - \boldsymbol{\Sigma}_1\mathbf{P}'(\boldsymbol{\Lambda} + \mathbf{P}\boldsymbol{\Sigma}_1\mathbf{P}')^{-1}\mathbf{P}\boldsymbol{\Sigma}_1 \tag{(13)式}$$

と書けるから、(12)式の期待リターンは、

$$\begin{aligned} &\left(\boldsymbol{\Sigma}_1{}^{-1} + \mathbf{P}'\boldsymbol{\Lambda}^{-1}\mathbf{P}\right)^{-1}\left(\boldsymbol{\Sigma}_1{}^{-1}\mathbf{r} + \mathbf{P}'\boldsymbol{\Lambda}^{-1}\mathbf{v}\right) \\ &= \mathbf{r} + \left\{\boldsymbol{\Sigma}_1\mathbf{P}'(\boldsymbol{\Lambda} + \mathbf{P}\boldsymbol{\Sigma}_1\mathbf{P}')^{-1}\right\}(\mathbf{v} - \mathbf{P}\mathbf{r}) \\ &\equiv \mathbf{r}^* \end{aligned} \tag{(14)式}$$

と変形できる（詳細な計算は本章末コラム「ブラック・リッターマンモデルによる期待リターンの導出に関する補論」参照）。また、同様に分

---

5 A. Salomons（2007）*The black-litterman model hype or improvement ?* 参照。

散共分散行列は、

$$\Sigma + \left(\Sigma_1^{-1} + P'\Lambda^{-1}P \right)^{-1} = \Sigma + \Sigma_1 - \Sigma_1 P'(\Lambda + P\Sigma_1 P')^{-1}P\Sigma_1$$
$$\equiv \Sigma^*$$

(15)式

と変形できる。したがって、

$$x \sim MVN(r^*, \Sigma^*)$$

(16)式

と書くことができる。ブラック・リッターマンモデルのもとでは、(7)式が(16)式に置き換わったことを意味する。効率的フロンティアの導出はマーコビッツの平均 – 分散アプローチと同じである。

最後に、(14)式、(15)式に現れるΣ_1およびΛについて説明する。一般にΣ_1は、

$$\Sigma_1 = \tau\Sigma$$

(17)式

と置く。τ は定数で 1 以下の数値を使う。その意味は投資家のCAPMによる期待リターンに対する確からしさである。また、Λは、

$$\Lambda = \left(\frac{1}{c} - 1 \right) P\Sigma P'$$

(18)式

と置いて、c を投資家の見通しの確からしさを表す係数とする。あるいは、

$$\Lambda = \frac{1}{\tau - 1} P\Sigma P'$$

(19)式

とする。Λは対角行列で、投資家のビューの誤差の大きさを表すと考える。(18)式および(19)式の表現があるが、均衡リターンの確からしさと投資家のビューの確からしさは裏腹な関係にあるから、(19)式を

使えば、τ のみを指定すればよい。もし、均衡リターンの確からしさと投資家のビューの確からしさを自由に設定したいならば、(18)式を指定すればよいだろう。ただし、数値の合理性を検証する負荷は増大する。

[武田　伸一、吉永　彰成]

ブラック・リッターマンモデルによる期待リターンの導出に関する補論

逆二項定理では、**A**、**B**、**U**、**V** をそれぞれサイズn×n、k×k、n×k、k×nの行列とするとき、

$$(\mathbf{A} + \mathbf{UBV})^{-1} = \mathbf{A}^{-1} - \mathbf{A}^{-1}\mathbf{UB}(\mathbf{B} + \mathbf{BVA}^{-1}\mathbf{UB})^{-1}\mathbf{BVA}^{-1}$$

あるいは、

$$(\mathbf{A} + \mathbf{UBV})^{-1} = \mathbf{A}^{-1} - \mathbf{A}^{-1}\mathbf{U}(\mathbf{I_k} + \mathbf{BVA}^{-1}\mathbf{U})^{-1}\mathbf{BVA}^{-1}$$

となる。ここで、$\mathbf{I_K}$ は k 次元単位行列である。この定理を使えば本章7の(14)式は、

$$\left(\mathbf{\Sigma_1}^{-1} + \mathbf{P'\Lambda^{-1}P}\right)^{-1}\left(\mathbf{\Sigma_1}^{-1}\mathbf{r} + \mathbf{P'\Lambda^{-1}v}\right)$$

$$= \left(\mathbf{\Sigma_1}^{-1} + \mathbf{P'\Lambda^{-1}P}\right)^{-1}\mathbf{\Sigma_1}^{-1}\mathbf{r} + \left(\mathbf{\Sigma_1}^{-1} + \mathbf{P'\Lambda^{-1}P}\right)^{-1}\mathbf{P'\Lambda^{-1}v}$$

$$= \{\mathbf{\Sigma_1} - \mathbf{\Sigma_1 P'}(\mathbf{\Lambda} + \mathbf{P\Sigma_1 P'})^{-1}\mathbf{P\Sigma_1}\}\mathbf{\Sigma_1}^{-1}\mathbf{r}$$

$$\quad + \mathbf{\Sigma_1}\mathbf{\Sigma_1}^{-1}\left(\mathbf{\Sigma_1}^{-1} + \mathbf{P'\Lambda^{-1}P}\right)^{-1}\mathbf{P'\Lambda^{-1}v}$$

$$= \mathbf{r} - \mathbf{\Sigma_1 P'}(\mathbf{\Lambda} + \mathbf{P\Sigma_1 P'})^{-1}\mathbf{Pr} + \mathbf{\Sigma_1}\left\{\left(\mathbf{\Sigma_1}^{-1} + \mathbf{P'\Lambda^{-1}P}\right)\mathbf{\Sigma_1}\right\}^{-1}\mathbf{P'\Lambda^{-1}v}$$

$$= \mathbf{r} - \mathbf{\Sigma_1 P'}(\mathbf{\Lambda} + \mathbf{P\Sigma_1 P'})^{-1}\mathbf{Pr} + \mathbf{\Sigma_1}(\mathbf{I_n} + \mathbf{P'\Lambda^{-1}P\Sigma_1})^{-1}\mathbf{P'\Lambda^{-1}v}$$

$$= \mathbf{r} - \mathbf{\Sigma_1 P'}(\mathbf{\Lambda} + \mathbf{P\Sigma_1 P'})^{-1}\mathbf{Pr}$$

$$+ \Sigma_1 \left\{ I_n - P'\Lambda^{-1}(I_k + P\Sigma_1 P'\Lambda^{-1})^{-1} P\Sigma_1 \right\} P'\Lambda^{-1} v$$

$$= r - \Sigma_1 P'(\Lambda + P\Sigma_1 P')^{-1} Pr$$

$$+ \Sigma_1 \left\{ P'\Lambda^{-1} - P'\Lambda^{-1}(I_k + P\Sigma_1 P'\Lambda^{-1})^{-1} P\Sigma_1 P'\Lambda^{-1} \right\} v$$

$$= r - \Sigma_1 P'(\Lambda + P\Sigma_1 P')^{-1} Pr$$

$$+ \Sigma_1 P'\Lambda^{-1} \left\{ I_k - (I_k + P\Sigma_1 P'\Lambda^{-1})^{-1} P\Sigma_1 P'\Lambda^{-1} \right\} v$$

$$= r - \Sigma_1 P'(\Lambda + P\Sigma_1 P')^{-1} Pr$$

$$+ \Sigma_1 P'\Lambda^{-1} \left[I_k - \{(P\Sigma_1 P'\Lambda^{-1})^{-1}(I_k + P\Sigma_1 P'\Lambda^{-1})\}^{-1} \right] v$$

$$= r - \Sigma_1 P'(\Lambda + P\Sigma_1 P')^{-1} Pr$$

$$+ \Sigma_1 P'\Lambda^{-1} \left[I_k - \{\Lambda(P\Sigma_1 P')^{-1}(I_k + P\Sigma_1 P'\Lambda^{-1})\}^{-1} \right] v$$

$$= r - \Sigma_1 P'(\Lambda + P\Sigma_1 P')^{-1} Pr + \Sigma_1 P'\Lambda^{-1} \left[I_k - \{\Lambda(P\Sigma_1 P')^{-1} + I_k\}^{-1} \right] v$$

$$= r - \Sigma_1 P'(\Lambda + P\Sigma_1 P')^{-1} Pr$$

$$+ \Sigma_1 P'\Lambda^{-1} \{ I_k - I_k + (I_k + P\Sigma_1 P'\Lambda^{-1})^{-1} \} v$$

$$= r - \Sigma_1 P'(\Lambda + P\Sigma_1 P')^{-1} Pr + \Sigma_1 P'\Lambda^{-1}(I_k + P\Sigma_1 P'\Lambda^{-1})^{-1} v$$

$$= r - \Sigma_1 P'(\Lambda + P\Sigma_1 P')^{-1} Pr + \Sigma_1 P'\{(I_k + P\Sigma_1 P'\Lambda^{-1})\Lambda\}^{-1} v$$

$$= r - \Sigma_1 P'(\Lambda + P\Sigma_1 P')^{-1} Pr + \Sigma_1 P'(\Lambda + P\Sigma_1 P')^{-1} v$$

$$= r + \{\Sigma_1 P'(\Lambda + P\Sigma_1 P')^{-1}\}(v - Pr)$$

と計算される。

［武田　伸一、吉永　彰成］

事 項 索 引

【英字】

Black Littermanモデル ……………………………………………… 69,111

CAPM ……………………………………… 99,111,347,350,351,353

IRRBB（Interest Rate Risk in the Banking Book）……………… 78

RAF（Risk Appetite Framework／リスクアペタイトフレームワー
ク）…………………………………………………………………… 233

RBI（Regime Based Investing）……………………………… 22,25

Reverse Optimization ……………………………………………… 67

RORA（Return on Risk-Weighted Aseet）……………………… 78

SAA（Strategic Asset Allocation）＋TAA（Tactical Asset Alloca-
tion）型 ……………………………………………………… 22,26,64

z-score ……………………………………………………… 142,147

【あ】

アルファ運用 …………………………………………………………… 101

暗号資産 ………………………………………………………… 298,299

【か】

株式リスクバジェット ………………………………………………… 81

完全相関 ………………………………………………………………… 211

期待効用関数（無差別曲線）………………………………………… 343

期待ショートフォール ……………………… 220,235,240,248

均衡リターン ………………………………………………… 14,207

効率的フロンティア ……………… 44,91,116,121,122,212,341,343,345

【さ】

シャープレシオ ………………………………………………………… 24

事項索引　359

想定リスク ………………………………………………………………………… 73,81

【た】

対数収益率 ……………………………………………………………………………… 42

多資産運用戦略 ……………………………………………………………………… i

超過リターン …………………………………………………………………………… 24

長期運用モデル ……………………………………………………………………… 23

通常相関 …………………………………………………………………………… 211,222

デルタ（Δ）……………………………………………………………………………… 215

【は】

バーゼルⅢ ……………………………………………………… 248,249,259,260,263

ヒストリカル・ボラティリティ ……………………………………………… 37,53

ビットコイン ………………………………………………… 305,327,328,329

ブラック・リッターマンモデル …………………………………………… 354,357

平均回帰性 ……………………………………………………………………………… 55

平均−分散アプローチ …………………………………………………………… 91,340

平均分散法 …………………………………………………………………………… 14

ベータ運用 …………………………………………………………………………… 100

ポートフォリオ・アプローチ ……………………………… 17,91,244,349

ボラティリティ・クラスタリング ……………………………………………… 55

【ま】

マイニング …………………………………………………………………………… 330

マックス・ドローダウン ……………………… 76,79,204,223,224,226,235

【ら】

リスクアペタイトフレームワーク ……………………………………………… 18,95

リスクインディケーター …………………………………………………… 30,61,76

リスク回避度 ………………………………………………………………………… 341,351

360

リスクバジェット ……………………………… 204, 217, 218, 228, 231, 235
リスク・パリティ ……………………………………………… 27, 52, 59, 122
リスク・パリティ戦略 ……………………………………………………… 31
リスク・ファクターの分解 ……………………………………………… 29
リスクプレミアムアプローチ …………………………………………… 22, 28

事項索引　361

地域金融機関の有価証券運用【第2版】

2022年7月4日　第1刷発行
（2019年8月14日　初版発行）

　　　　　　　　著　者　オールニッポン・
　　　　　　　　　　　　アセットマネジメント株式会社
　　　　　　　　発行者　加　藤　一　浩

〒160-8520　東京都新宿区南元町19
発　行　所　一般社団法人 金融財政事情研究会
企画・制作・販売　株式会社きんざい
　　　出 版 部　TEL 03(3355)2251　FAX 03(3357)7416
　　　販売受付　TEL 03(3358)2891　FAX 03(3358)0037
　　　　　　　URL https://www.kinzai.jp/

DTP・校正：株式会社友人社／印刷：三松堂株式会社

・本書の内容の一部あるいは全部を無断で複写・複製・転訳載すること、および
　磁気または光記録媒体、コンピュータネットワーク上等へ入力することは、法
　律で認められた場合を除き、著作者および出版社の権利の侵害となります。
・落丁・乱丁本はお取替えいたします。定価はカバーに表示してあります。

ISBN978-4-322-14155-9